一笑

古龍自署

盛期之風貌

臥龍生作品 帶動武俠風潮

《飛燕驚龍》開一代武俠新風

《飛燕驚龍》(1958)爲臥龍生成名作，共48回，約120萬言。此書承《風塵俠隱》之餘烈，首倡「武林九大門派」及「江湖大一統」之說，更早於香港武俠巨匠金庸撰《笑傲江湖》(1967)所稱「千秋萬世，一統」達九年以上。流風所及，臺、港武俠作家無不效尤；而所謂「武林盟主」、「江湖霸業」等新提法，竟成爲社會大眾耳熟能詳的流行術語了。

《飛燕》一書可讀性高，格局甚大。主要是寫江湖群雄爲覬覦傳說中的武林奇書《歸元秘笈》而引起一連串的明爭暗鬥；再以一部假秘笈和萬年火龜爲餌，交插敘述武林九大門派（代表正派）彼此之間的爾虞我詐，以及天龍幫（代表反方）網羅天下奇人異士而與九大門派的對立衝突。其中崑崙派弟子楊夢寰偕師妹沈霞琳行道江湖，卻如夢似幻地成爲巾幗奇人朱若蘭、趙小蝶之絕世武功技驚天龍幫，而海天一叟李滄瀾復接連敗於沈霞琳、楊夢寰之手；致令其爭霸江湖之雄心盡泯，始化解了一場武林浩劫云。

在故事佈局上，本書以「懷璧其罪」（與真、假《歸元秘笈》有關）的楊夢寰屢遭險難，卻每獲武林紅妝垂青爲書膽(明)，又以金環二郎陶玉之嫉才害能，專與楊夢寰作對(暗)爲反派人物總代表。由是一明一暗交織成章，一波未平，一波又起，極盡波譎雲詭之能事。最後天龍幫冰消瓦解，陶玉帶著偷搶來的《歸元秘笈》跳下萬丈懸崖，生死不明，卻予人留下無窮想像空間。三年後，作者再續寫《風雨燕歸來》以交代陶玉重出江湖，爲惡世間，則力不從心，當屬狗尾續貂之作。

在人物塑造方面，臥龍生寫男主角楊夢寰中看不中用，固然乏善可陳，徹底失敗；但寫其他三名女主角如「天使的化身」沈霞琳聖潔無瑕，至情至性，處處惹人憐愛；「正義的女神」朱若蘭氣質高華，冷若冰霜，凜然不可犯；「無影女」李瑤紅則刁蠻任性，甘爲情死等等，均各擅勝場。乃至寫次要人物如「賓中之主」海天一叟李滄瀾之雄才大略，豪邁氣派；玉簫仙子之放蕩不羈，爲愛痴狂；以及八臂神翁聞公泰之老奸巨猾，天龍幫軍師王寒湘之冷傲自負等，亦多有可觀。

與

摘自 葉洪生、林保淳著
《台灣武俠小說發展史》

武俠小說

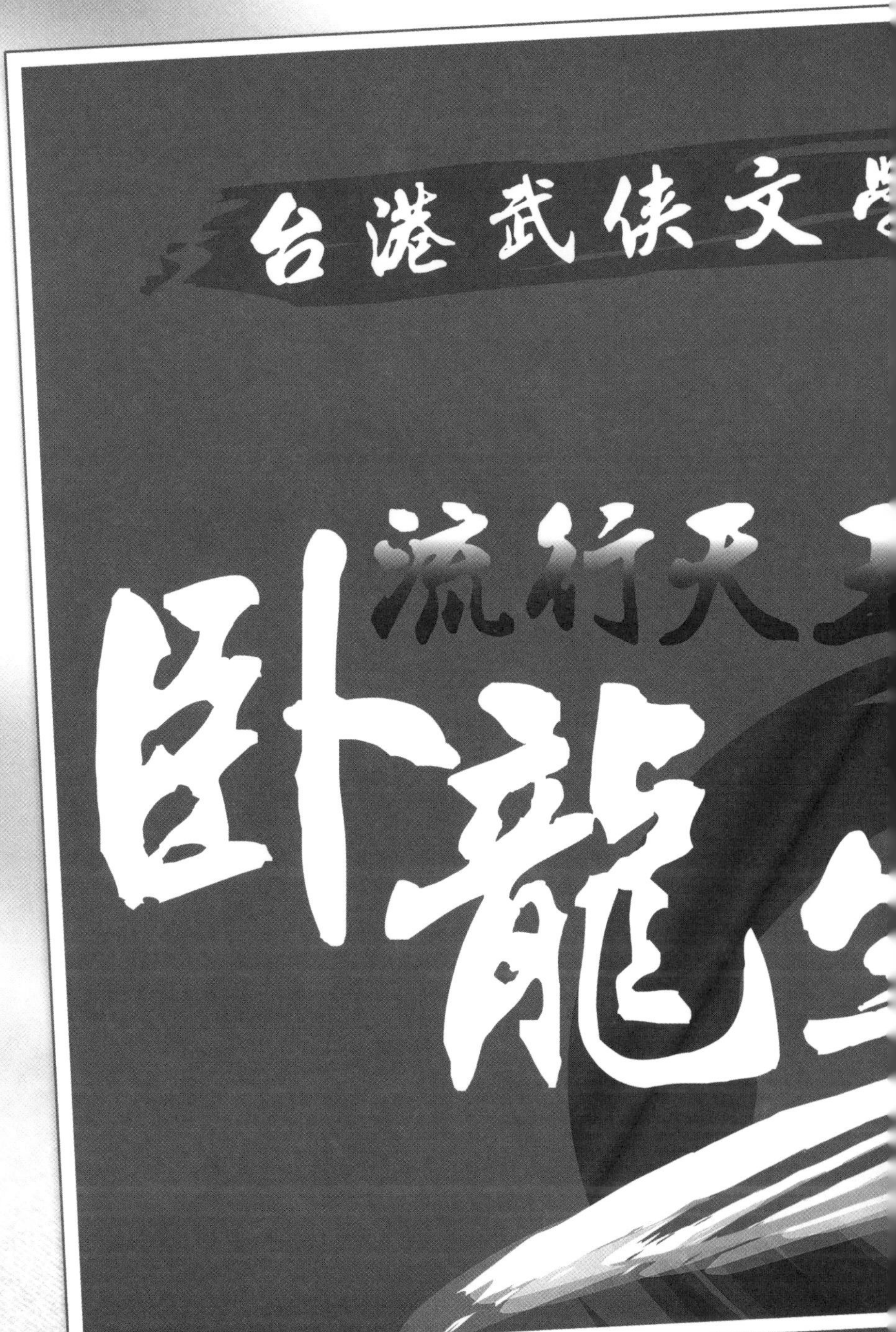
台港武俠文
流行天
臥龍

臥龍生是台灣最著名的武俠小說作家之一，自然也是海外新派武俠小說家中的重要一員。

在台灣武俠小說界，臥龍生曾獨領風騷被稱為「台灣武俠泰斗」。後來司馬翎、諸葛青雲脫穎而出，才與臥龍生並稱台灣俠壇的「三劍客」。那時候古龍還默默無聞。後來古龍名氣漸大，躋身高手之林，與「三劍客」合稱「台灣武俠小說四大家」，但臥龍生仍是深受讀者歡迎的武俠小說作家。

陳墨

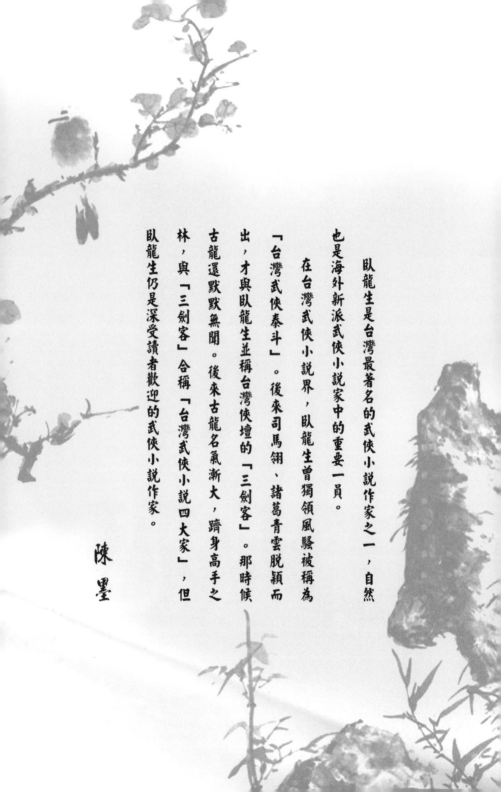

雙鳳旗（三）

臥龍生

武俠經典珍藏版 35

臥龍生精品集㉟

雙鳳旗(三)

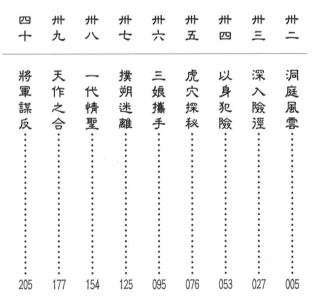

目錄

卅二　洞庭風雲

俞若仙道：「那求命大會內情如何？道長可曾得到一點消息嗎？」

金道長道：「除了那求命橋，可以暢行無阻外，四周都有著森嚴的戒備，除非咱仍不計一切，使用武功，強行闖入之外，很難偷進他們森嚴的防線。」

語氣微微一頓，接道：「以求命橋爲界，兩端是兩個世界，屬下爲了探求內情，已經派遣身邊小童嚴小青，混過了求命橋。」

俞若仙道：「有消息嗎？」

金道長搖搖頭，道：「沒有消息，他已混入了一日一夜之久，還無傳出一點內情。」

俞若仙凝目思索了片刻，道：「道長也很辛苦，我們旅途勞累，藉此時刻，也該調息一下，要他們把漁舟划到僻靜安全所在。」

金道長道：「屬下遵命。」緩步行出艙外。

漁船很快開動，行駛在平靜的水面上。

船中突然平靜下來，靜得聽不到一點聲息。

容哥兒經過了數日夜兼程趕路，早已甚感疲倦，盤坐調息，片刻間，已入渾然忘我之境。

不知道過去了多少時間，容哥兒才從坐息中清醒過來，抬頭看去，只見一抹陽光，正由艙門中照射進來，敢情已然是日升三竿光景。

目光轉動，只見那金道長和萬上門主，早已不知去向，連玉梅也不知行向何處。

他連番經歷大變，早已學會忍耐功夫，心中雖然覺得奇恐，但卻力持鎮靜，緩緩站起身子，長長吁一口氣，正待舉步行出船去瞧瞧，忽見艙門啓動，玉燕緩步而入。

只見她微微一笑，道：「容相公醒來了？」

容哥兒道：「醒來了，貴上呢？」

玉燕道：「敝上和金道長以及玉梅姑娘，去會見少林、武當兩派掌門人去了。」

容哥兒心中暗道一聲「慚愧」，他們離開此地，我竟然是一無所知，顯見幾人的內功，都高我很多了。

玉燕道：「相公腹中饑餓嗎？小婢已爲你準備好了食用之物。」

容哥兒早有飢腸轆轆之感，當下說道：「那就有勞姑娘了。」

玉燕轉身而去，片刻之後，捧來了食用之物。

容哥兒狼吞虎嚥，匆匆食完，緩步行出艙門。

抬頭看去，只見豔陽高照，藍天如洗，湖面如鏡，一望無涯，頓使人胸襟大開。

忽然間，遙遠處平靜的湖面上，泛起一道白浪，疾如奔馬般，直馳過來。

容哥兒霍然警覺，閃身躲入甲板上堆集的漁具之中，轉眼望去，只見那白浪越來越近，不大一會兒工夫，已然可見全貌，原來是一艘梭形快舟，破浪而來。

兩個勁裝大漢，分坐在船尾搖櫓，一個青袍馬褂的老人，端坐在船頭上，手中舉著兩尺多長一根旱菸袋，一個身著勁裝，背上插劍少年，垂手肅立那老人身後。

容哥兒心中暗道：「這人不知是何許人物，坐在快艇上還是這般大的架子。」忖思之間，那快舟已然行近了漁舟。

只聽那青袍老人輕輕咳了一聲，道：「這一艘漁舟，孤零零的停在此地做什麼？」

那佩劍少年欠身說道：「師父，可要徒弟上船去搜查一下嗎？」

容哥兒心中暗道：「糟了，他如跳上漁舟，第一眼就看到我了！」

只聽那青袍老人說道：「你先叫叫看，上面有人沒有？」

勁裝少年應了一聲，行上快舟船頭，高聲叫道：「喂！船上有人嗎？」

容哥兒心中焦急，不知是否該現出身去，他心中明白，如若無人相應，那少年必將登上漁舟，那漁具之下，自是難以藏身了。

爲難之間，突見艙門啓動，一個身著花格子土布衣服，頭戴竹笠，赤著雙足的漁家女，緩步走了出來。容哥兒側目看去，隱隱認出，正是玉燕改裝。

只見她裝出無限膽怯之狀，望了那佩劍少年一眼，道：「什麼事？」

那佩劍少年大概是爲玉燕的美色所動，乾咳了兩聲，道：「只有姑娘一個人在船上嗎？」

玉燕道：「奴家之外，還有父兄，只因漁舟破損，家兄去請木工修船，家父登岸買酒……」

佩劍少年似是很想登上漁舟，但心中又怕青袍老人，神色間一片猶豫，回頭望了那青袍老人一眼，道：「可要登上瞧瞧嗎？」

只見那青袍老人，兩道眼神一直注盯了在玉燕臉上瞧看，似是根本沒聽到那佩劍少年的問話。那佩劍少年，看他全神貫注的樣子，竟是不敢再多打探，悄然退到了那老人的身後。

容哥兒心中暗暗忖道：「這人如此年紀，怎的竟是這樣一副色迷迷的樣子？」

只聽那青袍老人說道：「姑娘，你抬起頭來，看看老夫。」

容哥兒聽他口氣，一派正經，不似心存輕浮，不禁心中一動，暗道：「糟了，難道玉燕已被他瞧出了什麼破綻不成？」

側目望去，但見玉燕神情沉著，怯生生地向前行了兩步，抬頭望了那老人一眼，道：「老伯伯，有何見教？」

那青袍老人哈哈一笑，道：「一個漁家女，生於湖上，長於漁舟，風吹日曬，怎會有姑娘嫩白的皮膚？」

玉燕道：「我從故鄉來，居此漁舟不久。」

青袍老人冷冷說道：「老夫不願再聽你胡說八道……」目光一掠身旁佩劍少年，道：「上船搜查，但要多多小心。」

佩劍少年應了一聲，唰的一聲，抽出長劍，跳上漁舟。

玉燕面露驚怯之色，疾快地向後退了兩步，巧不巧正好擋在艙門口。

那執劍少年，似是有意的要顯露一下自己的武功，長劍一伸，挑在一座漁網之上，但聞唰的一聲，那漁網突然升起了數丈，全面張開，有如老練的漁人撒出的魚網一般。

玉燕心中暗暗忖道：「這人武功不弱，不可輕視。」心中念轉，口中卻驚道：「你挑破了我們的漁網怎麼辦？」

那執劍少年哈哈一笑，道：「姑娘請仔細看看，你的漁網哪裏破了？」

那漁網疾快地落了下來，散佈在甲板之上。

執劍少年長劍探出，輕輕一舉，又把漁網集成一團，落在甲板之上，回目望著玉燕一笑，又揮動長劍迅速地撥動漁具。

日光下，只見寒芒連閃，所有的漁具，全都離地飛起，此起彼落，但卻無一件落在湖中，顯然，那少年出劍力道，拿捏得恰當無比。

搜完了甲板之後，那少年突然轉過身子，微微一笑，道：「姑娘，在下要搜查一下船艙，還望姑娘讓開一條去路。」

玉燕面露驚懼之色，緩緩退入艙中。

那執劍少年身子一側，大步行入了艙中，忽然肩上一麻，連呼叫也未出口，被人點中了穴道。

容哥兒點了那少年穴道之後，玉燕卻疾快地伸出手去，接住了那少年向下跌落的長劍，低聲說道：「相公，看來是難免一戰了。」一面說話，一面迅快地穿上靴子。

就在她剛穿完靴子時，艙門砰然一聲被人踢開。

抬頭看去，只見那青袍老人，面目嚴肅地站在門口處。望了那倒在艙中的勁裝少年一眼，冷笑一聲。

青袍老人兩道冷峻的目光，掠了容哥兒和玉燕一眼，道：「你們能無聲無息的點了我隨身小廝的穴道，那是足見高明了，想來必然是有來歷的人，但不知兩位是何出身？也許老夫和爾等師長相識，動起手來，也好留一點見面之情。」

玉燕道：「沒有動手之前，鹿死誰手，還難預料，老前輩不用把話說得太滿。」

青袍老人怒聲喝道：「膽大丫頭，報上名來。」

玉燕淡淡一笑，道：「告訴你名字，也是無妨，我叫玉燕。」

青袍老人略一沉吟：「你是萬上門主的屬下？」

玉燕道：「不錯。你是何人？」

青袍老人道：「老夫馬托，江湖上人稱攝魂掌。」

玉燕輕鬆的神色，突然變得十分嚴肅，緩緩說道：「聽過你的名字。」

馬托緩緩把目光移注容哥兒的臉上，道：「你也是萬上門中人了？」

容哥兒道：「閣下沒有猜對。」

馬托微微一怔，道：「那倒要請教一下姓名了？」

顯然的，攝魂掌馬托在聽得玉燕之名後，也不敢再有輕視兩人之心。

容哥兒道：「在下無名小卒，報出姓名，閣下也不知曉。」

馬托道：「能和萬上門中四燕同處一起的，而又非萬上門中之人，自非平常人物，老夫自然是應該知曉才是。」

容哥兒道：「在下容哥兒。」

馬托一皺眉頭，道：「閣下報的乳名，老夫自然是不知道了。」

容哥兒只覺臉上一熱，道：「在下先領教閣下武功。」突然一側身子，直向艙門口處搶去。

馬托疾快地向後退了兩步，道：「你非老夫敵手，還是那位玉燕先上來吧！」

容哥兒心中大怒，一提真氣，身子輕飄飄地閃出艙門。

容哥兒出了艙門道：「閣下先勝了我，玉燕姑娘再出手不遲。」

馬托上下打量了容哥兒一眼，道：「你既然堅持先和老夫動手，那就請亮出兵刃吧！」

容哥兒道：「閣下的兵刃呢？」

馬托緩緩一舉手中旱菸袋，但卻把它掛在腰帶上，道：「老夫就用這一雙空手。」

容哥兒道：「好！在下也用空手迎戰。」

玉燕急急接道：「慢著。武林中人，修爲各有不同，有以掌法見長，有以劍法稱雄，他外號攝魂掌，自然在掌法上有特別的造詣了，相公善劍，何以不肯用劍呢？」一面說話，一面伸手把長劍遞了過來。

容哥兒道：「姑娘的好意，在下心領了，但這位馬兄掌上既有特殊成就，在下亦應該空手領教幾招才是。」

玉燕心中暗道：「他自視如此之高，硬要以己之短，對人之長，看來，他也不會聽我的了，只有留心觀戰，如有危險，出手搶救就是。」心念一轉，不再多言。

容哥兒暗運功力，勁氣滿布雙掌，喝道：「閣下可以出手了。」

馬托緩緩說道：「年輕人，老夫不得不讚你一句英雄氣度，老夫讓你三掌，以示敬意。」

容哥兒右掌一翻，當胸拍出一掌，道：「好！在下恭敬不如從命。」

馬托一吸氣，腿不屈膝，腳不移步，卻疾快地退後了三尺。

容哥兒右掌一抬，一招「巧打金鈴」，隨著右掌拍出。

雙掌連環，快速無比，馬托身子尚未穩住，容哥兒掌勢已到前胸。

馬托心中暗道：「好快速的攻勢，此人的確是不可輕視。」

心中念轉，人卻一吸氣，又向後退出了五尺，避開一掌。

容哥兒一連兩掌，都被馬托避開，心中亦知遇上了勁敵，雙掌齊揮，左右合擊而出，強厲的掌勢，帶起了呼嘯風聲。

如是在平坦廣闊之地，容哥兒這連環掌的攻勢，自然是很容易爲人閃避開去，但這漁舟長不過兩丈，寬不及七尺，甲板之上，又堆滿了漁網、漁具，那馬托連避開容哥兒兩招攻勢之後，人已退到漁舟邊緣，只要再向後退出兩步，就要落入湖中。

容哥兒的用心，也就是想把他逼入湖中，那時，他縱然避過二掌，也是無顏再打下去。

馬托如若能夠還手，容哥兒的攻勢，就是再惡毒一些，也不難封架開去，但他許諾在先，要讓三掌，兩掌已經讓過，這第三掌，自是不能不讓，容哥兒掌勢從兩側攻來，只有向後退避一途。

玉燕看容哥兒雙掌攻勢凌厲，不禁暗暗笑道：「你要讓三掌，看來非被逼下湖去不可。」

心念轉動之間，突見馬托整個的身軀，直衝而上，升起了兩丈多高，在空中打了一個旋身，輕輕落在了容哥兒的身後。

玉燕暗暗稱道：「好一式『潛龍升天』，如若沒有深厚的內功，實難辦到。」

只聽容哥兒沉聲說道：「閣下的武功果然高明，如今三掌已經讓完，閣下可以還手了。」

語聲甫落，馬托欺身而上，右掌一揮，直劈過來。

容哥兒心中道：「不知他真實的內力如何？」心念轉動，竟然伸手硬接了一掌。

只聽砰然一聲，如擊敗革，容哥兒身不由己地向後退了兩步。

攝魂掌馬托站立在原地未動。

玉燕長劍一揮，橫在兩人之間，回顧了容哥兒一眼，道：「相公受傷了嗎？」

容哥兒長長吸一口氣，道：「些微小傷，算不得什麼！」

玉燕長劍一揮，道：「你掌上可是練有奇毒？」

攝魂掌馬托緩緩說道：「不錯，在下掌上，練有奇毒。」

玉燕道：「那毒性發作得十分緩慢，是嗎？」

馬托道：「正是如此，姑娘對用毒似是十分內行。」

玉燕緩緩說道：「你和他對了一掌，是不是已經把奇毒傳入他身？」

馬托仰天大笑三聲，道：「不錯，距死亡時間還早，六個時辰之後，毒性才會發作，十二時辰之後，毒性才能攻入心臟而死。」

玉燕緩緩說道：「你身上帶有解毒藥？」

馬托道：「自然是帶的有了。」

玉燕道：「如何才肯留下？」

馬托冷笑一聲，道：「姑娘準備如何使在下留下解藥？」

玉燕淡淡一笑，道：「你亮兵刃吧！」

馬托冷冷一笑，道：「在下久聞四燕之名。」

說著話，緩緩舉起了手中的旱菸袋，道：「在下就以這旱菸袋，領教姑娘的劍招。」

玉燕道：「好！」右腕一振，唰的一劍，刺了過去。

馬托一舉手中旱菸袋，噹的一聲，架了玉燕長劍，隨手還了兩招，動作快速，狠辣無比，玉燕長劍疾起，硬接兩招。但聞一聲金鐵交鳴，硬把馬托兩招攻勢擋開。

敢情那馬托手中的旱菸袋，竟是精鋼所製，分量極重，玉燕施力，不及對方深厚，硬接兩招之後，震得右腕發麻。

但她對敵經驗，究竟較那容哥兒豐富，兩招拚過之後，便不再和人硬拚，劍起輕靈，展開反擊。刹那間，劍芒流轉，攻勢猛銳異常。

容哥兒近來劍術大進，看那玉燕劍招，實有很多破綻，如和自己相較，那是顯有不如，但那馬托，卻已被玉燕輕靈迅快的劍勢，迫得全心迎戰。

不禁暗叫了一聲「慚愧」，忖道：「如若我用劍和他動手，五十招內，可以逼他落敗。」

心中念轉，才回味玉燕那兩句話說得不錯，武林中人，各有所長，以己之短，對人之長，實是大爲不智的舉動。

轉眼之間，雙方已然惡鬥了數十招，但仍保持個不勝不敗之局。

容哥兒默查形勢，兩人再打下去，也不是三、五十招內可分勝負，正待開口，喝退玉燕，由自己接替出手，突聞衣袂飄風之聲，幾條人影，跳上了漁舟。

抬頭看去，只見來人正是萬上門主俞若仙、金道長和玉梅三人。

金道長冷笑一聲，喝道：「玉燕，不用和他打了。」

玉燕疾快地收劍向後躍退。

金道長緩緩說道：「閣下已無後退之路，還不放下兵刃？」

馬托抬頭看去，果見那快舟上的舵手，都已被點了穴道。

他乃久經大敵之人，雖然已感覺到處境危險，但仍然保持著鎭靜，緩緩說道：「閣下什麼人？」

金道長淡淡一笑道：「貧道法號金風。」

馬托臉色一變道：「金風道長？」
金鳳道長道：「不錯，閣下如若不想作困獸之鬥，那就請入艙中一談。」
馬托目光轉到俞若仙的臉上，道：「這位是……」
金鳳道長道：「萬上門主。」
馬托微微點頭，道：「都是馬某慕名已久的高人，今日有幸會晤。」
金鳳道長道：「咱們的時間都很寶貴，閣下請入艙中坐吧！」
俞若仙一側身子，當先行入艙中，口中說道：「馬老英雄如有不便的感覺，我等也不便強行邀約了。」
金道長一直站在甲板正中不動，那是嚴防馬托逃走。
馬托暗中估量了一下形勢，心知動手只有送命的份兒，對方既無相逼之意，那又何苦自取死亡，當下舉步行入艙中。
但聞金道長說道：「把馬老英雄的快舟，拖入岸畔深草叢中。」
但聞木櫓聲響，快舟已被划走。
馬托緩緩在一張木凳上坐下，道：「道長息隱十餘年，原來是投入萬上門中。」
金道長道：「貧道昔年行為甚狂，直待遇到敝上之後，才知自己的淺薄，故而投身於萬上門中。」
語聲微微一頓，接道：「馬兄在江湖威望甚重，想不到竟也投入了一天君主門下，而且還甚得寵信……」
馬托冷冷接道：「道長請區區入艙，就是這幾句話嗎？」

金道長道：「有一件重要的事，想和閣下商量，但不知馬兄是否有膽子答允？」

馬托道：「道長不用轉彎抹角了，有什麼話，乾脆明白說了。」

金道長道：「馬兄快人快語，貧道也就直說了……馬兄可知那求命大會成功後，江湖上是何等局面嗎？」

馬托道：「這個，這個……」

金道長道：「馬兄定然知曉，只是不便明言而已，貧道索性代說了吧！那求命大會成功之後，武林將從此步入黑暗之中，所有我武林同道，都將在一個善用毒物的魔頭控制之下，殺剮由人，無能反抗。」

馬托沉吟了一陣，道：「大勢所趨，回天無術，道長雖一代名劍，只怕也難挽狂瀾。」

金道長道：「不錯，貧道不能，但有人能。」

馬托道：「誰？」

金道長道：「敝上。」

馬托道：「萬上門主？」

金道長道：「不錯，不過，還要借重馬兄相助。」

俞若仙道：「這是千秋大業，百世流名的事，不是私人間的恩怨，我不知那一天君主對你有什麼好處，對你有什麼大恩……」

馬托接道：「那一天君主對在下，也談不上什麼恩德。」

俞若仙道：「那很好，那一天君主派人混入各大門派之中，分批下毒，使天下所有的武林人物，在同一時間之中，幾乎全爲之身中奇毒，因此，不得不來參與求命大會，以求保命，但我萬上門卻是絲毫未受他的影響，本門中無一人中他之毒。」

目光一掠馬托，接道：「武林中有很多人，知曉萬上門，但真正見過我面的人，那是少之又少了，如論目下江湖情勢，我們萬上門可以趁此機會，混水摸魚，以便擴充實力，但我們並未作自私打算，一心一意，爲天下武林同道求命，我一個女流之輩，就有此心，想你們六尺之軀，堂堂男子漢大丈夫，定然比我的見識更爲遠大了，此時此情之下，我們這一代武林同道，如若不肯付出最大的犧牲，下一代將永無再見天日的機會。」

攝魂掌馬托似是已爲萬上門主言語所動，神情肅然地說道：「萬上說得是，老朽風燭殘年，死何足惜，似這等千秋大事，不是個人的恩怨能夠影響，但不知老朽如何相助，但得力所能及，無不遵從。」

萬上門主道：「老英雄見過那一天君主嗎？」

馬托道：「見過，老朽和另外七位武林同道，受他特別垂青，擔任湖面巡邏。」

萬上門主道：「你聽那一天君主講話神情，和常人有何不同之處？」

馬托道：「在下聽不出有何不同之處。」

容哥兒心中大急，暗道：「這樣問他，哪時才能問出一個所以然來？」

忍不住道：「萬上之意，是說那一天君主，是否有女子口音？」

馬托搖搖頭，道：「沒有。」

容哥兒心中暗道：「這就怪了，難道那白娘子也是一天君主化身之一不成？」

但聞萬上門主道：「馬老英雄能否設法帶幾人，不過『求命橋』而混入那大會之中？」

馬托道：「老朽等八大巡邏快舟，可從水中一條險道，通過『求命橋』，直入大會之中，但那一帶戒備森嚴，停在舟上或可無事，想登岸混入大會，只怕不易。」

萬上門主道：「這雖是千秋大業，但卻沒有任何報償，而且又是凶險萬分，馬老英雄請再仔細想想。」

馬托長長吁一口氣，道：「在下想過了，萬上說得不錯，這是千秋大事，不能和個人的恩怨做對比，在下已經想過了。」

萬上門主道：「想的如何？」

馬托道：「人生百歲也是難免一死，雁過留聲，人死留名，馬某為此死去，那也是死而無憾的了。」

俞若仙道：「那很好，你有此用心，武林中也許還有得救的希望。」

馬托輕輕歎息一聲，道：「那裏佈置、戒備十分森嚴，在下只能盡力而為，如若發生事故，在下唯死而已。」

俞若仙站起來，欠身一禮，道：「馬老英雄有此決心，那是武林之幸了！」

馬托急急還了一禮，道：「不敢，如非萬上教言開導，使馬某茅塞頓開，死也將落下遺臭萬年之名……」

語聲微微一頓，道：「在下的交班時間，已然快到，不便在此久留，久留恐人動疑，不知萬上要遣派何人和在下同去？」

俞若仙目光一掠容哥兒和玉梅，道：「有勞兩位一行了。」

容哥兒道：「如若萬上覺得在下力能勝任，在下決不推遲。」

馬托突然從懷中摸出一粒解藥遞給容哥兒，道：「閣下請服此藥，在下掌上確有奇毒。」

容哥兒接過解藥，投入口中吞下。
馬托目光轉到俞若仙的身上，道：「這位小兄弟，可以易容改裝，避開那水道的檢查，但這位姑娘，和在下同去，只怕有些不便吧！」
心中暗暗忖道：「你要派，也該派武功高強的玉燕同去才是，這位姑娘，名不見經傳，去也無什麼作用。」
但見俞若仙微微一笑，道：「容相公可以易容，這位姑娘也可易容。」
馬托道：「既是如此，要他們快些改裝，在下得快快趕回去才成。」
俞若仙回望了金道長一眼，道：「叫他們划來這位馬老英雄的快舟……」目光轉到馬托的臉上，接道：「馬老英雄，這艙中少年，是何身分？」
原來，那佩劍少年，穴道未解，仍然躺在艙中。
馬托道：「是劣徒。」
俞若仙道：「馬老英雄要他們改扮成何等身分，行動才方便一些？」
馬托沉吟一陣，道：「劣徒隨我多年，武功雖未學成，但爲人卻很忠心。」
俞若仙接道：「閣下之意，可是他們扮成兩個搖櫓的船夫嗎？」
馬托搖搖頭，道：「萬上之意，要他們混入大會之中，如若要扮做船夫，那是勢難離舟了。在下之意，把他們兩個藏入快艙中，過了險道之後，再見機設法把他們送上岸去。」
俞若仙道：「那兩個搖櫓的大漢，不會講嗎？」
馬托道：「諸位點他們穴道時，可曾被他們看到？」
俞若仙道：「看到了。」

馬托目注玉燕道：「姑娘長劍可否借在下一用？」

玉燕應了一聲，緩緩把長劍遞了過去。

馬托接過長劍，竟然在右腿、左臂上，各自刺了一劍。

霎時間，鮮血源出，濕了半條褲子、衣袖。

俞若仙輕輕歎息一聲，道：「馬老英雄用心良苦。」

馬托微微一笑，道：「一點皮肉之苦，算不得什麼。」緩緩把長劍交回玉燕。

只聽金道長說道：「啓告萬上，快舟已靠近了漁舟。」

馬托望了俞若仙一眼，說道：「在下盡力以赴，如若失敗，唯死而已。」言罷，大步行出艙門。

這時，容哥兒和玉梅，迅快地換過衣服，金道長帶有易容藥物，裝扮起來，十分容易，片刻工夫，兩人都改扮完成。

容哥兒裝扮成一個頷下無鬚的中年人，玉梅卻扮做一個隨身小厮，急急出艙，跳上快舟。

這時，玉燕解開了那佩劍少年的穴道，把他送上快舟。

那少年滿臉愧色，對馬托欠身一禮，道：「弟子無能……」

馬托冷冷接道：「爲師的浴血苦戰，兩處受傷。難道你就沒有一點傷嗎？」

那佩劍少年，若有所悟，拔出佩劍，在腿上刺了兩劍。

馬托點頭，目光轉到容哥兒和玉梅身上，道：「委屈兩位一下了。」

容哥兒道：「什麼事，但請吩咐。」

馬托道：「我要把兩位暫時捆起來，放在艙中，一旦被人發覺，我也好有個交代了。」

容哥兒略一沉吟，道：「好吧！」伸出雙手，閉目就縛。

馬托取出一根繩索，把容哥兒和玉梅雙手捆起，說道：「兩位躲入艙中，裝出雙手被縛，穴道被點的樣子，不論遇上了什麼事都不要張目查看。」

容哥兒點點頭，大步行入艙中，和玉梅擠在舟艙一角。

那佩劍少年取過一件長衫，掛在艙壁上，正好把兩人擋起。

但聞馬托的聲音傳入耳際，道：「我們師徒，都受傷不輕，咱們得快些回去敷藥。」

容哥兒心中暗道：「這話是講給那兩個搖櫓大漢聽的了。」

只覺船行漸快，但卻十分平穩，顯見那兩個搖櫓大漢，都有著很好的技術。

快舟疾行，足足有一頓飯工夫之久，船身突然打了兩個旋轉，慢了下來。緊接著光線一暗，小舟似是進入了一個不見天日的水道中。

兩個人蟄伏船舶一角，無法看到舟外景物，只能依靠想像猜測。

小舟又向前划動約半炷香的時光，才停了下來。

這時，夜色更暗，艙中一片漆黑。

容哥兒未得馬托之命，不便有所行動，看不到艙外。

兩人在船艙一角，又憋了一頓飯工夫之久，才聽得步履之聲，行入艙中。

這時，容哥兒、玉梅已經掙斷了手上的繩索。揭開衣衫一角，凝目望去。

只聽馬托輕輕咳了一聲，低聲說道：「兩位可以出來了。」

容哥兒和玉梅憋在船舶一角，早已有著不耐之感，聞聲起身。

馬托右手按在嘴上，搶先說道：「兩位說話小聲些。」

容哥兒點頭應道：「此刻什麼時間了？」

馬托道：「二更左右……」

語聲微微一頓，接著：「那萬上門主和金道長是不是會守在原地？」

容哥兒道：「這個在下也不清楚。」

馬托道：「但願他們早些離開。」

容哥兒道：「爲什麼？」

馬托道：「在下適才得一天君主召見，問我在何處遇上那漁舟？在下只好據實而言了，一天君主已然下令四艘巡湖快舟，一齊出動，每舟上另加高手五人，如若那萬上門主還守在原地，定然要被他們找著。」

容哥兒道：「不要緊，萬上門主和金道長，都是智慧絕人之士，必然會思慮及此。」

玉梅道：「縱然他們還守在那裏，咱們已經無能相助他們了，眼下要緊的事，是我等如何登岸，如何掩密身分。」

馬托牽起容哥兒的左手，行到艙門口處。伸手指著一盞高挑的紅燈，道：「瞧到那紅燈嗎？那就是求命之人宿住之地，現在已有數百人住在那裏，份子複雜，有僧有道，老人少女，無不齊全，你們只要設法混入那裏，行動再小心一些，那就不易被人發覺，不過……」

容哥兒接道：「不過什麼？」

馬托道：「此地距那些人宿住之地，還有一段距離，中間防守十分森嚴，你們如何度過，那要憑藉你們的機智，老朽已無能相助。」

容哥兒道：「這一段距離中的防範情形如何？老前輩可否見告？」

馬托道：「詳細情形，老朽並不知曉，老朽只知除了一些高手之外，還有四頭西方異種巨犬相助。」

玉梅道：「怎麼？你們也不曾去過嗎？」

馬托道：「一天君主做事，一向是小心謹慎，各司專責，老朽負責湖面上的巡邏，對岸上佈置，知曉的不多。」

容哥兒目光轉動，回顧了一眼，只見停舟距離湖岸不過一丈二、三，依憑自己輕功，自不難一跳登岸。

當下一提真氣，道：「馬老前輩，這湖岸上的戒備如何？」

馬托道：「這裏戒備並不森嚴，兩位小心，在下不送了。」

容哥兒、玉梅同時提聚真氣，連袂而起，跳登岸上。

容哥兒一拉玉梅，伏下身子，凝目四顧了一陣，不見人影，才緩緩站起身子，道：「咱們走吧！我在前面帶路。」兩人鹿伏鶴行般向前行去。

玉梅看那容哥兒，鄭重其事，也只好小心翼翼，跟在後面向前行去。

兩人向前走了十餘丈，到了一座山崖下面，仍然未遇人出面攔阻，這出人意外的寂靜，反使容哥兒心中大爲不安，低聲說道：「玉梅姐姐，情形有些不對。」

玉梅道：「哪裏不對了？」

容哥兒道：「這情勢太靜了，靜得有些使人覺得不安。」

玉梅道：「怕什麼？沒有人攔阻咱們，那不是更好些嗎？」

容哥兒搖搖頭，道：「凡事大異常情者，必有陰謀，也許咱們早已被他們瞧到了，要等到他們選擇的地方，才突然下手。」

玉梅嫣然一笑，道：「如若要打，不論在什麼地方，都是一樣，有什麼好怕的？」

突然暗影中響起了一個冷笑。

容哥兒凝目望去，只見正西方，兩丈外一塊高大岩石上，站著一個全身黑衣的人，衣袂在夜風中不停地飄動。

忽聞衣袂飄動之聲，玉梅已搶先發動，直向那黑衣人衝了過去。

人近巨岩，長劍已同時出鞘，寒芒一閃，橫裏斬去，那黑衣人冷笑一聲，右手揚揮，一道烏光應手而出，噹的一聲金鐵交鳴，兩人懸空接了一招。玉梅攻勢被阻，懸空一個翻身，倒退八尺，落著實地。

容哥兒暗暗急道：「糟了，這一動上手，勢必要驚動強敵援手趕來，再想近那紅燈，只怕不是易事。」

心中念轉，拔出至尊劍，縱身而上，一招「神龍出雲」，跳起刺向那人前胸。

雙方距離甚近，容哥兒已瞧出他手中兵刃，是一柄李公拐。

只見那黑衣人手中李公拐一抬一揮，橫裏掃擊過來。

鏘的一聲，拐劍相觸。

容哥兒只覺右手一麻，手中至尊劍幾乎脫手飛出，心中暗道：「這人好深厚的功力。」那岩石高有五尺，容哥兒跳起施襲，一擊不中，立時落著實地。

那黑衣人似是已經洞悉了容哥兒不願戀戰的用心，右腳一跨，從巨岩上直衝下來，李公拐

「泰山壓頂」，當頭直劈下來。

容哥兒知他拐勢凌厲，不宜硬接，橫裏閃開，避過一招。

黑衣人冷冷說道：「閣下如能接我三拐，在下立刻讓路。」

容哥兒心中暗道：「這人好大的口氣。」

不禁激起了豪壯之氣，說道：「當真嗎？」

黑衣人道：「老夫一向是言出必踐。」

容哥兒道：「本來在下無意和閣下動手，但你如此托大，在下只好奉陪。」

黑衣人道：「小心了，老夫第一拐名叫『五丁開山』。」

話落拐出，李公拐挾著一股強勁的風聲，當頭落下。

容哥兒看威猛的拐勢，心中暗暗吃驚道：「我以至尊劍接他雷霆萬鈞鐵拐，未免是太過吃虧了。」但話已出口，只好身子一閃，揮劍架去。

又一聲金鐵交觸的大震，容哥兒被震得向後退了兩步。

黑衣人哈哈一笑，道：「第二拐名叫『力掃五嶽』。」話剛落口，李公拐已橫裏擊到。

容哥兒全身內力，貫注在劍身之上，疾退兩步，橫劍架去。

只聽砰然一聲脆擊，容哥兒手中的至尊劍，突然閃起一道寒光。

原來，那至尊劍，外匣脫去，露出了寒光奪目的劍身。

劍匣破空而上，直飛起一丈多高。玉梅縱身而起，接住了下落的劍匣。

那原本一尺六寸的至尊劍，劍匣脫開之後，又短了一寸左右。

黑衣人看容哥兒手中短劍，寒光耀目，不禁微微一怔，道：「你沒有退下劍匣嗎？」

容哥兒冷冷說道：「現在退下了，閣下還有一拐可以出手了。」

他口裏說得大方，心中卻是暗暗叫苦：「這利刃若被他李公拐擊壞，卻可是大爲可惜的事。」

黑衣人手中的李公拐緩緩向下壓來，直待相距容哥兒頭頂三尺左右時，才突然加快了速度，直擊而下。容哥兒短劍疾擊，斜斜斬去。

但聞一聲龍嘯虎吟般的脆鳴，黑衣人手中李公拐，竟被至尊劍削去了一截。

容哥兒想不到手中的至尊劍，鋒利如斯，竟能把數十斤的李公拐斬斷一截。

那黑衣人呆了一呆，道：「好劍啊，好劍。」

容哥兒道：「在下已經接過了三拐，閣下還有什麼話說？」

黑衣人緩緩說道：「老夫說過，出口之言，向不更改……」

閃身退向一側，接道：「閣下可以過去了。」

卅三　深入險逕

容哥兒不再多言，轉身向前行去。

玉梅緩步迎上來，低聲說道：「你幾時帶了這一把寶劍？我怎麼一點也不知道。」

容哥兒道：「很早啦，只是沒有和姊姊說過罷了。」

兩條人影，夜色中有如兩支流矢，向前飛奔。

二人奔行約數十丈，越過一道小溝，面前是一片寬闊的草地，靜悄悄不見個人影。

那高掛的紅燈，仍還在數十丈外。容哥兒停下腳步。

玉梅眼看容哥兒突然停下腳步，凝目沉思，心中大感奇怪，說道：「你怎麼又不走了？」

容哥兒道：「這片草原，有些不對。」

玉梅微微笑了一笑，道：「你等著我先走一遍看看，如有危險，你就不用過來了。」一面說話，一面舉步向前行去。

容哥兒看她不肯聽自己相勸之言，也不便再行阻止。

玉梅說得雖然輕鬆，但心中亦覺得這地方有些奇怪，這地方縱然沒有埋伏，但容哥兒和那黑衣人動手時間很久，也該有所警覺才是，怎麼不見一點點動靜呢？

因此，走得十分小心謹慎，暗提真氣，手握劍把。

心念轉動之間，人已行到那草坪當中。

只聽一聲斷喝，道：「站住！」火光一閃，突然間，亮起了幾支火把。

玉梅轉眼看出，只見兩側山壁間，各站有二十餘人，手挽強弓，箭搭弦上。

對面也同時亮起了兩支火把，三個仗劍人，並肩行了過來。

敢情，這草地兩側、山壁間，早已埋伏了四十個弓箭手，但每人都穿著黑色衣服，緊靠山壁而立，不講話很難看出來。

容哥兒眼見玉梅身陷重圍，兩側弓箭手，搭箭戒備，只要一聲令下，對方立時將有數十支強箭齊發，心中暗道：「她雖然不肯聽我相勸，致陷身於重圍之中，但我卻是不能棄她不顧。」

正待提著劍到玉梅停身之處，和她分拒兩側弓箭，忽聽玉梅嬌叱一聲，左手一揮，一串銀芒，直向迎面行來的三個仗劍人打了過去。

暗器出手，人也緊隨著飛跳而起，躍向三人。

她動作快速絕倫，快得兩側手挽強弓的大漢來不及發出弩箭。

三個仗劍大漢，三劍並舉，擊落了疾飛而到的一串銀芒，玉梅已到眼前。

她以一抵三之勢，仍然是著著搶攻，劍轉如輪，把三人迫入一片劍影之中。

兩側弓箭手，雖然各自箭搭弦上，但因玉梅和三個劍手混在一起，不敢放箭。

玉梅劍招奇幻，但卻不肯傷人，只以險招迫三人步步後退。

容哥兒冷眼旁觀，眼看那玉梅的劍勢，可早傷三人，但玉梅卻屢屢不肯出手，初時心中甚感奇怪，但轉念一想，恍然大悟，原來玉梅用心是希望和三人纏鬥在一起，免得那兩側弓箭手施放弩箭，心中大爲喜歡，暗道：「這玉梅果然是聰明得很。」

忽然間，念頭一轉，想道：「如若玉梅借三人之助，過了這一片險地，我又如何過去呢？兩側的弓箭手，心無所忌，自然可以全力對付我了，倒不如趁他們混戰之時，設法衝過險關。」

念轉意決，手握至尊劍，暗中提聚真氣，一語不發，突然縱身而起，直向玉梅撲了過去。

但聞弓弦聲動，一排弩箭，直對容哥兒飛了過去。

容哥兒早已有備，至尊劍突然翻轉，幻起一片護身劍影，但聞一陣叮叮咚咚之聲，近身弩箭，盡爲容哥兒劍勢擊落。

那玉梅和三個仗劍人動手之處，距那容哥兒停身之地，足足有四丈多遠，容哥兒自知輕功，很難一躍而至，是以，擊落第一批射向自己的弩箭之後，立時施展千斤墜的身法，以快速絕倫之勢，落著實地。

就在容哥兒雙足落地的一瞬，又是數十支弩箭，分由兩側射來。

強弓硬箭，挾帶著一片嘯風之聲。

容哥兒早已想好了撥打弓箭之法，一抑身，背脊貼地，全身一陣急旋，施出「燕青十八翻」的身法，劍影護身，直衝過去。

這一衝之勢，快速無比，呼呼亂響聲中，衝近到玉梅身側。

他雖已早想到避開那強箭的辦法，但仍然被利箭劃破了幾處衣服，幸好並未傷及皮膚。

容哥兒長身而起，至尊劍一揮，加入了四人纏鬥之中。

他早已洞悉玉梅用心，是故，連那至尊劍的劍鞘，也未脫下。

玉梅一人，已然逼得三人步步倒退，再加上一個容哥兒，自然威力更增，三人更是節節敗退。片刻工夫，三人已被逼退了七、八丈遠。

兩側雖有強弓硬箭，但因玉梅和容哥兒，始終和三人纏鬥在一起，以致那些弓箭手無法施展。

容哥兒目光一轉，發覺已然行近兩山夾峙的谷口，即將脫離那些弓箭手的威脅。

突然一聲尖銳的哨聲，響徹全場，那高燒的火把，陡然熄去。

清晰的山形、人物，又隱失在夜暗之中。

玉梅的劍勢忽然一緊，攻勢更見激烈，不過三招，已然斬斷了一個人的右臂。

慘叫聲中，一個執劍人手中的長劍和斷臂，一齊跌落在地上。

容哥兒眼看玉梅傷了一人，心中暗道：「這丫頭武功高強，不能讓她專美於前。」

劍勢一變，砰然一聲，擊中了左側一個仗劍人手肘之上。

至尊劍雖未出鞘，但容哥兒這一劍力道卻很強大，那仗劍大漢肘間關節，生生被容哥兒一擊敲斷，長劍也隨著脫手落地。

三人全力，尚非玉梅一人之敵，何況此刻三傷其二，餘下一人，要獨擋那容哥兒和玉梅的聯手攻勢，豈是能夠支撐，一回合已傷在玉梅劍下。

三個仗劍人，片刻間，盡都負傷，那最後一人，傷得很重，被玉梅一劍洞穿前胸而過，血噴五尺，仰身摔倒，說他傷，其實，已然是將要死亡。

另外兩個肘折臂斷的大漢，已然藉機而退，隱失於黑夜之中不見。

玉梅低聲說道：「少爺，咱們衝過去。」仗劍當先而奔。

容哥兒道：「奔向那紅燈。」緊追在玉梅身後而行。

眨然間已跑出了五、六丈，看那紅燈，相距也就不過是十幾仗的距離。

容哥兒心知紅燈之下，都是來此求命之人，想那人數定然不少，混入其中，對方實在很難找得出來。

他一心一意，只想著早到紅燈之下，卻不料奔行中的玉梅，突然停了下來。

容哥兒發覺時已然收勢不住，正撞在玉梅身上。他奔行的速度甚快，玉梅被他一撞之勢，直向前面衝去，直到六、七尺外，才穩下身子。

容哥兒收住腳步，滿臉通紅地說道：「撞傷你了嗎？」

玉梅緩步走了回來，道：「還好，如若少爺再重一些，此刻，只怕小婢已經身受毒傷了。」

容哥兒奇道：「身受毒傷？」

玉梅道：「少爺請仔細瞧瞧。」

容哥兒凝目望去，只見前面草地突起一片約四寸長短的鋒利短刃，夜色中，閃爍生光。

玉梅說道：「這片刀陣，不下數十丈，除非練過『凌空虛渡』的上乘輕功，一般草上飛的輕功，絕難越過，唯一的辦法，就是毀去部分刀陣，留下可以容足處，不過，那要很多時間才成，此刻看來，只有繞過刀陣而過了。」

容哥兒道：「不錯，那一天君主總不能在那紅燈四周，完全布下刀陣。」

玉梅轉身而行，一面說道：「沒有刀陣的地上，不是有高手把守，定然有更爲惡毒的埋伏，但咱們此刻，卻是不能不冒險了。」

容哥兒只覺玉梅之言，十分有理，自己又想不出更好的法子，只好默然不言。

兩人繞著刀陣，走約十餘丈後，果然到了一座竹子搭成門樓樣的地方，四周一片寂然，聽不到一點動靜。

玉梅望了那竹門一眼，低聲說道：「這竹門之內，也許有著更惡毒的埋伏，但它卻是一條路，別人能走，咱們自然也能走了。」

容哥兒道：「這次由小弟帶路了。」

也不待玉梅答言，身子一側，人已衝入竹門。

玉梅道：「少爺小心暗算。」喝聲中一提真氣，緊隨在容哥兒身後，衝入竹門。

容哥兒仗劍護胸，大步向前去。

四周一片幽靜，幽靜得聽不到一點聲息。

險惡的處境，幽靜的恐怖，使他渴望一場搏鬥，縱然是一場生死的惡鬥。

容哥兒突然加快了腳步，繞過一個山角。

形勢突然一變。

只見一座青磚砌的大廳，矗立眼前，擋住了去路。

這條大道，直通那磚房之中。

玉梅眼光轉動，只見刀陣密密地排近那座大廳，除了眼下這條通往大廳的道路之外，仍是無路可走。

容哥兒回顧了玉梅一眼，道：「咱們闖入室中瞧瞧看？」

其實，此情此景兩人也無法做選擇。

玉梅正待答話，忽聽一陣木門開動之聲，那原來緊閉的木門，突然大開。黑暗的大廳中，隨著亮起了一支火燭，有人說道：「二位請進來吧！」聲音清脆，分明是女子口音。

容哥兒鎮靜了一下心神，道：「你是誰？」

廳中那清脆的聲音應道：「這裏只有一條路，除非你們願意行入那毒刀陣中，你想進來，也得進來，不想進來，也要進來了。」

容哥兒吃了一驚，暗道：「果然那刀陣上的利刃，還塗有劇毒。」心中念轉，口中卻喝道：「難道我們不會退回去嗎？」

廳中人格格一笑，道：「來時有路，退時無門。兩位想退回去，談何容易？」

容哥兒道：「你是白娘子嗎？」

廳中人應道：「你如想知我是誰，爲何不進入室中瞧瞧？」

容哥兒冷然一笑，道：「瞧瞧就瞧瞧，可是認爲我當真害怕嗎？」回顧了玉梅一眼，道：「姐姐不用進去，在下進去瞧瞧，立刻出來。」

但聞玉梅接道：「此刻，咱們行蹤已經暴露，不論到哪裏，都是一樣，那就不如進去開開眼界了。」

容哥兒道：「好吧！姐姐一定要去，小弟自不便阻擋了。」大步向廳中行去。

玉梅低聲說道：「退下劍鞘，準備拒敵。」

容哥兒應了一聲，手按機簧，啵的一聲退下了劍鞘。

這至尊劍一出鞘，登時閃起了一片寒芒。

玉梅湊近容哥兒，低聲說道：「先下手爲強。」

容哥兒點點頭，行入大廳之中。

只見廳中燃起的一支白燭，發出綠幽的光來，廳中甚多地方，都無法看得清楚。

容哥兒長劍護身，轉目一顧，只見大廳中似是躺了很多人，卻不見一個坐著或站著的人。

這情境十分詭譎，使人不自覺地生出了一種恐怖和不安。

容哥兒輕輕咳了一聲，道：「白娘子，你在哪裏，爲何不肯現身相見？」

他一連呼叫數聲，卻不聞有回聲之言。

玉梅長劍流動，數了數那躺在廳中之人，共有十二個，心中暗道：「這些人必然有著一個極善群攻的陣勢，最好先傷他們幾個，使那群攻之陣，威力先受影響。」心念一轉，突然舉步向前行去。

容哥兒不知玉梅心意，急急叫道：「這些人都是裝死，姐姐不要上當……」

玉梅聽他叫出內情，那無疑告訴敵人，我們已窺破內情，你們不用裝作了。心中又是好氣，又是好笑，但又不能不理那容哥兒的問話，淡淡一笑，道：「我就是要瞧瞧他們是真死是假死。」

突然加快腳步，行到一個大漢身側，長劍一揮，斬了下去。

容哥兒道：「不用瞧了，這些人自然是活的了。」

他話還未說出口，玉梅手中的長劍，已然閃電一般，斬了下去。

容哥兒看她長劍斬下，心中恍然大悟。

果然，那躺在地上的大漢，在玉梅劍勢出手之時，忽然一挺而起，右手抬處，一道寒芒，應手而出，噹的一聲，震開了玉梅手中長劍。

敢情這些人早已有備，見玉梅落劍奇快，不得不跳起自保。

玉梅看他跳起的行動快速，擋開了自己一劍，心中暗暗忖道：「這些人身手不弱，不可以等閒視之。」

長劍疾轉，一招「雷電交擊」，劍聚一片寒芒，橫裏斬去。這一劍勢道惡猛，那大漢不敢再出劍硬接，急急向一側跳去。

那大漢避開雷電之擊，卻無法避開這一招「吞雲吐月」，寒芒過處，鮮血迸流，閃閃寒鋒，透心而過。這致命一擊，使那大漢哼也未哼出一聲，立時氣絕而亡。

玉梅抬起一腳，那大漢屍體飛起，直向大廳一角落去。

容哥兒心中暗道：「好毒辣的劍招！看來她劍術上的成就，只怕也超過我了。」

就在容哥兒一轉念間，廳中的形勢，又有很大的變化。

原來，那躺在大廳中的人，此刻都霍然跳起，一個一個亮出了兵刃。

容哥兒仔細看他們兵刃，都是兩尺多長寶劍，比起一般劍短了許多，但比起自己的至尊劍，卻又長了很多。燭火下，只見那劍身之上，泛現出一片藍汪汪的顏色，顯然，這些大漢手中兵刃，都已經過了劇毒淬煉。

只見那十幾個大漢，迅快地散開，各自站了一個方位。

但見玉梅長劍一振，陡然向東方欺了過去，人未到，長劍已幻起一朵劍花分襲三人。

自然，她主要攻擊，只限一個，但三人無法預測她哪一劍是真、哪一劍是假，逼得齊齊舉劍招架。三劍並出，合勢封架。

玉梅適才殺死了十二人中的一個，已使廳中這些大漢，個個為之提高戒心，絲毫不敢輕視。

容哥兒眼看玉梅出手，立時跟著發動，至尊劍「神龍探爪」，向正西方位攻去。

但見人影交錯，正西方位上三個大漢，也同時揮劍擊出。

他們對容哥兒，顯有不同，並非採取守勢而是以攻對攻。

容哥兒至尊劍突然一擺，由「神龍探爪」變做了「傍花拂柳」。

寒光閃動，響起了一陣鏘鏘之聲，三柄毒劍，盡為容哥兒至尊寶刃削斷。

玉梅回目望著容哥兒一笑，道：「少爺，果然在小婢預料之中，他們十二人，排成了一座陣勢，想把咱們困入陣中，但小婢已先傷了他們一人，使他們陣勢，大不完整，威力方面，定然減少了很多。」

容哥兒心中大感慚愧，暗想：「我一個堂堂男子漢，竟然還不如一個女流的見識。」口中卻說道：「姐姐的洞燭機先，在下十分佩服。」

玉梅微微一笑，道：「少爺不用誇獎小婢，這只是瞎貓碰上死老鼠，被我胡亂猜中罷了……」

語聲微微一頓，接道：「咱們雙劍合手，殺了這些人如何？」

言來氣勢豪壯，大有凌霄干雲之勢。

容哥兒亦被這幾句話激起了強烈的爭勝之心，豪壯地說道，「好！咱們先挫敗他們……」

玉梅迫不及待地說道：「咱們出手吧！」

容哥兒道：「不要急，咱們要先禮而後兵。」

語聲微微一頓，高聲說道：「白娘子，你如再不肯現出身來，別怪在下劍下無情了。」

但聞四壁回音，卻不再聞有人回應之聲。

玉梅道：「少爺，先殺了這群小嘍囉，不愁他們不現身了。」

那三個大漢似是未料到容哥兒手中是柄寶刃，手中兵刃被人削斷，不禁為之一呆。

這時，容哥兒如若急快地揮劍斬去，必可殺傷兩人，但他心有不忍，手中劍勢一緩。

就在他猶豫之間，整個陣勢的轉動，三人已換了方位。

但聞玉梅高聲說道：「少爺不用手下留情，這陣勢只不過是咱們要闖過的第一關罷了。」

就在玉梅說話聲中，響起了一陣強烈的金鐵交鳴之聲。

容哥兒凝目望去，只見那十一人排成的陣勢，開始疾快地轉動，銀芒閃動，劍風似輪，攻向玉梅一人。

玉梅揮劍封架那綿連的劍勢，一片叮叮噹噹的金鐵之聲，不絕於耳。

顯然，那些劍手已知容哥手中寶刃鋒利，不敢再試銳鋒，卻集中攻向玉梅。

容哥兒心中大怒，暗道：「玉梅說得不錯，如若不把這些人傷在劍下，只怕那白娘子不肯現身。」

心中念轉，口中卻厲聲喝道：「白娘子，你既然不肯現身，不用怪在下手下無情了。」話出口，人也同時挺劍而進。

這至尊劍鋒利無比，寒芒及處，斷劍紛落。

容哥兒連出數劍，十幾柄長劍盡為他寶刃削斷。

輪轉的劍陣，先被玉梅揮劍傷了一人，威力方面，已經大為減少，再叫容哥兒寶刃，削斷了那些大漢手中兵刃，整個輪轉劍陣的劍手，每個人手上都只餘下半截斷劍。這些人手中兵刃被削，整個劍陣的威勢，自然是大爲減弱。

玉梅大展神威，嬌叱聲中，連續刺出兩劍，傷了兩人。

容哥兒手中橫劍，心中暗道：「此刻，我如揮劍攻上，必可大肆殺戮，但這些人並非主腦元兇，大肆殺戮，未免是有些失之殘忍……」

就在他猶豫之間，突聞一聲刺耳長笑，傳了過來，道：「你們全都退下。」

那輪轉在容哥兒和玉梅面前的劍陣，突然間停了下來，十餘個大漢，齊齊退開。

容哥兒聽那笑聲，有如夜梟悲鳴，刺耳難聽，心中暗道：「進入這大廳之前，聽那女子聲音，頗似白娘子，但適才的笑聲，分明是另有其人，看來，在暗中監視我等的強敵，不在少數。」

心念轉動之間，突聞一陣步履之聲，直向室中行來。

玉梅低聲說道：「少爺小心，不可再存仁慈，咱們是身處險境，多留一個敵人，就減少咱們一分生機。」

容哥兒道：「逼人拚命，亦非制敵之道。」

玉梅還未來得及再開口，一個全身白衣的婦人，已然出現於木案之前。

容哥兒抬目一顧，道：「白娘子，久違了。」

那白衣婦人正是白娘子，但她神情嚴肅，和上次相見時，大不相同。

只見她微一頷首道：「你很大膽，竟然混入此地來。」

容哥兒道：「天下英雄，大都來君山求命，區區自然也該來此，參與這一場熱鬧大會。」

白娘子目光一掠玉梅，道：「這位姑娘是誰？」
容哥兒道：「在下一位同門。」
白娘子冷冷說道：「那萬上門主現在何處？」
容哥兒道：「不知道。」
白娘子冷笑一聲，道：「如無那萬上門中人物助你，諒你難以到達此地。」
容哥兒緩緩說道：「在下已經來了，但卻並無萬上門中人物隨行。」
白娘子道：「念在咱們相識一場的份上，給你一個選擇的機會。」
容哥兒耐著性子說道：「願聞其詳。」
白娘子道：「我拿出一顆丹丸，只要你肯把它吞下去，那就是你的生機，日後遇上名醫，或可恢復你舊時的記憶。」
容哥兒淡淡一笑，道：「這辦法不成，太過冒險了，但不知還有什麼法子？」
白娘子道：「你手中現有利劍，自絕在這大廳之中，免得求死不得、求生不能。」
容哥兒搖搖頭，道：「這兩個法子在下都難同意，不知是否還有第三個法子？」
白娘子冷冷說道：「我已經盡了心，兩個法子你都不能接受，那只有讓你自己設法了。」說罷，突然轉身向後行去。
容哥兒厲聲喝道：「站住。」陡然欺身而上，攔住白娘子的去路。
玉梅一橫長劍，擋在身後，道：「前無去路，後無退步，除了動手之外，你只有束手就縛一途。」
容哥兒正待接言，突然一縷柔柔細音，傳入耳中，道：「你們生機很少，只有詐降一途……」

容哥兒微微一怔。

就在一錯愕間，白娘子已然迅快地轉過身子，回手一把，疾向玉梅腕脈之上扣去。

她回手一擊，快速絕倫，快得玉梅沒有法子舉劍封架，匆忙間，向後跳退五尺，避開了一擊。

白娘子左手一揚，一道似雲如霧的白氣，直打過去，口中卻喝道：「躺下。」

玉梅雖然藝得真傳，行動小心，但她究竟是很少在江湖上走動的人，眼看那一片茫茫白霧般東西打來，心中大爲奇怪，暗道：「這是什麼暗器……」

念頭還未轉完，突覺一股異香，撲入鼻中，身不由己地向後倒了下去。

白娘子舉手間制伏了玉梅，立時又轉向容哥兒，一揚右手，仍然是一片茫茫白氣，直衝過去。

耳際卻響起了白娘子輕柔的聲音，道：「快閉住氣，裝作中毒暈倒。」

一切事情發生的那樣快速，那樣突然，根本使人沒有時間多想。

容哥兒倉促間，無法抉擇，依言閉起雙目，裝作暈倒之狀，跌摔地上。

白娘子緩步行到容哥兒的身側，突然出手一指，點了容哥兒穴道。

這一指快迅無比，容哥兒警覺想待讓避時，已來不及，被人一指點中肋間要穴。

容哥兒穴道被點，但心中還很明白，圓睜著雙目，望著白娘子，心中罵道：「你這蛇蠍婦人，騙我裝作中毒暈倒，再以出其不意的手法，點我穴道，當真是卑下得很。」

他雖然罵在心中，無法出口，白娘子卻似聽到了耳中一般，臉上微現紅暈。

只見她伏下身去，先撿起了容哥兒的至尊劍，自言自語地說道：「這寶劍不錯，我先替你收起了。」這幾句話，似是有意的說給容哥兒聽，也似是安慰容哥兒，意思是說，暫時替他保管。

白娘子還劍入鞘，借伏身之勢，施展傳音之術，說道：「你是鄧郎骨肉，我必將捨命救你，但此刻情勢不同，你必須暫時忍受。」

這幾句話，字字如千斤鐵錘一般，擊打在容哥兒的心上。

這些日子中，他內心有一種莫名的懷疑，早已在暗中洶湧，但他卻常常自我安慰地想道：「不會的，我不過長得像那鄧玉龍，天下有很多人，沒有血統關係，一樣長得很像。」此刻，聽白娘子這幾句話，他自己建立的心防崩潰了……

但聽白娘子高聲說道：「把兩人給暫時押入房，不用驚動君主了。」

容哥兒雖然口不能言，身不能動，但他眼睛可以見物，神智仍極清明。

只聽一陣步履之聲，兩個大漢，行了進來，一個抱起玉梅，一個抱起自己，直向後面走去。容哥兒穴道被點，只好任人擺佈。

只覺那人把自己抱入了一座暗房中，放了下去，回手帶上兩扇房門。

房中黑暗異常，伸手不見五指。

容哥兒心中雖然焦急，苦於身不能動，只好靜下心來，暗中運氣，試行自解穴道。

大約過了一頓飯工夫，木門忽然大開，白娘子閃身而入，輕步行到容哥兒的身側，拍活了容哥兒的穴道：「這裏有粒解藥，讓你同伴服下。」

容哥兒接過解藥道：「多謝相救。」

白娘子道：「我的時間不多，仔細聽著我說話，你們必須要耐心的在此度過今宵，明日中午時分，我如不能來此，明晚我再來瞧你們。」

容哥兒接道：「我們此刻不能走嗎？」

白娘子道：「不能走。」

容哥兒道：「爲什麼？」

白娘子道：「數十高手，雲集於此，你們沒有機會……」

語聲微微一頓，接道：「我有很多話要對你說，但此刻沒有時間，好好的聽我的話，守在室中，出了此門，立時將危險重重，我守夜時間已屆，再有危險，我就無法救助你們了，好好約束你那同伴，不可讓她輕舉妄動。」

言罷，急急轉身而去，隨手帶上房門。

容哥兒眼見白娘子人影一閃而去，心中暗道：「她既然解了我的穴道，顯然，相救之言，並非虛語了。但她爲什麼要救我呢？這舉動豈不是太冒險了，我如不肯聽她之言，豈不很容易使人知曉，是那白娘子從中搗鬼嗎？這女人，當真是舉止神秘，叫人無法猜測她的真正身分。」

心念轉了一陣，暗道：「不論如何，我該先救醒玉梅再說。」

容哥兒穴道被解之後，已然完全恢復了自由，舉步行到玉梅身側，這時，他已能適應室中的幽暗，運足目力望去，只見玉梅雙目緊閉，似是睡得很熟，他伸出手去，推了玉梅兩把，玉梅動也不動一下。

心中暗道：「這迷藥力道很強。」

情勢逼人，容哥兒也無法顧及男女之嫌，伸手抱過玉梅，撬開牙關，把白娘子交來的藥物，投入了玉梅口中。

過了半炷香的工夫，才聽得玉梅長長吁一口氣。

容哥兒低聲說道：「玉梅姐姐，你醒了嗎？」

玉梅挺身坐起道：「這是什麼所在？」

容哥兒道：「低聲些，咱們在囚房之中。」把剛才的經過簡要地說了一遍。

玉梅道：「我們準備聽她的話，在這裏等候是嗎？」

容哥兒道：「目前，還想不出其他辦法。」

玉梅沉吟了一陣，道：「咱們可以從原路回去……」

忽聽一陣步履之聲，傳了過來。

容哥兒道：「我們已經連續過了數次凶險，應付險境，鎮靜最爲重要，你仍裝著中毒未醒之狀。」言罷，閉上雙目倒臥地上。

玉梅心中暗道：「先看來敵情勢，再作計議。」

心念一轉，閉上雙目，裝作中毒未醒之狀。

但聞那步履之聲行到室外，停了下來，緊接著室門呀然而開。

容哥兒微啓一目望去，只見兩個黑衣大漢，先後而入。

兩人裝束一般，全都是黑色勁裝，奇怪的是在衣褲上滾著白邊。

當先一人，手中高舉著燈籠，瞧了容哥兒和玉梅一眼，道：「據說，他們武功了不得，咱們不能大意。」

後面一人道：「兩人都中了迷藥，已無反抗之能，周兄不用多慮了。」

兩個大漢行到容哥兒和玉梅身後，各自抱起一人，轉身而去。

走了約半里左右，到了一座青石建成的石堡前面，停了下來。容哥兒只能微啓雙目，看看眼前景物，不敢大膽四顧。

兩個大漢行到石堡前面，恭恭敬敬地面向石堡說道：「兩名被擒之人帶到。」

石堡木門，呀然大開，一個冷漠的聲音，傳了出來，道：「把他們放在此地。」

兩個大漢行入石堡，放下容哥兒和玉梅，掉頭而去。

大開的堡門，立刻關了起來。

這時，石堡中仍是一片黑暗，堡門關閉之後，更是黑得不見五指。

容哥兒心中暗暗忖道：「是了，這石堡是囚禁人犯的所在，所以，把我們移來此地……」心念還未轉完，突見火光一閃，堡中突然亮起了一盞燈火。

容哥兒急閉雙目，不敢瞧著。

只聽一個冷漠的聲音，道：「給他們服下解藥。」

容哥兒感覺頸子被人搬起，牙關被人捏開，一粒丹丸，投入口中。

他未中迷毒，自然是不用服用解藥，暗中閉氣，把丹丸壓入了舌下。長吁一口氣，睜開雙目，坐起身子。只見一支紅燭熊熊燃燒，照得室中景物，清明可見。

緊靠那燭火旁側，坐著一個面目冷肅的老人。

玉梅暗中一直在留心容哥兒的舉動，是以容哥兒坐起不久，玉梅也隨著坐起。

那面目冷肅的老人，望了兩人一眼，道：「你們都醒來了，那很好。」語聲微微一頓，接道：「此刻有何感覺？」

容哥兒道：「頭有點暈。你是什麼人？」

老人緩緩說道：「老夫還沒問你的姓名，你倒反問起老夫來了。」

容哥兒淡淡一笑，道：「問問老丈姓名，有何妨礙？」

那老人冷哼一聲，沒有說話。

只聞一個女子聲音接道：「君主要親自審問他們，有勞葉老，把他們送上二樓。」

容哥兒抬頭看去，只見梯口之處，探出一張美麗的面孔，容哥兒還未來得及看清楚，那面孔已很快地隱失不見，但感覺之中，似曾相識，不知在哪裏見過。

冷面老人緩緩站起身子，右手一探，直向容哥兒右腕抓去。

容哥兒身子一旋，陡然避開，道：「老丈意欲何爲？」

冷面老人冷哼一聲，道：「看來你武功不錯。」陡然欺身而進，雙手齊出，直向容哥兒抓了過去。

容哥兒縱身一閃，避到石堡一角。

冷面老人右手一探，道：「再讓避老夫一招擒拿手法試試？」

容哥兒身處絕地，老人欺身而上，封住了所有的出路，除了還手外，已別無他法。

形勢逼人，容哥兒只好一揚右腕，迅如電光石火一般，點了過去，雙手直取那老人右腕脈穴。這一招十分凌厲，逼得那老人不得不中途變招。

但這一來，也激起那老人怒火，原來只想施展擒拿手法，扣拿容哥兒脈穴，此刻卻不能再管容哥兒的死活，左掌一起，直劈過來。

容哥兒心中暗道：「我不能勝他，但也不能輕輕易易的被他擒住。」心中念轉，右掌疾快劈出，去向那老者肩膀。

那老者眼看那容哥兒變掌奇快，擊向肘間的一掌，竟然是快速無比，只好中途變招，雙掌齊出，攻勢凌厲無比。

容哥兒心中已然暗定主意，試試這老者的武功如何，以便突圍之時，有個準備，是以，也振起精神，和老者動手相搏。

雙方惡鬥了二、三十招，仍然是一個不勝不敗之局。

那老者打得性起，掌力越來越是強猛，容哥兒心中暗暗忖道：「我如再和他拚鬥下去，只怕要攪亂全局，不如讓他擒住，也好看看那真的一天君主。」

主意既定，故意露出破綻，讓那老者一把扣住了自己左腕脈穴。

那老者冷笑一聲，道：「小娃兒你能和老夫對拆這麼多掌，那是足見高明了。」

容哥兒道：「究竟是你老武功高強，在下不敵。」

那老者還未及接口，樓上又傳下那清脆的聲音，道：「君主已然坐息醒來。」

那老頭抬頭向上望了一眼，冷冷對容哥兒說道：「你們自己上去吧！」

鬆手放開了容哥兒的脈穴。

容哥兒怔了一怔，暗道：「這倒是很寬大的待敵之法，明知我們還有再戰之能，竟然不點我的穴道。」

這時容哥兒一心想瞧瞧那一天君主的真面目，雖然明知那老者要自己走上樓，樓上之人，必然是極為厲害，當下舉步向上行去。

玉梅冷眼旁觀，已看出那容哥兒，故意存心讓那老人扣住脈穴，想他心中早有成竹，也不多問，緊隨容哥兒身後，向上行去。

登上二樓，景物又是一變。

只見樓上一片空空，除了一張木桌之外，別無其他陳設。

木桌上高燒著兩支火燭，熊熊火焰，照得滿室一片明亮。

兩個佩劍女婢，擋在登上三樓的樓梯口處。

容哥兒仔細看了那兩個女婢一眼，並無適才露面女婢，心中暗道：「這些女婢個個陌生，都不似一天君主身側之人，七大劍主、三位公主，竟也是一個不見。」

心念轉動之間，忽聽左面女婢冷冷說道：「兩位是自己帶上刑具呢？還是要我們動手？」

容哥兒抬頭看去，只見那木桌之上，果然放有兩個金色的手銬。

久久未開口的玉梅，突然接口說道：「如若我們不願自己戴上刑具，兩位要如何一個動手之法？」

右面女婢道：「只要兩位能夠殺死我們，就可登三樓，不用戴刑具。」

容哥兒呆了一呆，道：「要殺死兩位才成？」

二婢齊聲應道：「不錯，兩位如不能殺死我們，只有重傷在我們劍下，那時，被強迫戴上刑具，何不現在自行戴上呢？」

容哥兒略一沉吟道：「兩位姑娘的題目太大了。」

舉步行近木桌，取過金銬，自行戴上。

二婢目光轉到玉梅身上，道：「這位姑娘呢？」

玉梅眼看容哥兒自行將刑具戴上，也隨著走了過去，將刑具戴上。

二婢待兩人戴好刑具，立時讓開去路，道：「兩位可以登樓了。」

容哥兒回顧了玉梅一眼，直向樓上行去。

三樓上景物，又自不同，只見一層厚厚的紫色帷子，由樓上正中垂下，把三樓分開爲二。

外室放置的兩個錦墩之間，放著一張木几。

木几上燃著一支火燭，和兩杯香茗，杯中熱氣蒸騰，顯是剛剛倒了不久。

容哥兒運足目力，向裏望去，但那垂下的紫帷很厚，無法瞧出裏面情景。

忽見紫帷啓動，一個全身青衣的中年婦人，緩緩走了出來。

語聲柔和地說道：「兩位請坐吧！」

容哥兒心中疑慮重重，但卻依言坐了下去。

中年婦人道：「葉老護法，老而昏庸，閣下讓他一招，他竟然自以爲得勝。」

語聲微微一頓，接道：「兩位都是萬上門中人？」

容哥兒道：「可以這麼說。」

那中年婦人淡淡一笑，道：「這答覆不覺得很含糊嗎？」

容哥兒道：「你要在下如何答覆？」

中年婦人道：「據實而言。」

微微一笑，接道：「我們對你的來歷很清楚。」

容哥兒怔了一怔，道：「我的來歷？」

那中年婦人不理容哥兒的問話，舉手理一下長髮，道：「令堂來了沒有？」

容哥兒道：「你好像知道很多事？」

中年婦人笑道：「我們知曉的比你想像的更多……」

臉上笑臉突斂，聲音也轉爲嚴厲，接道：「令堂是否已經決定介入此事？」

容哥兒只覺這中年婦人每一句話，都擊在自己心上，似是對自己了解很多。心中念轉，口中卻緩緩說道：「家母是否介入此事，在下並不知曉。」

中年婦人冷漠地說道：「老身不希望在容公子身上動刑。」

容哥兒淡淡一笑道：「如果老前輩當真知曉在下家中情形，當會知曉在下所言非虛了。」

那中年婦人突然凝目不語，傾耳細聽，良久之後，才點點頭說道：「不錯，令堂所作所爲，你一向不知，不過，這番情形不同，照老身的看法，你一定知曉此事。」

容哥兒心中忖道：「她忽然凝目不語，若有所思，似是在聽從什麼指示一般。難道在那紫色帷子後面，還有一個主持大局的人物不成？」

心中念轉，不自覺地回頭向那紫帷後面望了一眼。

那中年婦人冷肅地說道：「容公子，老身問你的話，你一直避不作答，不是心中不服，就是覺得老身不配問你了？」

容哥兒搖了搖頭道：「老前輩沒有猜對，在下心中只是有些懷疑罷了。」

中年婦人道：「懷疑什麼？」

容哥兒道：「懷疑此地主人的身分。」

中年婦人道：「你是指君主？」

容哥兒道：「不錯，如若在下猜得不錯，那紫色帷子後，也許隱藏著一天君主的真身。」

中年婦人冷冷說道：「你心中儘管懷疑，但老身要先和你證明一個事。」

容哥兒道：「什麼？」

中年婦人道：「老身要你明白，我有足夠的能力，使你應該答覆老身的問題。」

突然舉步而行，走到容哥兒的身前，伸出右手，捏住了容哥兒手上戴的金色刑具，微一加力，那金色刑具中間的鏈條，應手而斷。

容哥兒雙腕各戴一個金銬，但因連接那手銬的鏈條已經斷去，他雙手已得自由活動，當下伸手一摸那斷去的金色鏈條，竟是堅硬無比的精鋼，不禁心中一動，暗道：「這婦人不知練的什麼武動，竟然有此強大的指力。」

但聞那中年婦人冷冷道：「你試試看，先把金鏈捏斷，老身再和你對拆兩招，總要叫你輸得心服口服，才答覆老身的問話。」

容哥兒自知無能捏斷銬上金鏈，當下說道：「在下指力難及老前輩。」

中年婦人冷漠一笑，道：「好！既然承認老身武功強過了你，那就老老實實的回答老身問話……」

話聲微微一頓，接道：「令堂是否已到了洞庭湖？」

容哥兒搖搖頭道：「這個在下確實不知。」

中年婦人冷笑一聲，道：「看來，不加刑罰，容公子是不肯據實回答了？」

容哥兒道：「老前輩加刑罰，在下也是一律不知。」

中年婦人冷笑一聲，道：「也許容公子是鐵打的羅漢，不畏刑苦。」

容哥兒看她說話之時，殺機浮動，心想她可能突然出手，暗中運氣戒備。
那中年婦人緩緩舉起右掌，道：「容相公先接老身兩掌試試？」
容哥兒一面運氣戒備，一面抬頭看去，只見那中年婦人不過片刻工夫，整個的手掌，都已經變成了鮮紅。
一直沒有講話的玉梅，突然開口叫道：「少爺小心。那是硃砂毒掌，不能硬接。」
中年婦人血紅右掌，緩緩向下拍去，一面說道：「這室中很小，容公子如若不肯硬接老身的掌力，只怕不易閃避。」
她落掌奇慢，緩緩向容哥兒前胸拍下，正因她落掌過慢，反使容哥兒無法預料掌勢攻取之位，只好全神貫注，蓄勢待敵。
那中年婦人掌勢逼近容哥兒前胸半尺左右時，突然由慢變快，一閃而下。
容哥兒一吸氣，陡然向後退出兩尺。
中年婦人冷笑一聲道：「好身法。」右掌一轉，橫裏拍來。
她未出的掌勢沒有收回，一轉快速絕倫。
這石室本就不大，容哥兒退了兩步，人已退到石壁前。
除了硬接下對方掌勢外，唯一的辦法，就是施展突襲手法，逼她中途撤手。
但對方連環快速的攻勢，使容哥兒沒有時間還擊。
形勢逼人，只好硬起頭皮，接下了一掌。
但聞砰然一聲，雙掌接實。容哥兒感覺到這一掌，有如擊在燒熱的鐵板之上，整個手掌上有著一種火燙的感覺。

那中年婦人和容哥兒對了掌之後，飄身而退，冷笑一聲，道：「年輕人，老身的掌力如何？」

容哥兒道：「並不見得強過在下……」

中年婦人冷冷接道：「瞧瞧你右手再說。」

容哥兒舉手一看，只見整個右掌，泛起了一片紫紅之色，不禁心頭駭然，暗道：「這掌力如此惡毒。」

但聞那中年婦人接道：「那紅腫之勢，逐漸的向上蔓延，二個時辰之內，你全身都將腫脹起來，那時，所有武功也隨著消失。」

卅四　以身犯險

容哥兒一面聽她所說，一面運氣相試，果覺中掌的右臂上，有一股熱力，在慢慢地向上伸延擴展，心中暗自震駭，忖道：「看來她說的並非虛語。」

只聽那中年婦人接道：「正因那毒性發作的緩慢，你將嘗盡病榻折磨的痛苦，十二個時辰之後，你即失去主宰自己的能力，靜靜的等待著死亡，你有足夠的時間去想，想你的親人。」

容哥兒一直肅立不動，靜靜的聽著。

那中年婦人停了一陣，仍不見容哥兒接口，又道：「容公子，你知道老身爲什麼告訴你這些事嗎？」

容哥兒道：「你讓我心生恐懼，求你治療？」

中年婦人道：「容公子果然是聰明得很，死了實是可惜。」

容哥兒道：「我如不畏死亡，不知老前輩還有什麼手段對付在下？」

中年婦人臉色一變，道：「有！老身實不願在你容公子的身上加諸酷刑，但你容公子苦苦逼迫老身，實叫老身爲難得很。」

容哥兒仰天打個哈哈道：「老前輩有什麼惡毒手段，儘管施盡！不過，有一事叫在下死不瞑目。」

中年婦人道：「什麼事？」

容哥兒道：「在下一直未見過那真正的一天君主，實爲一大憾事。」

這幾句話說的聲音很高，似是有意讓那紫帷後面之人聽到。

中年婦人沉吟了一陣，道：「你已經決心死了，見他不見他，有何不同？」

容哥兒道：「我要證實我心中所思，那一天君主是何許人物？」

突然站起身子，直向紫色帷幕走了過去。

那中年婦人似是料不到容哥兒有這一著，急急喝道：「你要找死嗎？快些站住。」

喝聲中右手疾起，直向容哥兒右肩抓去。

她出手快速無比，容哥兒還未衝進紫帷，那中年婦人的右手，已經搭在了容哥兒的肩頭之上。

容哥兒右肩一沉，右手臂發出一招「巧打金鈴」，反向那中年婦人右肘上打去。

他雖然右手受傷，但因掌毒發作遲緩，尙有拒敵之力，這一擊更是全力出手。

那中年婦人只想抓住容哥兒，阻攔他走入那紫帷中去，但因容哥兒反擊之勢，快速異常，迫得她不得不回掌自保，右手一轉，啪的一聲，硬接一招。

容哥兒受傷的右手，又硬和那中年婦人拚了一招，只覺腕掌間一陣劇疼，幾乎失聲叫出。但這一掌，也阻止了中年婦人的攻勢，使他走入了紫帷中去。

那中年婦人心中大急，怒喝一聲，突然反手一指，點向玉梅。

玉梅驟不及防，待要讓避已自不及，被那中年婦人一指戳中穴道，剛剛站起的身子，突然又掉了下去。

那中年婦人一指點倒玉梅，望也不望玉梅一眼，緊隨在容哥兒的身後，行入那紫色的帷子中去。

容哥兒行進紫色帷子之後，只見一個全身黑衣，身材嬌小的人，坐在一張虎皮交椅之上。不禁喃喃自語，道：「果然在我意料之中。」

那黑衣人背對紫帷而坐，但交椅和衣袂，還在微微的顫動，顯然，她是以極快速的方法，轉過了一個方向。

這其間，只不過一瞬工夫，那中年婦人已然緊隨而入，揚手一掌，劈了下去。她心中似是怒極，出手再不留情，掌勢直劈向容哥兒的後背。

容哥兒急急向前衝了兩步，避開中年婦人一擊，左手一抬，發出一掌，反擊過去。原來，他右手傷勢沉重，骨痛如折，已然沒有反擊的能力了。

但聞虎皮椅上，坐的黑衣人清脆的聲音，傳入耳際，道：「雪姑，住手。」

那中年婦人第二招已經攻出，聞聲突然又收回去。

黑衣人舉起左手一揮，道：「你下去吧！把那女娃兒也一起帶走，我要和這位容相公好好的談談。」

那中年婦人先是一怔，繼而欠身一禮，退出紫帷。

容哥兒右手如廢，心想今日已然難再逃過毒手，卻不料那黑衣人竟然從中阻攔，心中大是奇怪。

只見那黑衣人緩緩轉過身子，面對容哥兒，緩緩說道：「你一直想見我，是嗎？」聲音柔美，動聽至極。

容哥兒道：「你就是真真實實的一天君主嗎？」
黑衣人道：「現在是我，過去不是……」
容哥兒道：「這話怎麼說？」
黑衣人道：「事情很簡單，你怎麼不肯用心想想呢？」
容哥兒道：「姑娘之意，可是說，你是在他人之後，接下了這一天君主之位？」
黑衣人道：「你很聰明。」
容哥兒道：「在下受傷很重，照那雪姑的說法，我似乎非死不可了。」
黑衣人沉吟了一陣，道：「你此刻身受的毒傷不輕，能夠救你的，只有我和雪姑兩人，不過，還有一個人，也許有此能耐。我做事，一向不願留下任何一個疏忽漏洞，因此，你在未死之前，還有一絲生機。」
容哥兒淡淡一笑，道：「有一件事，強過我對生死的重視。」
黑衣人道：「什麼事，如此重要？」
容哥兒道：「那就是一睹你真正面目。」
黑衣人道：「嗯！想不到我還有這大魔力，竟能使一個人不顧生死，只想見我一面。」
容哥兒道：「在下有著一種強烈的欲望，想證明內心的推斷是否有誤。」
黑衣人道：「這麼說來，在你的內心之中，早已有了一個概念，是嗎？」
容哥兒道：「不錯。」
黑衣人道：「那很好，你可否說出你心中推想的人物？」
容哥兒神情嚴肅，一字一句地說道：「照在下推斷，閣下是金鳳門中的江大姑娘，江煙霞。」言罷，雙目炯炯地盯注那黑衣人的反應。

只聽那黑衣人格格一聲脆笑，道：「你可想證實你的推斷嗎？」

容哥兒道：「在下滿腹願望，以此最強。」

黑衣人道：「可惜的是，世間沒有那麼便宜的事情，你想證明心中之疑，必須要付出極大的代價！」

容哥兒道：「什麼代價？」

黑衣人道：「死亡！我可以讓你證明你心中的推想，但必須付出死亡的保證。」

容哥兒道：「但不知要在下如何一個死亡法？」

黑衣人道：「簡單得很，我給你一粒天下至毒的藥物，你先服用下去，然後我再取下面具，讓你證實心中所思。」

容哥兒道：「好吧！」

黑衣人指指靠窗處一張小桌，道：「在那木桌正中抽屜之內，有一個黑色的鐵盒，打開盒蓋就是，你自己去取！」

容哥兒雙目凝注在那黑衣人身上瞧了一陣，緩步行近木桌，伸手拉開抽屜，果然見到一個黑色鐵盒，打開盒蓋，只見盒中放著二粒黃豆大小白色丹丸。

容哥兒伸手取了一粒，托在掌心之上，道：「可是這白色藥丸？」

黑衣人點點頭，道：「不錯，你要再想想是否該吃？」

容哥兒一舉手，吞下藥丸道：「現在閣下可以取下面具了。」

黑衣人緩緩取下面具，笑道：「其實你已經猜對了，爲什麼還要付出死亡的代價？」

容哥兒凝目望去，燭光下，只見一張輪廓秀美，面色蒼白的臉兒，正是金鳳門中的江大姑娘。

容哥兒雖然已經猜中是她，但一旦證實了自己的猜想，仍不禁有些愕然，道：「果然是你！」

江煙霞理一理長髮，道：「不錯，被你猜中了。」

容哥兒長長吁一口氣，道：「當世武林之間，有幾人能夠想到，謀劃稱霸武林，依仗藥物，統帥著近千武林高手的人物，竟然是一個不足二十歲的女孩子！」

江煙霞笑道：「但是你猜中了啊！你值得自傲了。」

容哥兒道：「那是因爲在下太敬佩江姑娘的才華了。雖然是匆匆幾面，但姑娘卻表現了驚人的才華，在下想不出世間，還有比你江姑娘再聰明的人了，因此，常常想到姑娘。」

江煙霞微微一笑，說道：「沒有那兩次會晤，你今天也許不會死了。」

容哥兒心願既償，突然感覺一種死的悲哀，黯然無語，不覺垂下頭來。

江煙霞淡淡一笑，道：「怎麼？後悔了，是嗎？」

容哥兒抬頭望了江煙霞一眼，道：「在下並不畏死，只是感覺到死得太早了一些，我還有很多事沒有做完。」

江煙霞笑道：「我看到很多人，他們都有著慷慨赴死的精神，可惜的是，他們冷靜下來想一會兒，大部都改變了初衷，自然不能深怪你容相公了。」她說話十分溫和，盈盈微笑，神情嬌柔，直似和閨中好友，促膝談心，絲毫不見敵意。

容哥兒伸手摸摸懷中的劍譜，和那有關自己身世的記述，竟然連閱讀的時間，也是沒有，就要糊糊塗塗的死去。

想到傷心之處，不禁長歎一聲，望了那江煙霞一眼，欲言又止。

江煙霞柔聲說道：「坐下來，不要緊張，這藥物雖然惡毒，但死亡時並無痛苦，我原是爲自己準備的應用之物，想不到你卻先我服用了一粒……」

容哥兒接道：「怎麼？你隨時準備死亡？」

江煙霞道：「俞若仙不是等閒人物，令堂更是位很難對付的敵手，如若她們能夠早兩年聯手合作，我絕然不是對手，因此，我不得不早作準備，萬一事敗，服藥自絕。」

容哥兒道：「現在，她們聯手晚了嗎？」

江煙霞道：「晚了一些，但她們還有機會。」

容哥兒沉吟了一陣，道：「在下還有一事請教，不知姑娘可否見告？」

江煙霞嬌媚一笑，道：「反正你死定了，多告訴一些事，又有何妨？」

容哥兒道：「天下武林和你何仇何恨，你爲什麼要舉行這次『求命大會』？」

江煙霞笑道：「我如不舉行這次求命大會，他們豈不要相繼毒發而亡？你說這是爲惡，還是行善？」

容哥兒冷笑一聲，道：「如若你不在暗中施展毒手，這些人就根本不會中毒了。」

江煙霞微微一笑，道：「你是說我在這些人身上下了毒？」

容哥兒道：「你是真正的一天君主，自然是你下的毒手。」

江煙霞道：「你看我今年幾歲？」

容哥兒怔了一怔，仔細地打量了江煙霞一陣，道：「在下看姑娘不足二十歲。」

江煙霞道：「他們中毒已經多年，怎麼能是我下的毒呢？」

容哥兒道：「那麼你召開求命大會用心何在？」

江煙霞道：「你一定要知道嗎？」

容哥兒道：「在下心中十分迫切想要知曉內情。」

江煙霞道：「好吧！對一個將要死亡的人，我一定不會使他太過失望……」

語聲微微一頓，接道：「我舉行這次『求命大會』，使武林道上中毒之人，全都解去內腑之毒。」

容哥兒道：「這麼說來，你是在做好事了？」

江煙霞道：「那也不是。」

容哥兒道：「你的用心何在？」

江煙霞微微一笑，道：「我要解除他們內腑之毒，然後收歸己用。」

容哥兒歎息一聲，閉上雙目，不再多言。

只覺神智逐漸迷惘，終於失去了知覺。

不知過去了多少時間，容哥兒迷惘的神智，竟然清醒過來；睜眼看去，只見自己躺在一張柔軟的棕榻之上。

這是一個佈置華美的房間，木桌上置放著一支火燭，四壁幔以鵝黃色的綾子，優雅中，別有一種高潔的氣氛。

容哥兒暗道：「我大概是死了，想不到陰曹地府之中，竟然有這等優美的住所，縱然是在陽世，也是不易找到。」

他緩緩站起身子，正待起身下床，忽聞一陣步履之聲，傳了進來。

繡簾啓動，江煙霞緩步走了進來。

容哥兒眼看江煙霞出現於此，不禁一呆，道：「怎麼？江姑娘也死了嗎？」

江煙霞柔和一笑道：「咱們都沒有死，陰曹地府，是一片冷漠的世界，哪裏會有此刻這等柔和清靜之處？」

容哥兒道：「這是什麼地方？」

江煙霞道：「我的住所。」

容哥兒又是一怔，道：「江大姑娘的閨房？」

江煙霞道：「對待像你容公子這樣的貴賓，不算委屈吧？」

容哥兒心神逐漸靜了下來道：「江姑娘，你這般戲弄在下，不知是何用心？」

江煙霞笑道：「容公子替我送來了鄧玉龍的劍譜，我怎能不感激萬分呢？」

容哥兒劍眉揚動，怒聲喝道：「那劍譜現在何處？」

江煙霞道：「已然物歸原主。」

容哥兒道：「你們把它抄寫了一本副冊？」

江煙霞道：「我閱讀了三遍，已然字字記在心中，不用再抄寫副冊了。」

容哥兒冷然一笑道：「在下身上還帶有一冊記述，想是姑娘也已看過了。」

江煙霞神情肅然地說道：「那是令堂的手筆，記述著有關你的身世。」

容哥兒道：「不錯，姑娘也已經熟記內心之中了？」

江煙霞道：「我應該仔細閱讀一遍才是，可惜我發覺了書中記述之事，就未再閱讀下去。」

容哥兒忽然想起了玉梅的生死，忍不住問道：「和在下同來的一位姑娘，現在是生是死？」

江煙霞道：「她還好好的活著……」

語聲微微一頓，接道：「俞若仙派你們主婢二人來此，別有用心，想來你心中早已明白？」

容哥兒道：「什麼用心？」

江煙霞臉色凝重地說道：「俞若仙把令堂拖入漩渦，所以，才派你們主婢到此，她知道你們主婢進此險地，絕無法倖免被擒的噩運！」

容哥兒道：「我們淪此被擒，對萬上門主又有什麼好處？」

江煙霞道：「只有你們主婢身陷此地之後，令堂才肯全心全意的和我爲敵。」

容哥兒道：「家母已經答允了和萬上門主合作，自然是言出必踐，那萬上門主似是用不著再施用什麼手段了。」

江煙霞道：「過去，賤妾也以爲如是，但此刻，卻又觀念大變了。」

容哥兒道：「爲什麼？」

江煙霞道：「因爲我們在玉梅口中，探知了很多有關令堂的事跡。」

容哥兒冷笑一聲道：「姑娘外貌柔和，一臉病容，誰又會想到你竟是統帥著數百位高手的一天君主呢？」

江煙霞揚了揚柳眉兒，似想發作，但她終於又忍了下來，緩緩說道：「容相公，任何一個人的忍耐，都有個限度，如果你一定要激怒我，那也並非是太難的事。」

容哥兒心中暗作盤算，道：「江湖之上，講究機詐，此刻，我命握其手，似是不宜逼她翻臉……」

但聞江煙霞冷冷接道：「容相公不要心存誤會，認為賤妾對你有情，才這樣放縱你。我不忍殺你，只是為了我那可憐的妹妹，你誤認我對你有情，那就想錯了。」

容哥兒心意已改，不再處處頂撞，當下說道：「令妹現在何處？」

江煙霞舉手理一下秀髮，道：「怎麼？你很掛念她，是嗎？」

容哥兒道：「令妹雖然玩世不恭，但她確有一種巾幗豪氣。」

江煙霞道：「我們姊妹生性不同，舍妹雖然豪氣干雲，但她的姐姐，卻是極工心機……」

容哥兒接道：「這些話我們談不投機，不用再談了，此刻咱們被擒，姑娘想殺未殺，不知準備如何處置在下？」

江煙霞道：「看在舍妹的面上，我替你留下兩條路，任你選擇一條。」

容哥兒道：「哪兩條路？」

江煙霞道：「第一條，自然是和我合作最好，對我對你，都是最為有利。」

容哥兒道：「在下覺得這一條路，很難行得通，姑娘請講第二條路。」

江煙霞道：「第二條路，我送你和玉梅出去，讓你們離開此地，此後化敵為友，隨你之便了。」

容哥兒沉吟了一陣，道：「姑娘此言可是出自肺腑？」

江煙霞道：「不論是否出自肺腑，但我既然說出口來，自然說了就算。」

容哥兒道：「沒有附帶條件？」

江煙霞道：「沒有什麼附帶條件，你要走，立刻可以請便。」

容哥兒緩緩說道：「你不怕在下和你再行爲敵嗎？」

江煙霞格格一笑，道：「怕又如何？」

容哥兒突然輕輕歎息一聲，道：「在下未去之前，想奉勸姑娘幾句話。」

江煙霞道：「嗯！什麼事？儘管請說。」

容哥兒道：「目下武林形勢，已然十分混亂，姑娘才慧絕世，武功高強，如果能挺身而起，放棄武林霸業之圖，立可使混亂的武林局面，鎮靜下來，姑娘何樂而不爲呢？」

江煙霞淡淡一笑，道：「話是沒錯，只是說得太晚了一些。」

容哥兒道：「此刻時日未晚，只要姑娘能夠覺醒，在下願代姑娘從中說和，罷手息爭。」

江煙霞道：「你替我和誰說和？」

容哥兒道：「替你和萬上門主說和。」

江煙霞臉色一沉，說道：「容相公，你既然決定要走，賤妾有幾句話，希望你帶回去，轉告給俞若仙和令堂。」

容哥兒忽然發覺到那江煙霞蒼白的臉上，泛現出一片殺機，不禁爲之一呆。

但聞江煙霞一字一句地說道：「你告訴令堂和俞若仙，在我未讀那鄧玉龍劍譜之前，對她們兩位確然還有點顧慮，但此刻情勢有些不同了……」

舉手理一下長長的秀髮，接道：「此刻她們如若能夠及時回頭，時猶未晚，如若她們能夠撒手不管，武林經此一變之後，並非如你想像的那麼惡劣，如若她們硬要插手其間，只有把事情鬧得更糟了。」

容哥兒道：「古往今來，武林道上，不知有多少人為了維護傳統正義，灑熱血，拋頭顱，在所不惜……」

江煙霞冷笑一聲，接道：「容相公豪氣凌雲，賤妾極是佩服，湖畔已然備好小舟，容公子若不要賤妾相送，儘管自行登舟，駕舟人會把容相公送到俞若仙停身所在。」

這幾句話，雖然說得十分婉轉，但實際上卻無疑下了逐客之令。

容哥兒站起身子，緩緩說道：「不論江姑娘用心何在，在下都該一謝不殺之情。」

江煙霞端坐不動，淡淡一笑，道：「不用謝了。」

容哥兒不再多言，轉身大步向前行去。

行出門外，只見一個女婢，掌燈在室外相候。

那執燈女婢道：「婢女奉命在此等候相公。」

容哥兒心中暗道：「看來，那江煙霞早已料到我不會答允和她合作了。」

心中念轉，口中說道：「有勞姑娘帶路了。」

那執燈女婢當先向前行去。

容哥兒隨在那女婢身後，一面行走，一面伸手探入懷中，取出鄧玉龍的劍譜，和母親手記，果是原物，心中稍感寬慰。

在行進之中，容哥兒暗中察看，此刻置身之地已然不是那石堡所在，但見黑夜中人影幢幢，防守極是森嚴。執燈女婢，步行極為迅速，快得使容哥兒無法細察四面景物。

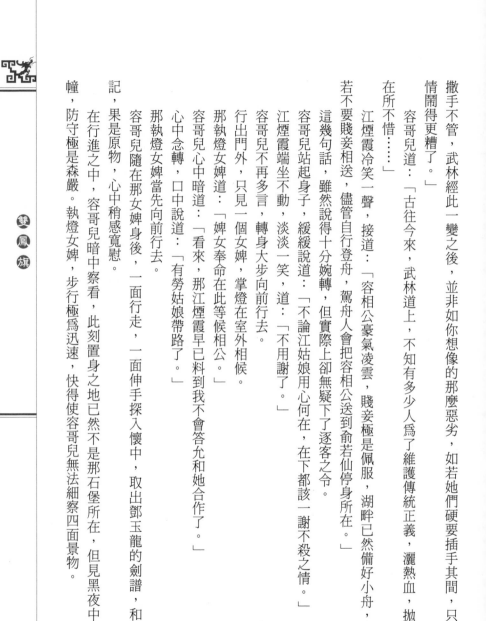

轉了幾個彎子後，已然到了水邊。
容哥兒抬頭看過去，果見一艘木船，已然靠岸而停。
兩個全身黑衣的搖櫓大漢坐在船尾。
執燈女婢欠身一禮，道：「容相公請上船吧！」也不待容哥兒答話，轉身急步而去。
容哥兒望著那女婢背影，消失不見，才緩緩登上木舟。
這是一艘梭形快舟，艙位甚小，僅可容四人坐下。
兩個坐在船尾的黑衣大漢，雖知容哥兒登上木舟，但卻連頭也未轉一下。
容哥兒舉步行入艙中坐下，心中暗道：「白娘子取去我的至尊劍，人也失約未至，想必是已被江煙霞發覺了她的行蹤，予以囚禁了。」
忖思之間，忽聞步履聲響，一個勁裝大漢，手執燭火登舟，放下火燭，和一個木盒，轉身自去。
容哥兒才望了那木盒一眼，只覺那木盒十分精緻，卻不知放的何物，心中雖然生疑，卻未動手查看。
又過了片刻，又是一陣步履之聲，傳了過來。
容哥兒此刻，有著無比的鎮靜，竟然連頭也不回。
只聽一聲清脆、驚愕的聲音，傳了過來，道：「少爺，你無恙嗎？」
容哥兒回目望去，只見玉梅站在艙門口處，滿臉驚愕之色，望著容哥兒發呆。
容哥兒輕輕歎息一聲，舉手一招，道：「我很好。」

玉梅緩緩流下淚來，道：「他們以少爺生死作爲要脅，迫我說出很多內情。」

容哥兒道：「不能怪你，你坐下來，咱們再談。」

玉梅緩緩坐下身子，道：「他們說少爺已成殘廢，而且帶我到行刑室外查看，果見少爺臥在一張木榻之上，雙腿上盡爲鮮血染紅……」

只聽沙沙幾聲輕響，小船離岸向前疾馳而去。

容哥兒接道：「他們用迷藥把我迷了過去，擺出一副身受慘刑之狀，你不知底細，自然是要受他們之騙了。」

玉梅輕輕歎息一聲，道：「小婢早該想到才是，竟然一時大意，被他們騙去了全部秘密。」

容哥兒道：「什麼秘密？」

玉梅道：「夫人山居中事，除了小婢之外，很少有人知道。」

容哥兒搖頭笑道：「不用引咎不安了，這些事，也算不得什麼秘密。」

玉梅眼看容哥兒不但毫無責備自己之意，而且神情輕鬆，毫無訝異之感，心中大感奇怪，暗道：「難道他經歷之事，更重我十倍、百倍嗎？」

想到船梢上，還坐有兩個搖船之人，也就不再多問，回目一望，看到了那只木盒，變轉話題問道：「這盒中放的什麼？」

容哥兒搖搖頭道：「不知道。」

玉梅低聲說道：「要不要小婢打開瞧瞧？」

容哥兒略一沉吟，道：「最好不要，她送這木盒來，用心也就在希望我們打開看看，我就是不要看它。」

突然舉手熄去艙中燭火，接道：「玉梅姐姐，咱們藉此時刻坐息一陣，養養精神吧！」

兩人不再談話，小舟上陡然間沉寂下來。

過了一頓飯工夫之久，東方天際，泛起了魚肚白色，已然是破曉時光。

容哥兒突然站起身子，行向船頭，長長吁一口氣，轉目四顧。

晨光中，只見浩渺水面上泛起一片水霧。

兩個搖櫓大漢，一直運臂搖櫓，望也不望容哥兒一眼。

忽然間，快舟一個急轉，直向正前行去。這時，晨光漸強，已隱隱可見湖岸景物。

快舟如箭，眨眼間梭形快舟已然靠近湖岸。

那兩個搖櫓大漢，同時站起身子，左面一個人冷冷說道：「到了，兩位請下船吧！」

右首那大漢道：「兩位的東西別忘記帶了！」

容哥兒道：「什麼東西？」

那大漢道：「敝上已經交代，這木盒讓兩位帶走。」

玉梅轉身入艙，取過木盒，兩人雙雙跳下梭形快舟。

那兩個搖櫓大漢，待兩人身子跳起，就立刻掉轉船頭而去。

玉梅放下手中木盒，道：「少爺，不知道這木盒中裝的何物，咱們打開盒蓋看看如何？」

容哥兒道：「要多多小心！」

玉梅應了一聲，把木盒放在地上，小心翼翼地打開盒蓋。

仔細一瞧，不禁失聲大叫，道：「人頭！」
容哥兒道：「什麼人頭？」
玉梅道：「女人頭。」
容哥兒趕緊行了過來，仔細一看，長長歎息一聲，道：「是白娘子，唉！無怪她失約未來，原來早已被殺死。」
玉梅合上木蓋，道：「她給了咱們這一顆人頭，不知是何用心？」
容哥兒苦笑一下，道：「殺一儆百，使咱們知難而退。」
玉梅道：「一天君主對待屬下如此殘忍，何以不殺咱們呢？」
容哥兒道：「她不殺咱們，必有作用，絕非慈悲爲懷。」
原來帶有幾分狂傲的玉梅，此刻卻傲氣盡消，默默地跟在容哥兒的身後，緩步向前行走。
兩人行約十餘丈，到了一座竹籬環繞的宅院前面，籬門忽開，玉燕疾奔而出，迎上兩人，說道：「兩位無恙嗎？」
容哥兒望了那宅院一眼，道：「萬上住在此地嗎？」
玉燕道：「兩位怎會找到此地？」
容哥兒道：「一言難盡，在下急欲要見萬上，不知她是否住此？」
玉燕點點頭，道：「萬上正在和少林、武當兩派掌門人商談大事。」
容哥兒道：「那很好，就請姑娘替在下通報一聲，就說我有要事求見。」
玉燕道：「兩位先請進入宅中別室小坐，小婢立刻給你通報。」
容哥兒道：「有勞姑娘。」舉步進入宅院之中。

片刻工夫，玉燕返回廂房，道：「萬上有請。」

容哥兒回顧了玉梅一眼，道：「你好好休息。」

玉梅經過這一番折磨之後，傲氣全消，點頭應道：「小婢在此候命。」

容哥兒提起木盒，隨在玉燕身後，穿過兩重庭院，直入大廳。

行到廳門口處，俞若仙已然迎了出來，笑道：「容相公辛苦了。」

容哥兒欠身一禮，道：「晚輩無能，被人生擒，能夠再見老前輩，已算兩世爲人了。」

俞若仙神情不安地說道：「你們主婢走後，我一直心中不安，幸好你們無恙歸來，否則，我真的無法向令堂交代了。」

容哥兒道：「家母還未到嗎？」

俞若仙道：「令堂一言如山，既然答應了，絕然不會失約，此刻約期已屆，令堂還不見來，定然是有意外變故了……」

語聲微微一頓，接道：「不過，以令堂之能，縱然有不測大變，亦能應付。」

容哥兒中心暗道：「聽她口氣，是對我被擒之事，早已在預料之中了。」

心中念轉，口中卻說道：「在下見到了那一天君主。」

俞若仙點點頭，道：「容相公，請入廳中坐吧！我替你引見幾位高人。」

容哥兒心中忖道：「少林、武當兩派掌門人，都是武林中極難見的人物，如非這次江湖大變，我容哥兒想見他們一面，實非簡單之事。」心念轉動，緩步行入廳中。

俞若仙指著一個身披黃色袈裟、兩道白眉的老僧，說道：「這位是當今少林派的掌門人，慈雲大師。」

容哥兒雙手一抱拳道：「久仰大名，今日有幸一晤。」

慈雲大師道：「容大俠言重了！」

俞若仙又指著一個道長，道，「這是三陽道長。」

容哥兒道：「容某有幸，得會道長。」

三陽道長道：「浪得虛名，容大俠見笑了。」

俞若仙目光轉到一個身著月白衫褲，上面滿是補丁，一頭蓬亂白髮老人身上說道：「這一位是目下丐幫中弟子敬重的人物，無影神丐岳剛。」

容哥兒啊了一聲，道：「晚輩常聞丐幫弟子談起岳老前輩。」

無影神丐岳剛一揮手，道：「容大俠不用恭維我了。」

容哥兒道：「晚輩恭敬不如從命……」

目光環顧了四周一眼，停在俞若仙臉上說道：「區區奉命，混入求命大會中去，但卻沿途被人截擊，中了埋伏被擒……」

語聲微微一頓，接道：「這番苦亦未白受，被我發現一樁驚人的內幕。」

俞若仙道：「什麼內幕？」

容哥兒道：「發覺了那一天君主的真正身分……」

大約這個問題連武當掌門那等修爲之人，也不禁問道：「什麼人？」

容哥兒打開手中木盒，放在地上，道：「諸位可認得這顆人頭？」

廳中所有人的目光，一齊看過來，瞧在那人頭之上，希望能辨認出她的身分。

俞若仙看清了那盒中人頭道：「白娘子！」

容哥兒道：「正是她，她的話，竟然是一番謊言呢！」

俞若仙道：「什麼人殺了她？」

容哥兒道：「一天君主。」

俞若仙臉色凝重地道：「那你見到了真正的一天君主了？」

容哥兒道：「照在下的看法，這番應該是不會錯了。」

俞若仙道：「她為何不殺你，放你們逃出重圍？」

容哥兒料她必將先問那人姓名，然後再問其他的事，卻不料俞若仙竟然先問那人是如何放了自己。

問得大出意外，使容哥兒怔了一怔，才答道：「我無法測度她真正的用心，她可能受人所托，放過在下一次，以便向那人交代，也許她別具用心，挑撥離間老前輩和家母……」

俞若仙接道：「她如何一個挑撥之法？」

容哥兒道：「她告訴晚輩說，你明知我和玉梅，混入其內，難有生望，仍然派遣我們兩人混入其中，用心不過是挑起家母的怒火。」

俞若仙微微一笑，道：「她說得很有道理，那是難怪你們相信了。」

容哥兒道：「在下並未信她之言。」

俞若仙笑道：「你為什麼不信呢？」

容哥兒道：「在下相信萬上，並非如此用心。」

俞若仙沉吟了一陣，道：「派你們兩人前去，實也是一場賭博。不過，我已經事前想過，這場賭博的機會，勝大輸小……」

容哥兒心中不服氣，接道：「爲什麼？」
俞若仙道：「因爲我細數江湖人物，有此才能的，只有兩人。」
容哥兒道：「什麼人？」
俞若仙道：「令堂和金鳳門中的江大姑娘。」
容哥兒怔了一怔，暗道：「這俞若仙果然厲害。」
但俞若仙接道：「當我證明了令堂並非一天君主，餘下的只有江煙霞了。」
長長歎息一聲，問道：「你見過那真正的一天君主之面，不知我的判斷如何？」
容哥兒道：「萬上的推斷不錯，金鳳門的江煙霞，才是真正的一天君主，她因化身，造成了屬下和武林同道一個印象，就是那一天君主是一位喜著青衫的老人，想不到，那真正的一天君主，竟然是一位常帶病容的少女。」
俞若仙沉吟了一陣，突然抬起頭來，兩道銳利的目光緩緩由容哥兒、慈雲大師、三陽道長等臉上掃過，道：「諸位是武林中的支柱，整個武林能否逃過這次大劫，全要依仗諸位了。」
慈雲大師道：「老衲相信，就憑我少林門人，亦可和那一天君主力戰一場，但目下我寺中幾位長老和各院中上座弟子，大都中了奇毒，目前已無再戰之能了。」
三陽道長道：「武當門下，亦是如此。」
無影神丐接道：「我丐幫一向無所畏懼，但目下我幫中幾個主事的人，都已經中了劇毒，且因此鬧成了幫中分裂。」
俞若仙緩緩說道：「目下可以和她交手之人，除了我萬上門之外，還有容夫人的屬下。我方雖是精銳之師，只是人數太少，不足以和她對抗……」

慈雲大師道：「老衲覺得眼下最緊要的事，是設法找出解毒之藥，才能談到和她抗拒。」

三陽道長道：「可惜的是，我等毒發之前，都不知如何中毒，何時中毒，更沒有見過她用的毒藥了。」

容哥兒心中暗道：「少林、武當兩派門人，最爲眾多，代代都有傑出的高人，這兩派自甘認輸，不願再戰，俞若仙只怕也無制勝之道了。」

但聞俞若仙緩緩說道：「我知道三位體念門下，不忍看他們毒發而亡……」

慈雲大師接道：「我少林派雖然門規森嚴，但此刻情勢不同，寺中千餘僧侶，十之七、八中毒，自老衲算起，至各院主持人，及殿閣中上座僧侶，無一未中奇毒，自從一天君主求命大會傳出之後，幾乎在同一天中，本寺各院主持及老衲，同時中毒……」

他揚了揚慈眉，接道：「當時老衲和幾位長老，及殿院主持，決定以本身內功，和寺中存有的療毒丹丸，一試與身中之毒抗拒，哪知，所中之毒，毒性甚烈，未運氣抗拒之前也還罷了，一行運氣抗拒，毒性發作更烈，除老衲和幾位內功特別精深的長老，還勉強可以支持之外，大部分人立時暈倒，老衲和幾位長老，雖未暈倒過去，亦感覺到支持困難，就在那時，一天君主的專使來訪。」

俞若仙道：「他說些什麼？」

慈雲大師道：「他要我等，立刻停止運氣和毒性抗拒，並告訴我等，凡是中毒之人，都已經失去動手之能，但三個月內，還不會死亡，唯一的求生機會，就是趕往求命大會中求命。」

俞若仙道：「因此，大師就決定了接受那一天君主之令，趕來此地求命。」

慈雲大師緩緩說道：「老衲爲此事已然苦思了數日夜之久，我不能使沿傳千百年的少林基業，在老衲手中而絕……」

三陽道長接口道：「為了姑娘的請求，我們已耽誤晉見一天君主之期，我們不能再誤，明日午時，如是萬上門還無法解去我們身中之毒，貧道就不再等候了。」

向以多智見稱的俞若仙，此刻竟然也想不出一點辦法，沉吟了一陣，道：「道長既然決定了要去晉見那一天君主，我也不便阻擋……」

慈雲大師點點頭道：「不錯，如是明日午時之前，萬上不能想出解毒之法，為千百少林弟子的性命，老衲亦不得不去見那一天君主了。」

目光轉到慈雲大師的臉上，道：「大師呢？是否也準備明日午時，去見那一天君主？」

俞若仙一皺眉頭，目光轉到了無影神丐岳剛的身上，道：「閣下呢？」

岳剛沉吟了一陣，道：「老叫化也得去瞧瞧。」

俞若仙緩緩說道：「三位既然都有此決定，我也不便阻擋，不過，我還有一事，提醒諸位。」

慈雲大師道：「什麼事？」

俞若仙道：「關於神秘的一天君主，此刻身分已經揭穿，她是金鳳門中的大姑娘，名叫江煙霞，一個不足二十歲的少女。」

三陽道長接道：「不管她是何人，但她目前，卻掌握著我們這幾大門派的存亡。」

俞若仙抬頭望望天色，道：「距明日午時，還有一天一夜的時間，也許，我能夠在明日午時之前，想出解毒之法。」

慈雲大師道：「真能如此，我少林願為前驅效命。」

卅五　虎穴探秘

俞若仙微微一笑，道：「明日午時之前，如若我還想不出解毒辦法，絕不阻止幾位去見那一天君主。」

慈雲大師緩緩站起身子，道：「既然如此，老衲等恭候通知了。」

三陽道長和無影神丐岳剛，齊齊站起身子，道：「我等暫時告別。」

俞若仙道：「諸位慢走，恕我不送了！」

慈雲大師、三陽道長、無影神丐岳剛，魚貫而行，離開了大廳。

俞若仙未離位，只是微微欠身相送。

只待三人離開了大廳去遠，俞若仙才回顧了容哥兒一眼，道：「唉！適才的談話，你都聽到了！」

容哥兒道：「都聽到了。」

俞若仙道：「照目前的情勢而言，少林、武當、丐幫，武林中三大實力最強的支柱，只怕是無能相助咱們了……」

輕輕歎息一聲，接道：「如若咱們不能獲得少林、武當、丐幫人物支持，很難和一天君主決戰……」

容哥兒道：「眼下如要談到動手，不論誰勝誰負，都將是一個十分悲慘的結局，一天君主憑藉藥物，奴役了千百高手，真打起來，淒慘可想而知。」

俞若仙揚了揚柳眉兒，道：「此刻，我已經騎上虎背，欲罷不能，少林、武當和丐幫，都已屈服在一天君主之下，令堂也未依約趕來，依我萬上門之力，想對付一天君主，實力未免單薄一些，現下唯一之策，就是勞請你容相公再行涉險一次。」

俞若仙道：「你設法帶我同去見那江煙霞……」

容哥兒道：「只要有助大局，在下萬死不辭，萬上只管吩咐，不知要在下如何應付？」

容哥兒道：「帶你同去見她？」

俞若仙道：「不錯，我希望能以武林大義，說服她放下屠刀。」

容哥兒道：「這機會不大。」

俞若仙道：「我知道，但若逼人過甚，我只好和她一決死戰了。」

容哥兒道：「在強敵環伺之中，咱們兩人，和她決戰？」

俞若仙道：「這是寧為玉碎的辦法，除此之外，我也想不出更好的辦法了……」抬眼望著室外，緩緩說道：「如若有令堂在此，我們兩人之力，應該是操有十之八、九的勝算，如今，令堂既未能依約趕到，時機又這般急促，除了孤注一擲之外，已無他途可以選擇了。」

容哥兒沉吟了一陣，道：「這事情很困難。」

俞若仙道：「你可是有些害怕嗎？」

容哥兒搖搖頭，道：「不是害怕，而是怕她不肯再見我。」

俞若仙道：「會的！她若不想再見你，早就把你殺了，至少會在你身上下毒。」

容哥兒怔了一怔，道：「這下毒的事，我怎麼會未想到？」

當下閉上雙目，運氣相試。

俞若仙待他氣暢全身之後，才緩緩說道：「試出來沒有？」

容哥兒道：「在下試不出中毒之徵。」

俞若仙道：「她不殺你，那就證明了一件事……」

容哥兒道：「什麼事？」

俞若仙道：「證明她還想見你，她能在素不相識之人的身上下毒，自然是談不上什麼仁慈之心了，不殺你必有作用……」

容哥兒道：「如若有一點原因，那也是她受人之托。」

俞若仙道：「我知道，是她妹妹，她們姊妹是同胞手足，但卻是兩個全然不同的人，江煙霞也許對她妹妹有一份姐姐的情意，但她絕不會因妹妹而影響到自己。」容哥兒沉吟不語。

俞若仙道：「你要冒一次險，帶我和江煙霞見面，而且此行要快，最好是明日午時之前辦妥……」

長長歎息一聲，道：「我如僥倖勝她，可逼她下令解除所下之毒，萬一不幸敗她手中，武林必將有一段從未有的黑暗時期，我預布下一著棋子，十年後或可使武林重見天日。」

容哥兒道：「不知能否見告，你預備布下什麼棋子？」

俞若仙道：「你也是我預布下的棋子人物之一，如若我不幸戰死，你必須要用盡心機，委曲求全，設法保住性命，遠遠逃走……」

探手從懷中摸出一個半枚銅錢，道：「這一半銅錢，乃是極爲普通之物，萬一被人搜出，也不會引人注意，你帶這半枚銅錢，奔向東嶽廟後天龍禪院，找一位瞎去一目的忘我禪師，把這半枚銅錢交給他，他自會爲你安排去處……」

容哥兒道：「你要我逃世避爭，以脫這場大劫？」

俞若仙道：「那忘我大師自會爲你安排，分派你該學的武功。」

容哥兒道：「夫人想得很周到。」

俞若仙苦笑一下，道：「只是太晚了一些……」

沉吟一陣接道：「有一事，實叫人想不明白。」

容哥兒正在全神凝注，思索重見那江煙霞的法子，聞言說道：「又有什麼事？」

俞若仙道：「關於令堂，一向是一言九鼎，怎會失約未來呢？」

容哥兒心中暗道：「母親既然答應了，竟然失約，實也是一件太不平常的事，難道，有什麼意外的變化不成？」

心中念轉，口中卻說道：「不瞞夫人說，對家母的事，晚輩知曉不多，玉梅姐姐或可想出一些頭緒，何不叫她來此一問？」

俞若仙道：「好！那就請玉梅來談談吧！」

轉臉向著門外喝道：「請玉梅姑娘進來。」

片刻之後，玉燕帶著玉梅，急步而入。

自視極高的俞若仙，突然站起身子，指指身側木椅，道：「姑娘請坐。」

玉梅緩緩坐下去，玉燕卻悄然退出室外。

俞若仙打量了玉梅一眼，道：「姑娘，本座有一件事想請教姑娘。」

玉梅茫然地說道：「萬上要問什麼？江湖中事，小婢知曉不多。」

俞若仙微微一笑，道：「我只想知曉一件事，容夫人已和本座約好，何以竟然失約未來？」

玉梅沉吟了一陣，道：「夫人既然答應了，絕然不會失約，她所以遲遲未來，可能因爲事務太多，一時間難以擺脫。」

俞若仙道：「她知道此地之事，緊急異常，多耽誤一刻時光，就可能減少我們一分獲勝的機會。」

玉梅道：「這個小婢就想不明白了。」

俞若仙道：「不要緊，你慢慢的想吧！凡是可能發生的事，你都說出來就是。」

玉梅道：「唯一的可能，就是山上有了變化，延阻了夫人行期。」

容哥兒道：「什麼變化呢？」

玉梅道：「這個，這個，小婢……」

容哥兒道：「你不用有所顧慮，從實說來吧？」

玉梅歎息一聲，道：「咱們山居之處，還有一位二公子。」

容哥兒道：「什麼？我還有位兄弟？」

玉梅道：「夫人要小婢這樣稱呼。」

容哥兒道：「我怎麼一點不知道呢？」

玉梅道：「夫人嚴令小婢不許告訴少爺。二公子終年纏綿病榻，夫人求盡了世間靈藥，也無法醫好他的病情。」

容哥兒望了俞若仙一眼，道：「看來家母有很多隱秘……」

俞若仙沉聲說道：「姑娘之意，可是說那二公子病勢突然沉重，阻止了容夫人來的限期？」

玉梅道：「除此之外，小婢實在想不出還有什麼理由能阻止夫人的承諾。」

俞若仙道：「多謝姑娘指教。」

玉梅久年追隨容夫人，察言觀色之能，自非常人能及，一聽那俞若仙的口氣，立時起身說道：「小婢告退了。」轉身出室而去。

容哥兒臉上神色陰沉，緩緩站起身子，道：「在下告辭了。」

俞若仙一皺眉兒道：「你要到哪裏去？」

容哥兒道：「在下家世的複雜，似是尤過江湖上的紛擾，我要找一處幽靜的所在，仔細的想上一想。」

他想到了懷中現有母親記述，也許那上面會很詳細的寫明內情，急於尋找一處隱秘所在，仔細閱讀一遍再說。

俞若仙輕輕歎息一聲，道：「容相公，有一件事，我想說明一下。」

容哥兒道：「什麼事？」

俞若仙道：「天下英雄，都在等待著咱們的成敗，而咱們又只有一天的時間。」

容哥兒心中暗道：「這些時日中，日夜忙碌，竟然無暇一讀母親手記，和那鄧玉龍的劍譜，習劍固然非一日之功，但母親手記，實應該先看看了，此番涉險，再去見那江煙霞，那是失敗多於成功，萬一有了不幸，死去之後，連自己的身世也不了然……」

心中念轉，口中說道：「晚輩只用兩個時辰。」
俞若仙道：「此刻寸陰如金，兩個時辰對大局的影響太大了。」
容哥兒道：「萬上之意，可是讓在下帶路，立刻去見那江煙霞，是嗎？」
俞若仙道：「不錯，只有你帶我同去，那江煙霞也許會破例接見。」
容哥兒道：「不可能，萬上把在下估計得太高了。」
俞若仙道：「你如肯照我之言要她屬下通報，八成她可能再接見你。」
容哥兒道：「如何說呢？」
俞若仙道：「你快些更衣吧！咱們要立刻動身。」
容哥兒搖搖頭，道：「老前輩，我必須要兩個時辰後，才能隨你同去。」
俞若仙道：「可否先告訴我，爲了什麼？」
容哥兒道：「不瞞萬上，在下和你這次重入虎口，八成是死定了，但在下在未死之前，想要先了解自己的身世，我不願死了之後，仍是糊糊塗塗，不知自己的來歷。」
俞若仙奇道：「你要問誰？」
容哥兒道：「衣袋，我袋中現有兩本存書，一本上記載著我的身世。」
俞若仙道：「何人手筆所記？」
容哥兒道：「家母……」
微一停頓，接道：「據家母說，那本書上對她的記述甚詳，晚輩這些日子中，都想閱讀此書，但卻一直沒有時間，我如若答應你，重去見那江煙霞，此刻是最後的閱讀機會了！」
俞若仙道：「還有一本書呢？」

容哥兒道：「鄧玉龍的劍譜。」

容哥兒探手入懷，摸出鄧玉龍的劍譜，道：「萬上請閱讀一遍劍譜，在下也藉機看看家母手記。」

俞若仙霍然站起身子，接過劍譜，道：「你身懷先夫劍譜，怎不早說，此刻一切都來不及了……」

容哥兒已然舉步向外行去，希望能找個幽靜之處，瞧瞧母親手記，聞言止步，回身說道：「那江煙霞閱讀劍譜，不過一日的時光，就算她真有過目不忘之能，把這劍譜的記述，字字記入心中，但卻要時間練習，以老前輩的才氣經驗，未必就輸於她，她如能從這劍譜得到什麼，老前輩怎又不能呢?晚輩急於閱讀家母手記，旨在了然我身世內情……」

俞若仙接道：「所以，你不能看！」

容哥兒道：「這話怎麼說？」

俞若仙道：「如若令堂那手記上的記載，使你心受創傷，只怕你難有出生入死，重見江煙霞的豪氣。」

容哥兒怔了一怔，道：「萬上之意呢？」

俞若仙道：「立時去見江煙霞。」

容哥兒道：「就算是見著了她，又能如何？」

俞若仙一字一句，道：「孤注一擲，希望能扭轉大局，至低限度，也要她延遲幾天發動，使令堂有機會和她一較才智武功。」

容哥兒心中似是有些明白，但仔細一想，又覺一片茫然，不禁說道：「如何能使她延遲發動，老前輩又怎知家母稍後幾日必到？」

俞若仙苦笑一下，道：「老實說，江煙霞畏懼的只有令堂和我，也只有令堂的屬下，和我萬上門中人，未中她的奇毒，那是因爲我們舉動神秘，她縱有下毒之心，卻無下毒之法……」

長長歎息一聲，接道：「我原想和令堂攜手之後，設法誘她現身，合力制服於她，哪知事與願違，令堂因故未能及時趕到，但令堂一定會來，因爲她心中明白，我萬上門如若瓦解以後，江煙霞必去找她。」

容哥兒慢慢把母親的手記放入懷中，道：「照萬上的說法，此刻我是無暇閱讀家母手記了。」

俞若仙道：「一來是時機緊迫，無暇閱讀，二來是此刻不是你了然身世內情的時機。」

容哥兒道：「咱們去會江煙霞，那是凶多吉少，如有不幸，在下豈不是糊糊塗塗的死去，連出身也不知曉了？」

俞若仙道：「那有什麼不好，萬一不幸死去，你也可以少一份對身世的感歎。」

容哥兒突然仰天大笑，道：「也罷！我糊糊塗塗活了二十年，如能糊糊塗塗死去，那也算糊塗一生了。」他雖是自解自嘲，但語聲、笑聲中，卻充滿著淒涼悲哀。

俞若仙道：「我把劍譜封起，交由玉梅保管，如是咱們雙雙遇難，就要她把劍譜還給令堂。」

容哥兒搖搖頭道：「如是萬上死了，江煙霞還餘下一個勁敵，那就是家母了，她如何肯放過家母？我瞧這辦法不妥……」

輕輕歎息一聲，接道：「何況，這劍譜放在家母那裏甚久，也許家母早已經全部熟記於胸了。」

俞若仙道：「依你之意呢？」

容哥兒道：「請萬上交給一個可靠之人，如若咱們一去不回，讓他帶著劍譜，遠走他方，練成絕技，日後也好重光武林。」

俞若仙道：「你有此胸懷，確是人所難及了。」轉身行入內室。

容哥兒心中感慨萬分，仰臉望著天際一片飄浮的白雲出神。

但身後傳過來俞若仙的聲音，道：「咱們可以走了。」

容哥兒回目望去，只見一個身著書僮裝扮之人，站在身後，哪裏有俞若仙的影子，不禁微微一怔，道：「你是……」

青衫童子說道：「我就是俞若仙，萬上門主，現在做你容相公的隨身書僮。」

容哥兒道：「這個如何可以？」

俞若仙：「除此之外，我就想不出其他辦法，可以見江煙霞了。」

容哥兒輕輕歎息一聲，道：「咱們就這樣投帖求見嗎？」

俞若仙道：「我已經要他們備好快舟，咱們登舟再談吧！」

兩人直奔湖畔，湖畔上，早已備好一艘快舟。

四個搖櫓大漢，身著漁裝，早已在船頭恭候。

兩人登舟行入內艙，俞若仙一揮手道：「開船吧！」

四個大漢應聲搖櫓，快舟又向君山駛去。

容哥兒望著船外面萬頃碧波，想著此去，生死難卜，不禁感慨萬千。

忽然間，一聲大喝傳了過來，道：「何方來舟，快些停住，再要前進，當心我等放箭了！」

俞若仙道：「我去應付。」急步出艙。

抬頭看去，只見一艘梭形快舟，橫攔去路，船頭上四個大漢，箭已搭弦。

俞若仙一揮手，先讓快舟停下，說道：「舟上哪一位執事？」

一個身著藍衫的半百老者，緩步由艙中行出，道：「有何見教？」

俞若仙道：「勞駕通報一天君主，就說容大俠有要事求見。」

那老者怔了一怔，道：「容大俠，從未聽人說過啊！」

俞若仙道：「貴君主的私事，諒你也難知曉。」

那老者沉吟了一陣，道：「就憑這兩句話，要老夫相信嗎？」

俞若仙望了那四個大漢一眼，道：「不讓你見識一下，諒你也不肯相信，你要他們四個人各自射我三箭。」此時，兩舟相距，不過兩丈，正是弓箭勁道奇強的距離。

那老者冷笑一聲，道：「小小年紀，口氣不小。」

俞若仙道：「要他們放箭吧，我不願和你多講廢話。」

那老者怒道：「你要自尋死路，那就怪不得老夫了。」右手一揚四箭齊發，射向俞若仙的前胸。

俞若仙早已運氣戒備，右手一揮，四支弓箭，盡爲俞若仙一把抓住。

武林高手，打鏢、接鏢並非稀奇之事，但以俞若仙這等一手能接四支利箭實是不多。

四個放箭大漢呆了一呆，那老者也呆了一呆。

顯然，所有之人，都被俞若仙這一手接下四箭的手法震懾。

只聽俞若仙冷笑一聲，道：「小心了，還你們的箭。」

右手揚處，四支箭一齊破空而起，分向四人前胸擊去。

她一手發出四箭，分襲四個人相同的部位，速度相同，一齊射到。

四個大漢急急向旁邊讓避，四支箭同時刺破了四人左臂。

原來，俞若仙出手極有分寸，拋出長箭的速度，算計亦十分恰當，使四人都能避開要害，但又使四人同時受傷。

這手法和力道拿捏的準確，那是比一舉置四人於死地，更是難上千倍萬倍了。

俞若仙武功過高，反使四個大漢瞧不出內情，只道她全力發箭，不過如此，但那老者卻是識貨之人，當下抱拳，道：「閣下手法驚人，不知是容大俠的什麼人？」

俞若仙道：「小可嗎？是容大俠的隨身書僮。」

那老者似不信，上下打量俞若仙一眼，看他青衣小帽，確是一個書僮打扮，心中駭然一驚，暗道：「一個小小書僮，有此能耐，那主人的武功，想來更是驚人了。」

心中念轉，口中卻說道：「容大俠可是應敝君主邀約而來嗎？」

俞若仙冷冷說道：「是否是應君主邀約而來，小可不敢多問，但我等既然來了，絕非無因，你還是通報貴君主吧！」

那老者沉吟了一聲，道：「求命有橋，諸位何不越橋而過。」

俞若仙道：「我等非求命而來，爲何要越橋過呢？」

那老者道：「既是如此，請隨老朽舟後而行。」

那老者緩步回到艙中，快舟立時向前奔去。

俞若仙右手一揮，帆舟緊追那梭形快艇後面行去，人卻緩緩步入舟中。

舟行似箭，片刻已有數里。

突然一陣大叫聲傳了過來，道：「容大俠請來換舟。」

俞若仙當先起身，向外行去。容哥兒緊隨俞若仙身後，行出艙外。

只見一艘小舟，停在丈餘遠近之處。

那梭形快舟上的老者，站在小船頭上，緩緩說道：「兩位過舟來吧！」

俞若仙當先飛身而起，跳上小舟。容哥兒表面之上，雖是主人，實則處處都聽那俞若仙之命行動，見她縱身飛上小舟，也隨著飛躍登舟。

俞若仙微微欠身，先把容哥兒讓入艙中，目光才轉向那老者臉上，道：「貴君主可有覆命？」

那老者緩緩說道：「敝君主要兩位乘此小舟晉見。」

俞若仙冷哼一聲，道：「好大的架子啊！」

那老者不理俞若仙的譏笑，冷冷說道：「兩位如果以爲舟中有何凶險佈置，老朽在此相陪。」

俞若仙道：「好！要他們開船吧！」那老者揚手互擊，小舟立時破浪而進。

容哥兒心知此刻，自己也無能多管，索性不聞不問，一切都聽那俞若仙的擺佈。

小舟行有一個時辰左右，突然停了下來。

那老者緩緩從身上取過兩塊手帕，道：「兩位用此蒙上眼睛。」

俞若仙道：「那你呢？」

那老者道：「在下自是不用了，不過，我讓你扣住腕脈。」

俞若仙道：「早知有如此多的規矩，我們也不用應他之邀了。」

接過黑絹帶，緩步行到容哥兒面前，道：「入鄉隨俗，公子請戴上此帕。」

容哥兒接過絹帶，掩起雙目。俞若仙伸手扣住那老者腕穴，然後掩上雙目。

快舟又向前行去，只是速度很慢，而且又左彎右轉，似是行在曲折的水道之中。

小舟行約足足一個時辰之久，才停下來，俞若仙用最大的忍耐，一直未發一言。因爲，照形勢距離估算，不用半個時辰，小舟就該靠岸。

小舟停妥良久，那老者才緩緩說道：「兩位跟著在下行動。」

俞若仙一手扣住那老者脈穴，另一隻手卻抓住了容哥兒。

那老者帶路，又行了一頓飯工夫之久，才停了下來，道：「兩位可以取開蒙面黑巾了。」

容哥兒、俞若仙一齊除下蒙臉黑巾，目光轉動，只見自己正停身在一處山洞之中，兩支火燭高燒，照得一片通明。

容哥兒道：「這是什麼所在？」

那老者緩緩說道：「這是我們君主會客之所，兩位在此等候，在下要告退了。」

俞若仙道：「在無人招呼我們之前，閣下最好留在這裏陪著我們。」

那老者還未來得及答話，突聞一個少女聲音接道：「放他走吧！我來陪你們也是一樣，此地一向不許男子涉足。」聲落人現，一個青衣少女，緩步由石室一角行出來。

俞若仙五指一鬆，那老者立時大步奔行而去。

俞若仙冷笑一聲，道：「我們主僕，不是男子嗎？」

那青衣少女緩緩說道：「兩個是貴賓，那是有些不同了。」

俞若仙道：「貴君主何在呢？」

青衣少女指指地上錦墩說道：「兩位先請坐片刻，君主立刻就來。」

俞若仙目光投注那石室一角處，緩緩說道：「那是一座暗門，裏面別有洞天。」

青衣少女道：「此地機關很多，二位最好坐著別動。」

俞若仙道：「在下很想過去瞧瞧。」舉步直對那暗門行去。

青衣少女厲聲喝道：「站住！你如再行前一步，立時將死無葬身之地。」

俞若仙停下腳步，回頭笑道：「小妹妹，你這點年紀，說話怎的如此狠心？」

青衣少女怒道：「誰和你油嘴薄舌打趣了！我說的句句真實，你如再妄行一步，立時將死在當場。」

此時，俞若仙換著男裝，一派書僮打扮，看上去不過十五、六歲，學男音講話，惟妙惟肖，不知內情，自然很難辨認。

俞若仙突然急行兩步，直到那青衣少女身前。

青衣少女駭然退後兩步，道：「你要幹什麼？」

俞若仙緩緩說道：「不要我進去也行，但你要立刻給我轉告兩件事。」

那青衣少女道：「什麼事？」

俞若仙道：「去告訴一天君主，要她快些出來，會見我家相公。」
青衣少女冷笑一聲，道：「我家君主，豈是輕易見的嗎？」
俞若仙道：「一天君主架子如此之大，咱們不用見她了。」
回首一顧容哥兒道：「相公，咱們走吧！」
那青衣少女一橫身攔住了去路。道：「不許走！」
俞若仙笑道：「見又不見，走又不許我們走，是何用心啊？」
青衣少女道：「這是什麼所在，豈是想來就來，想去就去的嗎？」
俞若仙心中暗道：「看來，如不給她一點苦頭吃吃，她是不會服貼的了。」
當下臉色一整，冷冷說道：「小丫頭說話如此無禮，可是想吃苦頭嗎？」
那青衣少女怒道：「臭小子，在這裏也敢撒野！」揚手一掌，劈了過去。
俞若仙右手疾快翻起，五指一伸，扣住了青衣少女右腕脈穴。
她動作迅快，手法奇幻，那少女想讓避已自不及。
俞若仙暗中加力，那少女登時疼出一臉大汗。但那青衣少女，卻有著人所難及的忍耐功夫，儘管疼得冷汗淋漓，但卻始終不肯呻吟一聲。
俞若仙緩緩說道：「姑娘好忍耐啊！我不信你是銅筋鐵骨的女羅刹。」
正待再加內力，突聞身後傳過來一個冷漠的聲音道：「放開她！」
容哥兒、俞若仙一齊回頭看去，只見一個全身黑衣，面垂黑紗的人，站在身後不遠處。以兩人的內功之深，耳目的靈敏，竟然不知那黑衣人何時進入石室。
容哥兒輕輕咳了一聲，道：「江大姑娘，彼此早已知曉了身分，何苦再這樣藏頭露尾？」

那黑衣人取下面紗，露出面帶病容的臉色，正是金鳳門的江大姑娘，江煙霞。
江煙霞冷笑一聲，道：「我還以爲是令堂來了，想不到竟然是……」
目光一掠俞若仙接道：「這人是誰，不用再裝扮書僮了！」
俞若仙放開那青衣少女，道：「你猜猜看，江大姑娘。」
江煙霞略一沉吟，道：「萬上門主俞若仙。」
俞若仙嗯了一聲，道：「不錯，猜得很正確。」
江煙霞淡淡一笑，道：「久違了，老前輩。」
俞若仙緩緩說道：「你現在是武林霸主身分，哪裏還會把我放在眼中？」
江煙震微微一笑，道：「老前輩如此說，不覺得有失氣度嗎？」
俞若仙望了容哥兒一眼，道：「這次是我逼他而來，和他無干。」
江煙霞道：「老前輩這番解說，不知用心何在？」
俞若仙道：「很簡單，咱們動手相搏，我如非你之敵，被你殺死，那就一了百了，不用牽扯到容相公的身上。」
江煙霞道：「晚輩久年未見老前輩，今日難得一晤，怎的竟說這般不祥之言。」
俞若仙冷冷說道：「江煙霞，我早該想到是你才是……」
江煙霞道：「那你爲什麼不早想起來呢？」
俞若仙道：「因爲你平日裝出一副病態，嬌弱不勝，才把我瞞了過去。」
江煙霞道：「晚輩如果裝病，能夠瞞過鄧夫人，也算得一件萬難的事了！」
俞若仙緩緩脫去青衫，露出一身勁裝，接道：「此地此情，口舌上的爭辯，似是已無大用，咱們還是武功上分個生死吧！」

江煙霞緩緩說道：「鄧夫人似是很有把握能夠勝得晚輩，是嗎？」

俞若仙搖搖頭，道：「孤注一擲，至少也該有幾分把握才成，如是毫無把握，那豈不太冒險了嗎？如是咱們都不用幫手，不施詭計，全以武功相搏，鹿死誰手，還難預料。」

江煙霞沉吟了一陣，道：「老前輩既然有著這般強烈的自信，晚輩如不奉陪，未免會使你失望了，不過……」

俞若仙接道：「不過什麼？你只要肯和我單打獨鬥，只要我力所能及的條件，我都答應。」

江煙霞笑道：「晚輩和老前輩素無恩怨，這次求命大會，亦和你萬上門中無關，最低限度，你萬上門可以保一個獨善其身之局，冒險和我相搏，實非智者之舉。」

俞若仙道：「你一人造成了統一武林的局面，覆巢之下，豈有完卵？如將來任你宰割，還不如現在一拚。」

江煙霞緩緩說道：「你如敗在了我手中呢？」

俞若仙道：「任你處置或是我自絕而死。」

江煙霞道：「好！我答應和你動手，但你要明白，我是故意給你一個機會，我可以不用親自和你動手，一聲令下，立時數十位武林中一流人物會出手圍攻於你……」

俞若仙接道：「我知道，你有什麼條件，儘管提出來好了。」

江煙霞道：「很簡單，我只要你說明和我動手的真正用意。」

俞若仙道：「我如說爲了天下武林的安危，這題目也許太大了，說了你也不肯相信，是嗎？」

江煙霞道：「我不信，你會爲天下武林同道著想，假如你不肯說出其原因，恕我要推翻前言，不親自和你動手了。」

俞若仙沉吟了一陣，道：「如若我說爲鄧玉龍報仇，你信不信？」

江煙霞道：「不信，就算你相信鄧玉龍是死在家母手中，也不會找到我頭上。」

容哥兒心中暗暗忖道：「這丫頭這般刁難俞若仙，只怕是不願和她動手了，看來，她一廂情願的如意算盤，只怕難以得償了。」

但聞俞若仙道：「我如說想從你手中，奪過武林霸業呢？」

江煙霞淡淡一笑，道：「那更不致於親自出手和我拚命了。」

俞若仙道：「你心中有何想法呢？」

江煙霞冷笑一聲，道：「我想這都不是你找我動手的原因。」

俞若仙說道：「江大姑娘怎麼想，我就怎麼承認，夠了吧？」

江煙霞怒聲喝道：「你不肯據實說出，我就不守前約。」

卅六　三娘攜手

俞若仙淡淡一笑，道：「江大姑娘可是心中後悔了？」

江煙霞緩緩說道：「你想取代我一天君主之位，是嗎？」

俞若仙緩緩說道：「不錯，我確然有此用心。」

江煙霞目光轉到容哥兒身上，說道：「你可知道，我為什麼逼出她內心之言？」

容哥兒搖搖頭，道：「不知道。」

江煙霞道：「我要她說出內情，就是要在你面前證明她俞若仙，並非你想像的那般人物。她這般向我挑戰，只不過是被形勢逼得無路可走，不得不如此罷了。」

語聲微頓，道：「她若是取代我控制天下大半高手，那氣焰，只怕尤在我江煙霞之上了。」

容哥兒道：「在下不解姑娘言中之意。」

江煙霞微微一笑，道：「理由很簡單，我們兩人動手相搏，不論誰勝誰負，對武林都沒有好處，因此，俞若仙勝我，你也不用高興，如果我殺了她，你也不用悲傷。」

容哥兒緩緩說道：「在下答應了，在兩位動手過程中，在下是誰也不幫。」

江煙霞道：「好！你從旁觀戰吧！」

目光一掠俞若仙，笑道：「未動手前，我江煙霞還可對你執晚輩之禮，若動上了手，咱們相處的一點交情，就算蕩然無存了。」

俞若仙道：「江大姑娘不用手下留情，你有多大本領，儘管施展就是，我如死在你江大姑娘手中，那是死而無憾了。」

江煙霞肅然而立，默不作聲，片刻之後，蒼白的臉上，突然泛現出一層紫氣。

俞若仙臉色微微一變，唰的一聲，抽出一把短劍。

燭火下，只見那短劍之上，寒芒閃動，耀人雙目。顯然，這短劍是一柄犀利寶物。

俞若仙握劍在手，冷笑一聲，道：「江大姑娘也可以亮出兵刃了。」

江煙霞整個人，似乎也在片刻間變了樣子，全身都籠罩在一層紫氣之下，冷冷地說道：「我就用空手接你幾招。」

俞若仙道：「好，江大姑娘，既然看不起我俞若仙，那我是恭敬不如從命。」

語聲未落，揚手刺出一劍。燭火下，寶刃閃起一圈劍芒，直向江煙霞刺了過去。

江煙霞身子一閃，避開一擊，纖手疾揮，劈出一掌。

隨手閃起一團紫氣，擊向俞若仙前胸。俞若仙笑退兩步，避開一掌。

江煙霞也不追擊，只是肅然站在原地不動。只見她臉上的紫氣，越來越濃，又過片刻，整個五官，都已為那濃重的紫氣籠罩不見。

容哥兒心頭駭然，低聲問俞若仙道：「老前輩，這是什麼武功？」

俞若仙道：「絕傳武林的紫焰氣功，和玄清乾罡氣、佛門般若神功妙用相同，只不過，紫焰氣功，流於邪道，到了某一種火候，一運氣，立時紫氣漫延全身，看上去先聲奪人罷了。」

容哥兒回目望去，只見俞若仙頂門之上，也緩緩冒出白氣，知她亦運聚畢生的功力，要和江煙霞做生死之一搏。

想到兩人武功，都比自己高強甚多，實也無法從中插手，只好緩緩退到石室一角，心中卻在暗自盤算，這兩人各運畢生功力，一擊之後，必有破綻，那時，我如乘虛出手，或可奏功。心中念轉，也暗暗提聚真氣，準備在兩人一搏之後，緊接出手。

石室燭火融融，但卻靜得聽不到一點聲息，一種生死瞬間的緊張，使人有著形將窒息的感覺。這時，江煙霞全身，已完全陷入了一種紫氣籠罩之中。

忽然間，俞若仙疾然而起，連人帶劍，直向江煙霞衝了過去。

容哥兒握劍而起，準備在俞若仙一擊之後，隨後發動。

只見一道寒芒投入那紫氣之中，緊接著響起了一聲悶哼，俞若仙似是被一股極強的力道彈了出來，砰然一聲，撞在石壁之上。

那變化大出了容哥兒意料之外，手按長劍，呆在當地，不知如何出手。

原來，在他想像之中，雙方這一擊之後，必然要互移方位，露出破綻，哪知江煙霞竟然是站在原處未動。

轉眼看去，只見俞若仙橫臥在石壁之下，似是已經撞得暈了過去。

容哥兒眼看俞若仙一擊之下，落此慘敗，自己縱然捨命而上，也是以卵擊石。敗局已定，回天無力，棄去手中長劍，緩步行向俞若仙橫臥之地。

仔細看去，只見俞若仙雙目微閉，嘴角鮮血汩汩而出。

容哥兒輕輕歎息一聲，緩緩伸出手去，扶起了俞若仙，黯然說道：「前輩一介女流，但卻能挺身而出，挽救武林大劫，雖是壯志未酬，但已經愧煞鬚眉了……」

只聽一個冷冷的聲音，說道：「不要動她，她還有幾分生機。」

容哥兒轉眼望去，只見江煙霞籠繞全身的紫氣，已然散盡，一把利劍，由右肩直穿而入，透過後背，鮮血染濕了半邊衣服。

這又是大出了容哥兒的意外，不禁呆了一呆，道：「你也受了傷？」

江煙霞神情肅然，緩緩說道：「你很博愛啊，同情俞若仙，也很憐惜我江煙霞。」

容哥兒緩緩說道，「對姑娘，在下說不上憐惜二字……」

江煙霞緩步行了過來，道：「那你很高興看我受傷了？」

容哥兒道：「如若姑娘一定要在下說個理由，那倒不如說姑娘受傷一事，使在下很感驚奇。」

江煙霞低頭望望自己的劍傷，緩緩說道：「如若她要向右移一寸，我將先她而死，橫屍當場。」舉手拿下寶劍，投擲於地，鮮血湧出，灑落地面。

容哥兒一伸手，撿起寶劍，道：「姑娘，此刻是否還有再戰之能？」

江煙霞不理容哥兒，從懷中取出一粒丹丸吞下，緩緩說道：「現在，我有了。」

容哥兒道：「那很好，我也想領教姑娘幾招。」

江煙霞搖搖頭，道：「我想你心中很明白，你不是我的對手。」

容哥兒道：「不錯，不過，在下如不畏死亡，雖然明知非敵，也是可以一拚。」

江煙霞沉吟了一陣，道：「你可否等上一會兒？」

容哥兒道：「不行，此刻，在下還可支持幾招，但如等你體力盡復，只怕難擋姑娘一招，爲了武林中千萬人的生死，說不得只好乘人之危了。」

江煙霞淡然一笑，道：「剛才，你如突然出手，或有機會擊中我一劍，可惜的是，你太君子。此刻，你已經沒有取勝的機會了。」

容哥兒道：「我不信。」

江煙霞道：「大概你是不見棺材不掉淚，不信你就刺我兩劍試試吧！」

容哥兒應了一聲，揮劍刺去。

江煙霞右手斜斜拍出一掌，立時有一股潛力，應手而出，逼出了容哥兒的劍勢。

容哥兒連攻三劍，均爲江煙霞發出的內家真力逼開了劍勢。

三劍攻過，容哥兒已知江煙霞所說並非虛語，她只要還手一擊，立時可以把自己傷在掌下，纏戰亦是無益，當下投劍於地，冷冷說道：「姑娘怎不還手？」

江煙霞望了俞若仙一眼，目光又轉到容哥兒的臉上，道：「我無意殺她，更無意殺你。」

容哥兒道：「爲什麼？」

江煙霞道：「殺了俞若仙，我沒有了對手，殺了你，我何以向妹妹交代？」

容哥兒冷笑一聲，道：「江大姑娘不用假仁假義了，你如真有慈悲心腸，何不慨施解藥，使天下求生者，皆得生還。一個人不過短短數十年的生命，就算練的內功精深，也不過較常人多活上幾十年，霸主武林，何如以德服人，名留青史，永垂不朽？」

江煙霞輕輕歎息一聲，道：「你說得很輕鬆，其實談何容易！」

容哥兒看她神情，心中一動，暗道：「如若我能勸她放棄霸主武林之願，釋放了被困群豪，那也是一大功德，今日縱然死亡於此，也是很値得了。」

心中念轉，緩緩說道：「聽姑娘之言，似乎是內心別有隱情。」
江煙霞淡淡一笑，道：「就算我心中有隱情，告訴你又有何用？」
容哥兒肅然說道：「姑娘先請包紮一下傷勢，咱們再詳細談談如何？」
他想到千百武林同道的生死大事，實是重過俞若仙和自己的生死。
江煙霞輕輕歎息一聲，道：「先讓俞若仙服下一粒保命護心的丹丸。」
右手從懷中取出一粒丹藥，交在容哥兒的手中，道：「給她服下。」
容哥兒接過丹丸，伸手去扶俞若仙，江煙霞急急喝道：「不要動她。」
容哥兒怔了一怔，道：「爲什麼？」
江煙霞道：「她此刻傷勢甚重，真氣岔行，你如動她，只怕難再復元了。」
容哥兒果然不敢再動，望著江煙霞道：「看她傷勢很重，自己勢難服用藥物，如是不能動她，你江大姑娘這靈藥，縱有起死回生之效，也是無法助她了。」
江煙霞道：「你認爲她現在死了嗎？」
容哥兒道：「不論她是否死去，但傷勢沉重，那是不會錯了。」
江煙霞沉吟了一陣道：「你把藥丸放入她的口中吧！這靈丹自會化開，行入她的內腑。」
容哥兒緩緩蹲下身去，啓開俞若仙的牙關，把藥丸投入她的口中。
江煙霞緩緩取出一方白絹，自行包紮傷勢。
她左肩傷得很重，只有一隻右手可用，自行包傷，極是困難。
容哥兒緩緩說道：「江姑娘，在下可以代姑娘效勞嗎？」
江煙霞淡淡一笑道：「可以，只要不怕沾上血污。」

容哥兒接過白絹，仔細看了江煙霞的傷勢，不禁黯然一歎，道：「姑娘傷得實在不輕。」

江煙霞嗤的一笑，道：「容相公，你很多情啊！」

容哥兒呆了一呆，道：「這話怎麼說？」

江煙霞道：「你同情舍妹，憐她淪落風塵薄命花，也很同情俞若仙，想是憐她早年喪夫，孤苦無依，才肯為她涉險、賣命，如今又好像很憐惜我了。」

容哥兒一皺眉頭，暗道：「這丫頭傷得如此之重，竟還有心談笑。」

江煙霞長長吁一口氣，接道：「天下盡多弱女子，你要個個去憐憫惜愛，豈不又是一代鄧玉龍？」

容哥兒默然不語，小心翼翼地替她包紮好傷勢，才說道：「不論鄧大俠的武功如何，他一生中做了多少善事，但在下對他到處留情一事，極不贊同。」

江煙霞道：「鄧玉龍不是壞人，只是他天性風流，情難自制，那也是沒有法子的事啊。唉！評論鄧玉龍一生的罪惡，實叫人難下論斷。」

容哥兒道：「姑娘傷勢不輕，還是先坐息一陣，什麼話，晚一會兒再談不遲。」

江煙霞微微一笑道：「似你這般溫文有禮的人，縱非有心，也要被人誤認為多情種子了。」言畢，閉目盤膝而坐。

容哥兒本待反口相駁，但見那江煙霞閉上雙目而坐，強自忍下未語，轉眼看去，只見俞若仙雙目眨動，似是已經醒了過來，但她體力尚極衰弱，瞧了容哥兒一眼之後，重又閉上雙目。

但聞輕微的鼻息之聲，傳入耳際。

轉眼看去，只見那江煙霞，胸前微微起伏，顯然，已漸入了忘我之境。

容哥兒望望那投擲在地的寶劍，暗暗忖道：「如若我此刻暗暗取過兵刃，出其不意的突然施襲，不論江煙霞的武功如何高強，也無法躲開我揮劍一襲，這樣殺了她，雖然有傷忠厚，有失光明，但也許可能拯救了江湖上千萬的武林同道之命。」

心中念動，伸手取過了地上寶劍。

回目望去，只見江煙霞閉目靜坐，鼻息均勻，運氣正值緊要關頭。

容哥兒抽出長劍，手握劍柄，緩緩向江煙霞前胸刺去。

燭光下，只見她臉色蒼白，衣服上血跡斑斑，神情動人憐惜，不禁手腕一軟，暗暗忖道：「我今日若殺死江煙霞，日後想起此事，定然不安得很，一生只怕都無法忘去此等大憾大憤的事。」一股強烈的不安之感，使他殺機頓消，緩緩放下了手中長劍。

但他心中知曉，如是錯過了此刻殺死江煙霞的機會，只怕一生一世，都再無此機會了。強烈的矛盾，在他內心中衝突，使他幾度舉起了手中長劍，重又放下。

猶豫間，江煙霞作息已畢，容哥兒看她醒來，心知殺她的機會已失，緩緩說道：「我該殺了你。」

江煙霞淡淡一笑，道：「是的，但你沒有殺我。」

容哥兒道：「如若單看姑娘外形，你是一個善良的女人。」

江煙霞道：「世界上沒有一個惡毒的人，在臉上寫上惡毒二字。」

容哥兒冷笑一聲，道：「這麼說，在下沒有殺死姑娘，那是一樁大錯了。」

江煙霞道：「無毒不丈夫，所以，你不能成驚天動地的事功。」

容哥兒心中氣忿至極，暗道：我沒有殺她，反而受她譏笑，早知如此，適才一狠心，一劍把她殺死，一了百了。

但見江煙霞淡淡一笑道：「怎麼?你可是很後悔嗎?」

容哥兒道：「在下一生中，很少作後悔之事，但適才未殺姑娘，實是一樁大悔大恨的事。」

江煙霞笑道：「不要氣壞了身體，以後你也許還有殺我的機會。」

容哥兒冷冷說道：「咱們武功相差懸殊，只要你有抗拒之力，在下自知無殺你之能，除非你再像今日一般，受上一次傷。」

江煙霞道：「就算你不能親手殺我，但只要能看到我被人殺死，豈不也是一樣?」

容哥兒怔了一怔，道：「姑娘太客氣了，武林中還有殺你的人嗎?」

江煙霞道：「自然有了，單說你知道的，令堂是一個，萬上門主也是一個。」

容哥兒望了俞若仙一眼，道：「但萬上門主並沒有殺死你，相反的她卻傷在你的手中。」

江煙霞道：「這是機會，也是運氣，如她全身功力貫注於劍身的一擊，我亦是無能抵抗，只可惜她劍勢偏了數寸，未能中我要害。假若劍勢不偏，我早已屍骨寒去了。」語聲頓了一頓，接道：「她清醒過嗎?」

容哥兒聽她口氣緩和，既無深刻敵意，亦無仇視口氣，心中大感這般奇怪，暗道：「這丫頭究竟是鬧什麼鬼，非友非敵，叫人揣測不透。」口中卻應道：「醒過一次。」

江煙霞道：「那很好，你現在可以用本身內力助她了。」

容哥兒道：「當真嗎?」

江煙霞道：「除非你騙我，她根本未清醒過，你助她內力，那是加速她死亡。」

容哥兒凝注在江煙霞的臉上，歎息一聲，欲言又止。

江煙霞道：「你要說什麼？」

容哥兒道：「在下對姑娘的作爲，甚感迷惑。」

江煙霞道：「快些救助她清醒過來，有什麼話，等一會兒再談不遲。」

容哥兒扶起了俞若仙，伸出右手，抵在俞若仙背心之上，暗運內力，攻出一股熱流，直攻入俞若仙的內腑。

俞著仙服過江煙霞的靈丹之後，人已清醒過來，只因傷勢過重，真氣難以運行，既得容哥兒內力相助，真氣逐漸暢行。

不足頓飯工夫，長長吁一口氣，睜開雙目，凝注江煙霞臉上，道：「你爲什麼要救我？」

江煙霞緩緩說道：「那是因爲我不信你真有爲武林殉身的決心。」

俞若仙道：「現在呢？是否相信了？」

江煙霞點點頭，道：「經歷一次生死之劫，自然是可以相信了。」

俞若仙閉上雙目，喘了兩口氣，道：「你信了，又能如何？」

江煙霞低聲說道：「此時此刻，不是談論此事的時機，這裏很安全，也很幽靜，你可以在這裏養息一下傷勢。」

俞若仙道：「我要先知曉你的用心，才能安心養傷。」

江煙霞道：「你身子骨如不能復元，說了也是沒有用，好好養息吧，我要去了。」站起身子，舉步向內室行去。

俞若仙目睹江煙霞背影消失，長歎一聲，望著容哥兒道：「究竟是怎麼回事？」

容哥兒道：「我也不太了然……」
語聲微微一頓，接道：「那江煙霞說得不錯，眼下第一樁緊要之事，老前輩還是養好傷勢重要，身子骨不能復元，就算你了然內情，那又如何？」
俞若仙道：「此時此地，我如有事悶在心中，如何能夠安得下心呢？」
容哥兒心中暗道：「這話倒也不錯。」
略一沉吟道：「好吧，你閉目養息，我把詳細的經過之情，說給你聽。」
俞若仙道：「你要說得十分仔細，不能有一字遺漏，須知差之毫釐，謬之千里。」
容哥兒道：「這個在下知道。」
俞若仙身體靠在壁上，道：「好！你現在可以說了。」
容哥兒略一沉吟，很仔細地把經過之情，說了一遍。
表面上看去，俞若仙閉著雙目，靠在石壁上，似是根本沒用心聽。
實則，她聽得十分仔細，而且全神貫注用心思索。
容哥兒看那俞若仙聽完之後，不言不語，只道她已經熟睡，心中暗道：「她要好好休息一下才成。」
正待起身，突聞俞若仙道：「你說的一點不錯嗎？」
容哥兒微微一怔，忖道：「原來她在用心推測。」
急應道：「一點不錯。」
俞若仙睜開雙目，道：「那就有些奇怪了。」
容哥兒道：「什麼事？」

俞若仙道：「難道在江煙霞之後，還有著另一個一天君主，控制她不成？」

容哥兒呆了一呆，道：「是啊！聽她口氣，她並非主持大局的人，不過……」

俞若仙道：「不過什麼？」

容哥兒道：「那江煙霞的話，也是不可相信。」

俞若仙道：「當今之世，能夠阻止她的只有我和令堂，殺了我，至少可去一個勁敵，她爲什麼不殺死我呢？」

容哥兒道：「老前輩是否如曉，你那劍勢只要偏上一寸，就要了她的命。」

俞若仙道：「當時，我不知曉。」

容哥兒道：「但她心中很明白啊！」

俞若仙道：「你這話是何用意？」

容哥兒道：「我想到一件事，如若她當時出手取你之命，我必然會不顧一切，出手攻襲於她……」

俞若仙道：「是了，你是說，她當時已沒有殺我的能力了。」

容哥兒道：「如若她是真正的一天君主，這該是她唯一不殺你的原因……」

語聲一頓，接道：「如是在她身後，還有一個主裁之人，實在不可思議了。」

俞若仙道：「因此，咱們要多方推敲，不能夠妄下論斷。」

容哥兒道：「在下出道時日很短，武林中事知曉不多，但目前的紛繁局面，恐怕是武林中從未有過的了。」

俞若仙似是極爲疲倦，閉上雙目，倚壁而坐。

容哥兒望了俞若仙一眼，也不再驚擾於她，暗中卻用心思索此事。

但想來想去，用盡心神，仍是無法想出一個所以然來。

突然間火焰一閃，燭火熄去，原來，那支高燒火燭已經燃完，光焰一閃而滅。室中陡然黑了下來，伸手不見五指，但室中卻響起一陣輕微步履之聲。

容哥兒霍然站起身子，擋在俞若仙的身前低聲喝道：「什麼人？」

但聞一個女子聲音，應道：「我！」

容哥兒道：「你先亮起火摺子，再走過來。」

那女子倒是聽話得很，右手一揮，晃燃起火摺子。

容哥兒凝目望去，只見來人是一位中年婦人，正是那天在石室中，施用赤沙掌擊傷自己的人。

容哥兒舉起手中寶劍，道：「來此有何見教？」

那中年婦人緩緩說道：「奉姑娘之命，來看俞若仙的傷勢。」

容哥兒知她武功高強，如若被她逼近身側，突然出手，自己絕難抵擋，當下說道：「請上覆你家姑娘，俞老前輩的傷勢已經好轉。」

那中年婦人笑道：「老身奉命而來，怎敢不親自查看。」

左手高舉火摺子，大步直行過來。

容哥兒厲聲喝道：「站住。」

中年婦人似是根本未聽到容哥兒的喝聲一般，仍然是大步直行過來。

容哥兒知她掌蘊奇毒，厲害無比，長劍一舉，劃起一道寒芒，道：「夫人如再向前逼進，在下就要出手了。」
此刻情勢，已極明顯，俞若仙和容哥兒已成了生死同命的局面，縱然自知非敵，亦必捨死一拚，保住俞若仙的安全。
中年婦人臉色一變，緩緩放下火燭，道：「閣下再不讓路，老身就不客氣了。」
容哥兒冷笑一聲，道：「夫人用心已昭然若揭……」
那中年婦人突然一揚右掌，劈了過來。
容哥兒早已有備，縱身避開一掌，揮劍擊出，兩人立刻展開了一場惡鬥。
燭火下，只見那中年婦人雙掌赤紅，豔如鮮血，看上去十分恐怖。
容哥兒全力施展，寶劍閃起一片寒芒，有如一片劍幕，招招指向那中年婦人的要害大穴。
他存心拚命，十分武功，發揮出了十二成的威力。
那中年婦人武功雖然高強，一時之間，倒也無法勝得容哥兒。
雙方鬥了十餘回合後，那中年婦人的掌力越來越強，雙手之上，也似泛起一片紅色的煙霧，掌指都已經看不清楚。
突然間，那高燃的火燭一閃而熄，石室中陡然間黑了下來。
容哥兒劍勢疾變，一連攻出了三劍，兩人已然逐漸分出強弱，容哥兒感覺到那對方的壓力逐漸增強，劍勢運用，已然不夠靈活，心知難再支持多久。
忽聽中年婦人冷冷喝道：「什麼人？」反手拍出一掌。
夜暗之中，容哥兒感覺到有股強大的暗勁，在室中激蕩，同時，那中年婦人加諸在自己身上的壓力，大為減弱。

顯然，燈火熄去之後，有一個武功極爲高強的人，借勢衝了進來，和那中年婦人，展開了一場惡鬥。只是燭火初熄，夜暗如漆，容哥兒也無法看清楚來人是誰。

此時此地，會有人幫助容哥兒，實是大出了容哥兒的意料之外。

來人武功極高，片刻之後，那中年婦人已無法再和自己搏鬥，全力對付來人。

容哥兒本是全力和人搏鬥，此刻卻變成了旁觀之人。

他用盡心機，也無法看出來人是誰，索性停下手來，運氣瞧去。

只見那人穿著一身黑衣，臉上也是一片黑色，看不清本來面目。

兩個人影，交鬥搏擊，打得凶惡異常。那中年婦人，幾度停下喝問來人身分，但那人一直是默不作聲，但攻勢卻更加猛銳。

容哥兒暗道：「他一直是一言不發，那是顯然怕暴露了身分，那是說，他可能和那中年婦人認識了。」

心念轉動，陡然生出警覺，暗道：「除非，那人能一舉殺死那中年婦人，否則，經過這一番凶惡的搏鬥之後，必然會被那中年婦人想出他的身分。人家好意助我，我豈能袖手旁觀？唯一的辦法，就是幫助此人，殺死那中年婦人，然後，使這人不致暴露出身分。想此地戒備森嚴，那人除非混入在一天君主手下，否則絕無法進入此地。」

心念一轉，突然仗劍而上，全力攻向那中年婦人。

此時，容哥兒目力已然逐漸適應黑暗，劍招攻勢十分凌厲。

那中年婦人，單獨對付容哥兒，固然是綽有餘裕，但那黑衣人武功奇怪，已逼得她全力施爲，如今再加上一個容哥兒，那自是不易應付了。立時，被逼得險象環生。

那中年婦人一面接黑衣人的掌勢，一面封閉容哥兒的劍勢，鬧得手忙腳亂，已然有應接不暇之感。

容哥兒心中暗道：「此時，如不藉機會除去這中年婦人，只怕以後永遠無殺她的機會了，至少也該廢去她的武功。」

心念轉動，殺機陡起，劍招突然一變，招招都是足以致命的殺手。

同時，那黑衣人攻勢，也隨著容哥兒劍勢加緊。

那中年婦人被黑衣人步步進逼的攻勢，逼得還手無力，集中全神對付，已感覺支持困難，再加上容哥兒那凌厲的劍招攻勢，早已支持不住。

一個失神，被容哥兒一劍刺中後背，透心而過。

那中年婦人冷哼一聲，反手拍出一掌。

這一掌勢道奇猛，掌勢未到，一股暗勁，已然急襲而至。

這是她垂死之前的反擊，掌力之強，要較平時猛惡數倍。

容哥兒來不及抽出長劍，只好撒手鬆劍，急急向後退去。

那中年婦人，急急縱身而起，直撲過來，第二掌緊隨劈出。

容哥兒爲勢所逼，只好揚手硬接一掌，但聞砰然一聲，雙掌接實。

容哥兒只覺右臂一陣麻木，內腑中血氣翻湧。

那中年婦人第三掌快速劈出，迎胸擊來，容哥兒全身氣血浮動，既無能再接人掌勢，也無能閃避這一擊。

眼看掌勢就要擊中在容哥兒的前胸，那中年婦人卻悶哼一聲，噴出了一口鮮血，倒摔在地上。

原來，那黑衣蒙面人及時一擊，擊中那中年婦人的後心。

那中年婦人，中了容哥兒一劍，人已奄奄一息，仗憑著深厚的內功，強行支撐，發出兩掌，準備把容哥兒擊斃於掌下，但那黑衣人舉動快速，及時一掌，擊中她背心，她在重傷之下，哪裏還能承受這一擊？登時吐出一口鮮血而逝。

容哥兒死裏逃生，望著那蒙面黑衣人，道：「閣下何許人？」

黑衣人緩緩取下蒙面黑紗，道：「孩子，你和她對了一掌。」

容哥兒目光到處，來人竟然是自己的母親，當下道：「不錯，孩兒和她對了一掌。」

容夫人道：「她的赤沙毒掌，已練到傷人於三步之境，你和她接實了一掌，必然中毒，快些服下這兩粒藥物。」

一面說話，一面從袋中取出了一個玉瓶，倒出了兩粒丸丹，遞了過去。

容哥兒接過藥物後，吞下道：「母親怎知孩兒有難，及時趕來相救？」

容夫人緩緩說道：「快些運氣調息，她赤沙掌毒很重。」

容哥兒便不再言，閉上雙目，運氣調息。

容夫人目光轉到俞若仙的臉上，道：「俞姐姐，傷得重嗎？」

俞若仙輕輕歎息一聲，道：「傷得很重。」

容夫人道：「這裏有一粒效用神奇的靈丹，你先服用下去如何？」

俞若仙搖搖頭，道：「不用了，江煙霞已然給我靈丹服下，從你口中能說出效用神奇四字，足證那靈丹是一粒極為珍貴之物，留著它，讓給比我更重要的人服用。」

容夫人道：「你！應該是最重要的人了。」

俞若仙搖搖頭道：「我目前並不需要，眼下，我已感到自己不會死了，只需要一段時間休養，日後，也許還有需要它的地方。」

容夫人道：「既然如此，我也不逼你服用了，你好好休息一下。」

俞若仙道：「令郎的傷勢如何？」

容夫人道：「不要緊，他中了赤沙毒掌，但我早已有備，已讓他服用了藥物。」

俞若仙道：「待令郎傷勢好些，咱們得早些離開這是非之地。」

容夫人緩緩說道：「這地方很安全，你們安心在這裏養息吧！」

俞若仙微微一怔，道：「這話怎麼說？」

容夫人道：「我說這個地方很安全，你們放心養息，至於其中的詳細內情，等你傷勢好了之後，我再和你們詳細的談談。」

俞若仙道：「現在先可說明一點內情嗎？」

容夫人搖搖頭，道：「現在不能說，我如說出一點內情，你勢必想全盤了然，逼我說出內情，那時，我不忍使人失望，只好詳細奉告，對你療傷的事，只怕大有影響。」

俞若仙道：「這其中好像內情很複雜，是嗎？」

容夫人道：「在我未了然內情之前，也覺得十分複雜，但你知曉全部內情之後，也就不足爲奇了。」

俞若仙望了那中年婦人的屍體一眼，道：「好吧！兩個時辰之後，咱們再詳細談。不過，你殺了這人，難道也能得那江煙霞的容忍嗎？」

容夫人正待答話，江煙霞卻急步行了過來，接道：「老前輩好好養息吧！」

俞若仙呆了一呆，道：「江煙霞，你們早已互通聲息……」

江煙霞道：「沒有，適才咱們拚命之時，我還未作決定，唉！如是早通聲息，剛才，咱們也不會有那場生死之戰了。」

俞若仙歎道：「有生以來，我第一次這樣糊塗。」

江煙霞接道：「這只是一個巧合，沒有一個人，能夠有此等智慧，安排的如此精密，使人瞧不出一點破綻。」

俞若仙不再多言，閉上雙目，運氣調息。

江煙霞抱起那中年婦人的屍體，急步行出石室。

時光匆匆，三個時辰，轉眼過去。

容哥兒服用母親靈丹，又得一陣運氣調息，精神已經復元。

俞若仙得容夫人內力之助，精神也逐漸好轉。

容夫人覺出俞若仙真氣暢通之後，才停下手來，舉手拂拭一下頭上的汗珠，緩緩說道：「現在，好些了嗎？」

俞若仙道：「多謝姐姐相助。」

容夫人道：「再坐息片刻吧！等一會兒，咱們還有重要事情商量。」

俞若仙道：「現在，我已覺得傷勢大好，什麼事，可以開始談了。」

容夫人淡淡一笑，道：「你心中很急，是嗎？」

俞若仙道：「不瞞姐姐說，小妹一生中經歷了不少怪事，但卻從未經過像這次一般的迷惑，實叫人想不出一點頭緒。」

容夫人道：「連我也不太了然詳細內情，不過，已經接觸到事情邊緣，追查下去，不難找出真相。」

俞若仙道：「這麼說來，那江煙霞並非是真的一天君主了。」

容夫人道：「就目下了然情形而言，確實如此。」

俞若仙道：「那真正一天君主，是誰呢？」

容夫人道：「目下還未找出。」

俞若仙道：「至低限度，那江煙霞應該知道。」

容夫人道：「江煙霞也該來了，你當面問她吧。」

俞若仙沉吟了一陣，道：「你和我約好會晤之期，未能按時履約，可是先行潛來此地？」

容夫人道：「我依限趕到，但默察局勢，對方大勢已成，依我們幾人之力，只怕難挽狂瀾，因此，存了和你一樣之心，擒賊擒王，去找那首腦人物一拚，當下設法潛入此地，只因改變的突然，又要隱秘，故而未通知你！」

俞若仙道：「你使用何方法，潛入此地？」

容夫人道：「裝作求生之人，渡過了『求命橋』，進入他們內腹要地。」

俞若仙道：「你是否知曉我們也混入了此地？」

容夫人道：「知道的很晚……」

語聲一頓，接道：「我混過了『求命橋』，在千百求生人中，混了兩日，暗中觀察之後，心頭才大大爲之駭然，千古以來，武林中恐怕從未發生過這等殘忍的事。」

俞若仙道：「怎麼樣了？」

容夫人道：「其初之時，我還以爲，這些人是被一種迷神的藥物，迷亂去神智，只要能設法取得藥物，不難使他們恢復神智。哪知我暗中觀察，這些人進入『求命橋』，性命雖然可以保住，但人卻都服用了一種喪失神智的食物，那些人在服用過後，不知不覺中，就忘懷了自己將來，只餘下一具沒有靈魂神智的軀殼了。」

俞若仙道：「那一天君主，施展這等惡毒的手段用意何在呢？」

容夫人道：「就我所知，這是一種從未有過的惡毒手段，他要使整個武林，有著一種很大的轉變，這一代人，爲他所用，自相殘殺，不是爲他奴役，就是完全消滅。下一代武林人物，在他控制之下，孕育成長，古往今來，有很多圖謀稱霸武林的人物，卻從沒有一個人，施用過這等的惡毒手段，有過這樣嚴密的計畫。」

俞若仙道：「除了金鳳門中的大姑娘江煙霞之外，還有誰有這等精密的計畫能耐呢？」

容夫人道：「我觀察了然這惡毒的計畫之後，才決心潛出那求生之人聚居的地方，準備找他們主腦人物一拚，如能先把主持其事的人殺死，然後在不算太晚的時間中，設法挽回這場大劫。」

俞若仙道：「你找到了這個主腦人物沒有？」

容夫人道：「我見到江煙霞，那時她已經和你搏鬥受傷。」

俞若仙道：「她宿住之地，防護定然十分森嚴，姐姐怎能輕易見到她呢？」

容夫人道：「我穿著黑衣，戴上面紗，很輕易就混到了江煙霞居住之地……」

長長歎息一聲，接道：「每一件事，有利，就有弊……」

語到此時，江煙霞已急急行了進來。

容夫人看她神色匆忙，急急說道：「你傷勢有了變化？」

江煙霞搖搖頭，道：「不是，而是大局有變！」

容夫人道：「什麼變化？」

江煙霞道：「那中年婦人，是他們派來此地監視我的人，此事我早已知曉。因此，我對她防備很嚴，但她死亡的消息，卻立刻傳了出去，那是說，除她之外，在我身側，還布有其他的眼線了。」

容夫人淡淡一笑，道：「江姑娘如何知曉，我殺死那人的消息，已傳開了呢？」

江煙霞道：「我已接到了硃砂令諭。」

俞若仙道：「何謂硃砂令諭？」

江煙霞道：「一張白箋上寫明了要我辦理之事，下面加蓋著一顆硃砂的印信。」

俞若仙道：「那手諭上說些什麼？」

江煙霞道：「她要我立時回頭，目下大勢已成，不出十日，即將完成千百年來，從未有人完成過的武林霸業，而且從此以後，武林門戶歸併，派別消失，一天君主永遠是統率武林的霸主，如若我能及時回頭，聽他之命，和他合作，雖然我犯了大錯，可以不予追究。」

俞若仙神情肅然地說道：「江姑娘，事到如今，你最好不要隱瞞什麼了。」

江煙霞道：「晚輩知無不言。」

俞若仙道：「你是否可以說出，那一天君主是誰，現在何處？」

江煙霞道：「這也是賤妾心中之疑，迄今無法打開之謎。」

俞若仙道：「以你霞姑娘的才氣，絕然不甘心受一個不知姓名、不知來歷的人物控制……」

江煙霞接道：「也許晚輩說了，也難使幾位相信，我一直受著硃砂令諭控制。」

容夫人突然插口說道：「那硃砂令諭，是由何人送來？」

江煙霞略一沉吟，道：「有時，用一隻通體如雪的飛鴿送來，有時，卻突然出現在我書案、木榻之上。」

容夫人道：「那是說，在你周圍身側之人，都可能是傳遞那硃砂令諭的人了。」

江煙霞道：「我懷疑是那花娘所爲……」

容夫人道：「誰是花娘？」

江煙霞道：「就是你適才殺死的那中年婦人。」

容夫人道：「她從何處來？」

江煙霞道：「她手執硃砂令諭，前來見我，那令諭說得明白，她來做我助手。唉！明是助我，暗中自然是監視於我了。」

容夫人緩緩說道：「可是，她已經死去了……」

江煙霞道：「但那硃砂令諭，仍然出現，而且已說明內情，這幾個時辰的變化，他都知曉無遺。」

容夫人道：「那是說，除了我殺死的那中年婦人之外，還有其他的人。」

江煙霞道：「除老前輩殺死的花娘外，晚輩實在想不出還有什麼人了。」

容夫人道：「這些事情，應該不難推斷才是，除了那花娘之外，還有些什麼人物？」

江煙霞道：「除了花娘外，還有兩個女婢，不過，那些女婢都是我從金鳳谷帶出來的人，她們是我的心腹，那是絕然不會背叛於我了。」

容夫人道：「除了那兩個女婢之外，還有什麼人能夠知曉這些內情呢？」

江煙霞略一沉吟，道：「除了這些人外，唯一能夠知曉內情的，就是幾個守門的武士了。」

俞若仙道：「你把可能知曉之人，全都集中於此，仔細查問，必可追出內情。」

江煙霞道：「我懷疑那暗傳令諭的人，就混在我的身側。」

容夫人一顰眉頭，舉手理一下鬢旁散髮，點點頭說道：「說得不錯，也許，那人早已潛伏在你的左右……」突然一伸右手，快迅絕倫地向江煙霞的右腕之上扣去。

這一著不但動作快迅，而且出其不意，江煙霞要想讓避，已自不及，正好被容夫人扣住了右腕脈穴。

江煙霞淡淡一笑，道：「老前輩這是何意？」

容夫人冷笑一聲，道：「你不覺得自己太聰明了嗎？」

江煙霞道：「什麼事？」

容夫人道：「那硃砂令諭現在何處？」

江煙霞道：「在我身上，老前輩放開我，在下可以拿給你看。」

容夫人道：「我自己取出來也是一樣。」

伸手探入江煙霞的懷中，摸出了一張白箋。

展開看去，果如江煙霞所言一般，一張白箋上，寫滿著黑字，下面蓋著一個硃砂紅印。
江煙霞緩緩說道：「老前輩看到了什麼？」
容夫人冷笑道：「霞姑娘果然是富有心機的人。」
江煙霞神色肅然地說道：「彼此如要合作，必得相互信任才成。」
容夫人冷冷說道：「霞姑娘，事已如此，也不用再玩花招了。」
俞若仙沉吟了一陣，道：「江大姑娘，你無法說出那一天君主身分，咱們只有把你當做一天君主看了。」
江煙霞神色冷峻地說道：「兩位認為我在施詐嗎？」
俞若仙道：「不錯，以你江大姑娘的才能，受人如此作弄，實是叫人難信。」
容夫人道：「霞姑娘，你不能怪我們對你如此多疑，一道硃砂令諭，能夠指揮你江煙霞的舉動，那實是不可思議的事了。」
江煙霞道：「如若你們能了然內情，自然會相信了。」
容夫人道：「希望江姑娘能夠說明內情，而且說得越是詳盡越好。」
江煙霞道：「由家母算起，金鳳谷中上上下下，數十口人的生死，都掌握在那人手中，這威脅難道還不算大嗎？」
容夫人道：「江姑娘可否說得仔細一點？」
江煙霞道：「如若從頭仔細說起，花兩個時辰，也說不完，如是簡單的說，只要幾句話，就可以說得明白了。不過……」
俞若仙道：「不過什麼？」

江煙霞道：「不過，這中間最重要的原因，那就是，看你們是否信任我了。」

俞若仙道：「那要看你江姑娘是否說的實言了。」

江煙霞道：「大約是半年之前一個早晨，一隻白色的健鴿，突然送來了一張硃砂手諭，那手諭說明家母和金鳳谷中的人，全都中了奇毒，日落之前，毒發而死，唯一能夠救他們的人，就是我了，限午時之時，回他口音。」

俞若仙道：「這樣一封沒頭沒腦的信，你江大姑娘相信了？」

江煙霞道：「當時，我也有些不信，因此去看家母，要家母運氣一試！」

俞若仙道：「結果如何？」

江煙霞道：「那手諭上說得不錯，家母確然中了奇毒。」

俞若仙道：「貴谷中其他的人呢？」

江煙霞道：「我召集了全谷中人，要他們運氣相試，果然是個個中毒，只有我一個人沒有事情。」

俞若仙道：「因此，你就屈服在硃砂手諭之下，是嗎？」

江煙霞道：「當時，不容我不信，也不容思謀別策，因爲時間太急促了，但我仍然是半信半疑，一面讓中毒人服下解藥，一面思考如何答覆那硃砂手諭。」

俞若仙道：「那隻白鴿，還在等你回音嗎？」

江煙霞道：「沒有，牠放下採硃砂手諭後，即又飛走。」

俞若仙道：「那你要如何答覆呢？」

江煙霞道：「限我午時之前，回他的信，自然會在午時前，和我聯絡了。」

俞若仙道：「是否如你所料呢？」

江煙霞道：「不錯，一切都在我預料之中，午時光景，那白鴿重又飛臨我居室窗前。」

俞若仙道：「你寫了一封信，由那白鴿，傳回那寫硃砂手諭的人？」

江煙霞道：「不錯，我在那信上說明，就我們金鳳谷女婢中的一人，要她毒性發作……」

俞若仙道：「爲什麼要如此呢？」

江煙霞道：「因爲，我還不信他硃砂手諭之言，我要找一個人試試看毒發後的情形。」

俞若仙道：「看到了沒有？」

江煙霞道：「看到了，那確是世間最爲慘毒的藥物，毒發之後，四肢收縮，一個活活的大人，收縮有如嬰兒一般。」

俞若仙道：「毒發後，幾時死去？」

江煙霞道：「大約在一個時辰之後。那一個時辰的時間，實叫人慘不忍睹，唉！可惜的是我無能救助於她。」

俞若仙道：「你眼看著她肌肉、筋骨收縮而死？」

江煙霞道：「除我之外，還有家母，及金鳳谷中其他之人，眼看著她毒發慘絕死狀，卻是無能相救……」

容哥兒道：「你江大姑娘口中，能說出慘絕而死，那死狀，定然是夠慘的了。」

江煙霞道：「除了看著她死去之外，我實想不出什麼辦法。」

長長歎一口氣，接道：「正因她死時的痛苦，慘絕人寰，才使我俯首聽命，爲他所用，我不忍年邁的老母，有那等悲慘下場，也不忍眼看金鳳谷中的人，一個個毒發而死。」

俞若仙道：「其他的人呢？」
江煙霞道：「金鳳谷上上下下，共有三十二人中毒，他應我之求，由那白色健鴿，送來了三十一粒解毒藥物，由我選擇一人試驗。不過，他在附函中說明了，那解毒的藥物，有效期間，只有三日，三日之後，如不能再用解藥，一樣會毒發而死。」
俞若仙道：「你如說的真實之言，那倒是爲勢所迫了。」
江煙霞道：「要不是情勢特殊，我江煙霞豈是任人輕侮，隨便低頭的人嗎？」
俞若仙道：「以後呢？」
江煙霞道：「以後，就爲那硃砂手諭控制，事情就是這麼簡單，但如不解內情，看起來，卻是複雜萬端，難以測想。」
容夫人道：「江姑娘就安於受人奴役的生活嗎？」
江煙霞道：「如若安於這等生活，那也不會和各位合作了。」
容夫人道：「合作之責，貴在坦誠，如是江大姑娘不肯全心全意，和我等合作，雖然合我們三人之力，也難是那一天君主之敵了。」
江煙霞道：「如果諸位不肯信我，我縱然誠心和你們合作，也是沒有法子的事。」
容夫人淡淡一笑，道：「好！我們相信你，不過……」
江煙霞道：「不過什麼？」
容夫人道：「姑娘是否已有計劃，對付那一天君主？」
江煙霞道：「有！不過，對一個智慧高我數倍的人，我一個人，只怕是對付不了他。」
俞若仙道：「把你的辦法，對我等詳細說明，也許我等還可提供一、二愚見。」

江煙霞望了容夫人和俞若仙一眼，道：「我想此刻我們唯一的辦法，就是步步反擊，逼他出面，不論是何等敵人，只要他能挺身而出，咱們就不用怕他了。」

俞若仙道：「如何才能夠使他挺身出面呢？」

江煙霞道：「第一步，我先把周圍之人，不論親疏，一體拘禁，點了他們的穴道，然後，再斷絕他可能取得消息的內應。」

容夫人道：「第一步辦法不錯，但不知第二步如何做法？」

江煙霞道：「第二步辦法，我選擇一批進入求生橋的高手，給予他們一些解藥，放出釋放全部被毒武林人的消息。」

容夫人道：「這等大事，那一天君主縱然是沉著無比的人，也不能坐觀其變，必將傾盡全力阻止。」

江煙霞道：「唉！晚輩一直是顧慮家母和我金鳳門中數十人的生死，才甘心爲他所用，再者也是想見見那一天君主的真正面目，哪知，我用盡了心機，竟是無法見他之面……」

一直未曾講話的容哥兒，突然開口道：「江大姑娘，在下心中有一樁疑問，不知當不當問。」

江煙霞道：「什麼事，容兄儘管清說。」

容哥兒道：「江大姑娘接掌這一天君主，有多久時間了？」

江煙霞苦笑一下，道：「不足三月。」

容哥兒道：「那是說，在下第一次見著江姑娘時，你還沒有接一天君主之位了。」

江煙霞道：「不錯，那時，我還未接掌一天君主之位。」

容哥兒點點頭，道：「我明白了。」

江煙霞道：「明白什麼？」

容哥兒道：「一天君主，只不過是代用名詞而已，不論什麼人，都能當一天君主之稱。」

江煙霞道：「是的，我就是接她之位，而成君主之尊。」

容哥兒突然沉聲說道：「可是你殺了那白娘子？」

江煙霞道：「是花娘。」

容哥兒哦了一聲，道：「花娘殺死白娘子，可曾事先向你說過？」

江煙霞道：「沒有，她殺了之後，才告訴我。」

容哥兒道：「原來如此！」

江煙霞緩緩說道：「原先亦曾想和萬上門主俞老前輩合作，但後來發現，我們彼此之間，很難取得互信，而且，這一方面勢力太大了，我不得不改變主意。」

目光轉動，看那容夫人和俞若仙等用心傾聽，接口說道：「那人要我出掌一天君主之位，用心在借用我的智慧，替他完成求命大會，以統一武林霸業，因此他不得不把很多解藥，交我保管，這解藥雖不能除去人身之毒，但至少可以延長他們的生機，因此，我又想到，設法控制一些高手，以便和他搏鬥，但容夫人到此之後，我才又作改變，合咱們幾人之力，找出那幕後真人。」

容夫人道：「你可曾算過，你有多少解藥，能救多少性命，維持多久時光？」

江煙霞道：「算過，一百人，可維持四個月。」

容夫人道：「目下來此求生，被你囚禁之人，共有多少？」

卅七　撲朔迷離

江煙霞道：「五百以上。」

容夫人道：「除了囚禁之人外，在這裏還有多少聽你之命的人手？」

江煙霞道：「大小從屬，一律算計，不下二百人。」

容夫人道：「這些可是真正聽你之命嗎？」

江煙霞道：「一天君主統率之下，所有之人，都無法避免生命受到控制，不過，所受的等級不同罷了。」

容夫人道：「如何一個不同之法？」

江煙霞道：「聽起來，似是十分複雜，但如說穿了，卻也簡單得很。」

容夫人道：「江大姑娘可否見告？」

江煙霞道：「這藥物，分成數種，每一種作用不同，凡是獨當一面的人物，得要使用頭腦思考，因此，他們服用的藥物，是另一種藥物，雖然也要常常服解藥，但卻神智清明，思維之能，不受那藥物影響，但一些較低身分的人，服用的藥物，卻是十分慘酷，使人完全忘卻過去，不知死亡之可怖，只知受命行動，出手搏鬥。」

語聲一頓，道：「這些人也有缺點。」

容夫人道：「缺點爲何？」

江煙霞道：「那些人因服用藥物影響，智力大爲低落，連帶影響到武功進境，一直滯留不前。」

容夫人道：「所以，他們戰力不強。」

江煙霞道：「只能說，十成武功服過那藥之後，只餘四成。」

容夫人道：「多謝姑娘指教。」

目光觸到俞若仙的臉上，道：「你的屬下，常和他們動手，當知他們的武功如何了？」

俞若仙道：「和他們動手的詳細內情，一言難盡，總之，大體而言，一天君主手中，除了有限幾人之外，大都是形如白癡的人，縱然有作戰之能，也是沒有大用。」

一頓又道：「你自信在此地集聚之人，能夠掌握使用多少？」

江煙霞道：「目下是全聽我命，全爲我用，但當他們知曉內情之後，那就不知變化如何。」

容夫人道：「目下在此，能獨當一面的高手，共有幾人？」

江煙霞略一沉吟，道：「共有八人，再加上兩個保護我的高手，總計有十人之多。」

容夫人道：「這些人，可都是記憶未失，還知曉自己是誰的人嗎？」

江煙霞道：「不錯，這些人，都還未失去記憶，不過，他們都知道自己服用了毒藥，在一定的時間內，必須服用解藥才成。」

容夫人道：「你能不能把這些人召集在一起呢？」

江煙霞道：「就目前情勢而言，秘密尙未洩露，我想還有此能力。」

容夫人道：「最好是設法把他們召集來此，述明內情，要他們自作選擇，是要拚命或保命，如是能夠說服他們，那是再好不過，萬一不能說服，繼之以生死逼迫，情勢必要，那就先下辣手，把他們除去，以免後患。」

江煙霞道：「這個，這個……」

容夫人冷冷接到：「江大姑娘對那隱身幕後的一天君主，是否還有些害怕？」

江姑娘點點頭道：「不錯，我還有些害怕。」

容夫人道，「你背叛於他的行動，已然被他偵知，此後，他絕不會容你，此刻就算不殺你，那也是因爲大勢所促，何況你已經準備和他反目相向。」

江煙霞道：「家母和我們金鳳谷，數十人的生死，都在他掌握之中。」

俞若仙接道：「你如不肯反抗，那是要永遠爲他所奴，永遠爲他控制了。」

江煙霞歎息一聲，道：「話雖不錯，不過……」

容夫人道：「不過什麼？」

江煙霞道：「謀定而後動，如是咱們一舉不成，不但害了家母和我金鳳谷中數十人的性命，而且也無補大局。」

容夫人冷冷說道：「還有，你的機會，也是整個江湖命運的分野，你必得振作起來才成。」

俞若仙道：「目下我和容夫人，都已把命運連繫一起，那人武功再厲害，但合我們三人之力，不至於輸給他，這機會很難得啊！」

容夫人又道：「我不怕，俞若仙不怕，你還怕什麼呢？」

江煙霞凝目沉思了片刻，道：「好！就這樣決定，俞老前輩傷勢如何？」

俞若仙道：「得幾位之助，傷勢已然大見好轉。」

江煙霞道：「晚輩即刻傳諭，召集他們在議事廳中會齊，兩位藉此時刻，稍作調息，晚輩去佈置一下就來。」說畢起身而去。

俞若仙皺皺眉頭，低聲對容夫人道：「你看情形如何？江煙霞是否真心真意和我們合作呢？」

容夫人道：「據我觀察，不似作僞。」

俞若仙道：「我總是有著一種很奇怪的感覺……」

容夫人道：「什麼感覺？」

俞若仙道：「感覺那江煙霞和我們合作，不夠真實。」

容夫人道：「你從哪裏覺到？」

俞若仙道：「也許我太高估了江煙霞，以她那樣的智慧才能，似是不至於被這等玩弄於掌股之上。」

容夫人道：「照你的看法，咱們應該如何？』」

俞若仙道：「她至少應該知曉那控制她的幕後人物是誰。」

容夫人道：「我料那江煙霞，不致再玩花招，她如騙咱們，咱們也該是將計就計，看她能夠玩出些什麼花樣；不過，咱們不能不暗作準備。」

俞若仙道：「如何一個準備之法？」

容夫人緩緩從懷中摸出一個玉瓶，倒出兩粒丹丸，道：「這兩粒丹丸，專解各種迷香、奇毒，你們先吃下去。」

俞若仙接過一粒，張口吞下。

容哥兒卻遲延著不肯伸手去接。

容夫人一皺眉頭，道：「你怎麼不要呢？」

容哥兒道：「只有兩粒，孩兒服下了，母親豈不是無藥可服了嗎？」

容夫人微微一笑，道：「孩子，你瞧過那兩本書嗎？」

容哥兒道：「沒有瞧過，不過，那鄧玉龍劍譜卻被江煙霞瞧了一遍。」

容夫人神色一變道：「她瞧了之後，說些什麼？」

容哥兒道：「她講，她已然熟記了全篇內容，又把那劍譜，歸還於我。」

容夫人道：「她是否已瞧過爲娘記述的事情？」

容哥兒道：「她告訴孩兒沒有瞧過，當時，孩兒神智昏迷了過去，不知她說的真假。」

容夫人道：「那是說，你現在還認我是你的母親了？」

容哥兒怔了一怔，道：「這個……」

容夫人淡淡一笑，道：「孩子，你該先看爲娘記述，但你卻沒有看。」

容哥兒道：「時間匆忙，孩兒一直沒有閱讀的機會。」

容夫人道：「你可是不敢看？」

容哥兒道：「孩兒也確有一點逃避之心。」

容夫人緩緩把藥物遞了過去，道：「吃下去吧！爲娘自有防毒之法，你快吃下去吧！」

容哥兒緩緩把藥丸送入口中，吞了下去。

俞若仙道：「咱們要小心一些，不要中了那江大丫頭的詭計。」
容夫人道：「咱們要追隨在她的身側，如若一有變故，就先對付她。」
俞若仙道：「不錯，擒賊擒王。」
談話之間，江煙霞已緩步走了回來。
容夫人望了江煙霞一眼，道：「怎麼了？你都佈置好了嗎？」
江煙霞道：「我已傳下手諭，要他們以最快速的行動，集中在議事廳中。」
容夫人道：「如若你說明內情之後，他們不肯聽你之命，姑娘準備如何處理？」
江煙霞道：「最好是把他們全都除去。」
容夫人點點頭道：「那很好，咱們可以走了。」
江煙霞道：「晚輩帶路。」當先向前行去。
俞若仙、容夫人、容哥兒，魚貫追隨在江煙霞的身後，向前行去。

出得石室，走完了一條長長的甬道，到了一座寬敞的大廳之中。
容哥兒目光流動，只見這座廣大的大廳中，高燃著六支巨燭，照得滿室通明，除了擺好了桌椅之外，整座大廳中，不見一個人影。
容夫人、俞若仙早有默契，一左一右，挾持著江煙霞坐了下去。
江煙霞目光左右轉動，望了容夫人和俞若仙一眼道：「看來，兩位還是不放心我？」
俞若仙道：「如是江大姑娘心中無鬼，那也不用怕我們防備了。」
突聞一聲清澈的鐘聲，傳了過來。

緊接著一個冷漠的聲音，傳了過來，道：「八位旗主，已然集齊在外。」

容夫人回目望去，只見後壁處全無存物，那聲音，卻似明明從壁中傳了出來。

當下問道：「說話的是什麼人？」

江煙霞道：「兩個保護我的高手。」

又提高了聲音，說道：「要他們進來吧！」

容夫人低聲說道：「是你的親信？」

江煙霞苦笑一下，道：「金鳳谷中的人，都不在我身側……」

俞若仙接道：「那是說保護你的兩個高手，也是那一天君主派遣的了？」

江煙霞道：「不錯。」

俞若仙道：「他們是否知曉你此刻用心？」

江煙霞道：「我未對他們說明。」

但聞一陣軋軋之聲，傳入耳際，前面石壁，突然裂開了一扇大門。

八個身披黃袍的大漢，合掌魚貫行了進來。

容哥兒心中大爲奇怪，暗道：「怎的八人全都穿著黃袍，那是存心叫人分不出身分了。」

八人行入大廳之後，一直是低垂著頭，不敢抬眼相看。

江煙霞輕輕咳了一聲，道：「你們坐下。」

八個身披黃袍的大漢應了一聲，齊齊坐了下去。

江煙霞緩緩說道：「八位，知罪嗎？」

八人齊聲應道：「我等或有疏忽之處，但不知犯了哪條戒律，還請君主明示。」但聞江煙霞道：「你們守護不力，使人混入此地，此罪自是不輕了。」
俞若仙暗道：「這丫頭果然是別具用心。」悄然伸出手去，扣住了江煙霞的腕脈。
江煙霞渾如不覺，高聲說道：「諸位知曉律當如何？」
八人齊聲應道：「律當處死。」
俞若仙道：「那很好……」
突聞砰然一聲大震，傳入耳際，廳角中，突然間現出一片火光。
廳中所有之人的目光，都為那爆現的火光吸引，不自覺地轉頭望去。
就在群豪轉自一顧之間，廳中高燒的火燭，突然熄去。
燈火通明的大廳中，陡然間黑了下來，黑得伸手不見五指。
俞若仙五指一收，扣緊了江煙霞的手腕，低聲說道：「怎麼回事。」
江煙霞暗施傳音之術，說道：「快放開我，大廳中只怕立時就要有變化。」
俞若仙接道：「是不是你的詭計？」
江煙霞道：「你一直緊扣著我的脈穴，至少可以證明，那燭火不是我熄去的！」
只聽一個冷冷的聲音，傳入耳際，道：「不許妄動。」那聲音，從石室一角中傳來，聽上去十分彆扭，似是一個人，故意改變他原有的聲音一般。
容哥兒暗暗探手入懷，摸出了一錠散碎銀子，扣在手中，準備得機打出。
俞若仙緩緩放開了江煙霞的脈穴，卻探入懷中，摸出一個火摺來。
江煙霞暗中吸一口氣，說道：「諸位旗主，都聽到了嗎？」
黑暗之中，誰也無法看到誰的臉色、表情。

但聞八位旗主，齊聲應道：「聽到了。」
江煙霞道：「讓強敵混入大廳之中，諸位都是死有餘辜了。」
語聲一頓，接道：「但如諸位能得生擒來人，當可將功折罪。」
暗夜中，突聽得衣袂飄風之聲，八位旗主全飛躍而起，撲向大廳一角。
俞若仙一面戒備，一面施展傳音之術，低聲對江煙霞道：「江大姑娘，可要燃起火摺子？」
江煙霞道：「暫時不用。」
只聽呼呼幾聲大震，傳了過來，似是已經動上了手。
容哥兒突然站起身子，向火燭旁側移去。
原來，他和俞若仙一般心意，希望燃起火燭，瞧瞧來人。
俞若仙長長呼一口氣，道：「那熄燭之人是不是八位旗主的一人？」
江煙霞低聲應道：「不知道……」
突然間，火光一閃，黑暗不見五指的大廳中，亮起一個火摺子。
就在那火光初亮之際，一道寒芒，疾如流星一般，直飛過來。
容哥兒早有警覺，縱身向旁讓開。
但聞嗤嗤幾聲金風破空之聲，又是兩道寒芒，疾飛而來。
容哥兒再想讓避，已自不及，一道寒芒，擦臂而過，割破了左臂衣服，另一道寒芒，卻擦著容哥兒右手而過，割破了容哥兒的右手。
形勢迫逼，容哥兒不得不丟棄了手中的火摺子。

俞若仙雖然留心著廳中的情勢，希望瞧出那暗器是何人施放，但卻一直未瞧出來暗器出自何人之手。

原來，人影交錯，八位旗主，似是合攻一人，又似自相互拚，俞若仙雖然目光過人，也無法在一瞬之間，瞧清楚動手情形。

容哥兒丟棄了手中火摺子後，縱身躍回原位，雙足剛剛落地，突覺一股疾急的掌風直襲過來。這掌風來勢猛惡，似是從江煙霞停身方位中攻了過來。

容哥兒不敢硬接，急急向旁側閃開。

黑暗中，情勢十分混亂，使人有無法分辨敵我的感覺。

忽然間，容哥兒想起了母親，似乎是燈火熄去之後，容夫人已然離開原位。

心中念轉，幾乎失聲叫出，但他卻又強自忍了下去，未呼叫出聲。

只聽俞若仙的聲音，傳了過來，道：「容哥兒，受了傷嗎？」

容哥兒心中暗道：「此刻情勢混亂，事事都得小心才成。」

心中打定主意，口中應道：「在下很好。」

話出口，人卻疾快地伏到地上，一個鷂子翻身，滾開數尺。

果然，就在他語聲落口之時，幾聲金刃破風之聲，急襲而來。

但聞噗噗幾聲輕響，暗器似是打在石壁之上。

容哥兒定定神，心中暗道：「有人似想置我於死地，從此刻起，我要設法自保，在局勢未澄清之前，不能隨便出手。」心念轉動，悄然移近石壁。

傾耳聽去，但聞掌風呼嘯，暗器破空，黑暗中正展開一場混亂激烈的惡鬥。

就在緩緩移動身軀之際，突然一聲沉重呼叫，道：「容公子。」

容哥兒來不及思索，開口應道：「什麼人？」

話一出口，心中已經後悔，急急兩個翻身，避到一側。

果然，就在避開的一瞬，一片暗器，急襲而來。容哥兒從那暗器落地聲中，聽出是一種極爲細小的惡毒暗器，而且至少在十件以上，不禁心頭凜然。

想道：「那是什麼人呢？似是和我有著深仇大恨，非要殺我而後甘心。」

心念未息，又聞那聲音，傳了過來，道：「容公子，你好嗎？」

容哥兒心中有了主意，忖道：「不論何人叫我，再也不應他了。」只聽那聲音傳來之處，響起了一聲砰然大震，似是有人硬拚了一掌。

緊接著，響起了一聲悶哼，似是有人受了重傷。

奇怪的是，這等激烈的惡鬥中，始終未聞得女子聲音，似乎是江煙霞、俞若仙，連自己的母親，都未參加這場拚鬥。

突然間，一陣衣袂飄風，從身旁掠過。似是有一個人，縱身而過。

緊隨著一股強猛絕倫的掌風，隨後而到，想是那人聞聲發掌，追擊敵人。

那掌風威力甚強，容哥兒本能的發出一掌自保。容哥兒接下一掌，有如惹火上身，但覺勁風湧來，又是一股強大的掌力攻到。

這一次，容哥兒全身都在那掌風籠罩之下，要避開，已然勢非可能了。

對方來勢凶猛，容哥兒接上一掌之後，被震得向後退了兩步。

忽然間，斜斜一掌擊來，正襲向容哥兒的左肩。

容哥兒心中明白，如若接下他的一擊，勢必要被他纏上不可，當下一吸氣，急急向旁側避開。但覺右肩一疼，竟然和另一人撞在一起。

容哥兒正想避開，突覺一股拳風，迎面擊來。

拳風勁急，一閃而至，容哥兒不得不揮手接下一擊。砰然輕震中，硬拚了一拳。

容哥兒接下一擊之後，整個右臂被震得一陣麻木，心中暗道：「這人武功不弱。」他心中一直不願和人動手，急急向旁側閃開。

那人和容哥兒硬拚了一招之後，彼此勢均力敵，未分勝負，但第二招緊隨攻出。

容哥兒早已閃開，那人一拳擊空之後，立時縱身躍起。

這時廳中的打鬥，已不限於一隅，彼此間，縱躍飛起。

容哥兒躲到一處壁角，心中暗暗忖道：「古往今來最糊塗的一戰，可算此刻的一戰了，不分敵我，不知原因，大家卻是拳來腳往的猛拚猛打，倘真的傷死之後，還不知爲了何故，傷在何人之手。」

突然間，響起了一個尖厲的女子聲音道：「住手！」

這呼喝很大，全廳震動。緊接著亮起了一道火光。

但見寒芒閃閃，數道暗器，一齊向那火光打了過去。

容哥兒隱身角落，看得明白，那執火人，正是自己的母親。

只見容夫人右手揮動，一道寒芒，陡然飛起，近身兵刃，盡遭擊落。

火光閃動，燃起了火燭一亮，廳中的打鬥，也立時息止下來。

容哥兒凝目望去，只見大廳中，橫躺著四個人，其中兩人已然氣絕而逝，兩個還在微微喘息。

容夫人手中執著一柄寒光閃爍的短劍，燭火中，放射出耀目的寒芒。

容哥兒看她寶劍較諸一般長劍，短了很多，不禁一呆，暗道：「那不是我的至尊劍嗎？怎會到了她的手中？」

只聽容夫人冷冷說道：「哪一位還想再戰？」

廳中群豪，個個默然，無一人出口回答。

容哥兒目光轉動，只見俞若仙和江煙霞雙雙相抵，正在互拚內功。

兩人頭上各自流著大汗，顯然，兩人都已拚到生死關頭。

容哥兒一跳而起，疾快向兩人衝去。

容夫人望了容哥兒一眼，既未出手攔阻，也未喝止。

容哥兒奔近兩人身側，停下腳步，高聲叫道：「兩位聽著，在下由兩位之間衝過，如是兩位不肯罷手，那就先把在下重傷在兩位手下。」

喝聲中，抬腿由兩人之間衝過。兩人聽到容哥兒呼叫之後，果然都暗中收減內力，容哥兒輕輕一衝，竟把俞若仙、江煙霞觸接的雙手分開。

原來，俞若仙始終對江煙霞疑心不減，在容哥兒連番遇襲時，出手去點江煙霞的穴道。

哪知江煙霞不再忍受，舉手封擋開俞若仙的掌勢，兩人交接幾招後，改以內功相搏。

這時的容哥兒，對江煙霞疑心稍減，但對母親卻動了很重的疑心，見兩人各以內功相拚，才甘冒奇險把二人從中分開。

俞若仙目光轉動，打量了一下大廳形勢，只見那橫臥在地上的四人，一色身著黃袍，全是江煙霞召來的旗主。
八名旗主，連死帶傷，去了一半，餘下四人都站在那裏，微微垂首，不言不語。
容哥兒暗暗忖道：「俞若仙、江煙霞，互拚內力，未參與這場惡鬥，八位旗主自相殘殺，也有些太過牽強，紛爭開始，必然是有一個人，先行出手挑撥，才引起這場混戰，就情理而論，那出手挑撥之人絕不是八位旗主，俞若仙、江煙霞互拚內力，自顧不暇，唯一可能挑撥起這場火併的人，就是自己的母親……」
陡然間，一個念頭掠轉腦際，暗道：「難道那真正的一天君主，就是自己的母親？」
玉梅那一段無意間談話，突然又泛現腦際，除了自己之外，還有一位自己從未晤面的兄弟，終年纏綿於病榻之上……
只覺重重疑慮，湧上心頭，一時間愣在當地，不知該說些什麼了。
只見容夫人緩步行了過來，冷冷說道：「江煙霞，你的花招耍完沒有？」
這時，不但容哥兒對自己母親有著很深的懷疑，就是俞若仙也覺得容夫人問題很大，一面暗中運氣戒備，一面說道：「那四位旗主可是傷在夫人手中嗎？」
容夫人緩緩說道：「俞若仙，你可是對我動了疑心嗎？」
俞若仙緩緩說道：「小妹只是覺得事情太過奇怪，百思難解。」
容哥兒突然接口說道：「難怪俞老前輩疑心，如若母親說不出令人信服的理由，連孩兒也是有些疑心。」
容夫人淡淡一笑，道：「這也難怪。」
容哥兒心中暗道：「此時此刻，我不能再顧到母子之情了，如若她是那一天君主真身，必早已對我斷去母子情意，必得逼她說明內情才成。」

心念一轉，緩緩說道：「這廳中火燭可是母親熄去的嗎？」

容夫人一皺眉頭，道：「你懷疑是我嗎？」

容哥兒道：「孩兒沒有看到母親熄去火燭，不敢斷言，但孩兒卻知曉母親在火燭熄去之後，不在原地。」

容夫人目光轉動，環顧了四周一眼，笑道：「說吧！把你心中所想的事，一起說出來吧！」

容哥兒道：「燈火熄去之後，母親不在原地，那是說，至少參加了這場混戰。」

容夫人點點頭道：「你還想說什麼？」

容哥兒道，「江姑娘和俞老前輩，各以內功相拚，自然是無暇參與其事！」

容夫人接道：「那是說，只有母親一個人可疑了是嗎？」

俞若仙接口說道：「這座大廳，深處山腹，不論何人，不知啓門機關，都無能離開此地，如若姐姐是一天君主真身，似乎用不著再隱瞞身分了。」

容夫人淡淡一笑，道：「有一件事，你應該很明白……」

俞若仙道：「什麼事？」

容夫人道：「如果引你到此，是一個圈套，那人並不是我。」

俞若仙目光轉到江煙霞臉上，道：「江大姑娘，事已至此，似乎是用不著再賣關子了，這究竟是怎麼回事啊！」

江煙霞冷冷說道：「我不明白，但就事而論，那一天君主的真身，似是就在我們身側，至低限度，他在這座石室之中。」

俞若仙輕輕歎息一聲，道：「不是你江大姑娘，不是容夫人，難道那一天君主是我俞若仙不成？」

容哥兒微微一笑，道：「不要急，現在已該是水落石出的時候了。」

容夫人目光一掠容哥兒道：「孩兒，你過來！」

容哥兒一怔，道：「什麼事？」

容夫人臉色一寒，道：「你過來，知道嗎？」

容哥兒緩緩行了過去，欠身說道：「母親有何吩咐？」

容夫人緩緩說道：「玉梅已告訴你很多事，是嗎？」

容哥兒點點頭，道：「不錯。」

容夫人道：「因此，增多了你對我的懷疑，是嗎？」

容哥兒道：「這個，這個……」

容夫人冷冷接道：「不要怕，把你心中所有之疑問，一起說出來吧！」

容哥兒輕輕歎息一聲，道：「母親對孩兒似是保留了很多隱密。」

容夫人道：「不錯，你還有一位兄弟，但他天生殘缺，自卑奇重，因此，我不得不善盡保護之責，唉！母子連心，骨肉情深，他雖然殘廢、孤僻，但他究竟是我生的兒子啊！」

容哥兒望了容夫人手中至尊劍一眼，道：「這把劍，怎麼到了母親手中？」

容夫人冷冷說道：「如不是爲娘的及時取得這把劍，你和俞若仙早已橫屍大廳了。」

目光轉注在江煙霞的臉上，道：「江大姑娘，一個人最大的懲罰，就是死亡，是嗎？」

江煙霞道：「是的。」
容夫人冷笑一聲，道：「你設下這等埋伏，希望在夜暗中，一舉把我等殺死？是嗎？」
江煙霞冷冷接道：「容夫人……」
容夫人怒聲喝道：「住口，你這方法很毒辣，也很巧妙，如若不是我事先防範，我們三人都已死在這場混亂之中。」
俞若仙皺眉道，「這究竟是怎麼回事啊？」
容哥兒也覺得母親之言，十分有理，但卻又想不通原因何在。
但聞容夫人說道：「事情很簡單，她把我們引入這片山腹絕地，預布下八個高手，準備一舉間，把我們殺死。」
長長歎一口氣，道：「事情就是這樣簡單，但她裝作的卻是十分真實，叫人難辨真僞。」
俞若仙道：「這麼說來，我防她，這是防對了。」
容夫人道：「如不是你小心的防備於她，她將有所行動，那我也不至於受嫌很重了。」
俞若仙道：「我，那我是防壞了？」
容夫人道：「那也不是，如不是防備著她，這八人在她的指使之下，這番惡鬥，很難預料勝負。」
俞若仙沉吟了一陣，道：「就目下情勢而言，令郎和我，都還無法完全了然內情。」言下之意，那是說對容夫人之言，還無法完全相信。
容夫人目光轉到江煙霞的臉上，緩緩說道：「江煙霞，你這一點年紀，但這等沉著的功夫，卻不得不使我佩服……」

語聲一頓，道：「如若這是一片絕地，我們全無生存機會，死亡在即，你似是也不用再耍花招，賣弄心機，如是你已黔驢技窮，至此而已，那也不用再故弄玄虛。」

俞若仙道：「照你看法，咱們三人之中，是否有一個真的一天君主？」

容夫人道：「很難說。」

俞若仙高聲說道：「我想到一個辦法，不知兩位肯否答應？」

容夫人道：「什麼辦法？」

俞若仙目光轉到江煙霞的臉上，道：「江大姑娘先行下令，讓這四個活著的旗主，自絕而死。」

江煙霞一揚柳眉道：「以後呢？」

俞若仙道：「以後，咱們三人互以內功相拚，把至尊劍交給容哥兒，讓他一劍斬過，把咱們全都殺死，武林中，也許可以從此太平了。」

江煙霞突然站起身子道：「這辦法不妥……」

俞若仙道：「哪裏不妥了？」

江煙霞目光一掠容夫人道：「容哥兒是她兒子，不管是否親生，但總有養育之情，如是不忍對母親下手，只殺了咱們兩個，那又如何是好？」

俞若仙回顧了容哥兒一眼，道：「容公子有何高見？」

容哥兒搖搖頭，道：「這辦法不行。」

俞若仙道：「爲什麼？令堂和江煙霞，都有很重的嫌疑，但她們又都不肯承認，最好的辦法，就是玉碎於此。」

江煙霞道：「這麼說來，那你萬上門主爲什麼要死呢？」
俞若仙道：「捨身取義，我俞若仙爲武林大義而死，那是死而無憾了。」
江煙霞道：「如若我們都不是一天君主，那豈不是死得太可惜了！」
俞若仙緩緩說道：「你很怕死？」
江煙霞搖搖頭，道：「死有重如泰山，輕如鴻毛，這等死法，我所不取……」
神情突然轉爲嚴肅，冷冷說道：「容夫人、俞若仙，你等自負聰明，但在我看來，卻是叫人好笑得很。」
俞若仙愕然說道：「此話怎麼說？」
江煙霞道：「這些人都是一天君主的親信，你們爲什麼不把他們一舉盡殲？」
俞若仙道：「你爲什麼不說明？」
江煙霞道：「我能說給你們聽，他們一樣可以聽到。」
容哥兒道：「熄去火燭之後，你爲什麼不肯說明呢？」
江煙霞道：「我沒有時間說明，俞老前輩出掌攻我，鬧成火併之局。」
俞若仙怔了一怔，道：「這話當真嗎？」
江煙霞道：「此事情，我還欺騙你們不成……」
目光緩緩向容夫人臉上掃過道：「可是你自負一代才人，竟然也和他們一般的不分皂白。」
容夫人道：「你現在說出內情，又有何妨？」
江煙霞道：「你們逼我說出計畫，你們固然可以了然，但人家也可以明白啊！」

容夫人目光轉動，道：「你是說，那一天君主也在此地嗎？」

江煙霞道：「我兩度受教，都在這山腹密洞中，因此，可以認為他一直留在此地……」

俞若仙望了四位旗主一眼，道：「你召他們到此，引起一場混戰，又是什麼用心呢？」

江煙霞道：「這座山腹密室，共有四八三十二位旗主分守，這些人都是那一天君主的人，我想設法除去他們，想不到，第一次，我們就未能如願。」

俞若仙道：「你為何不在進入山腹密室之前，先說明白呢。」

江煙霞道：「我進入這密室以後，才想到此事……」

只聽一聲冷喝傳來，道：「江煙霞，你當真要背叛君主嗎？」

江煙霞不理那喝問，目光一掠容夫人和俞若仙道：「你們聽到了嗎？」

俞若仙高聲接道：「閣下是何許人？」

那聲音突然沉寂，久久不聞回答之言。

俞若仙冷笑一聲，道：「此時此刻，閣下似是用不著故弄玄虛了，如若你能把我們四人殺死在山腹密室之中，閣下控制武林之願，就算達到一半了。」

只聽一聲冷漠的笑聲，傳了出來，道：「江煙霞，你若有悔悟之心，此刻還來得及。」

江煙霞一皺眉頭，道：「你是一天君主？」

那冷漠的聲音笑道：「一天君主是你，不是我……」

江煙霞道：「我不過是受你控制的傀儡而已……」

那聲音道：「那還不夠嗎？你助我達成願望之後，至低限度，可保你們金鳳門中無恙。」

江煙霞接道：「你為何不肯現出身來呢？」

那冷漠的聲音，重又傳來，道：「我只問你一句話，你是否當真要背叛一天君主呢？」
容夫人一直在傾耳靜聽，一語不發。
江煙霞緩緩說道：「我已受夠了！」
突然提高聲音，接道：「不錯，我要背叛你。」
但聞那聲音應道：「好！你要自己取死，那就怪不得我了！」
聲音逐漸遠去，消失不聞。
俞若仙道：「江大姑娘，這山腹密室中，另有地道，是嗎？」
江煙霞點點頭，道：「這裏佈置十分巧妙，咱們不能輕舉妄動。」
一直未說話的容夫人，突然仰臉大笑起來。
江煙霞呆了一呆，道：「你笑什麼？」
容夫人道：「夠了，江煙霞，不用再賣弄心機了！」
俞若仙道：「你說什麼？」
容夫人突然一揚至尊劍，冷冷說道：「一天君主就在咱們身側，咱們卻一直受她愚弄。」
俞若仙道：「你是說江煙霞？」
容夫人道：「不錯。」
俞若仙寶劍一閃，刺了過去。
江煙霞閃身避開，冷冷說道：「俞老前輩，我也明白了。」
俞若仙道：「你又明白什麼？」
江煙霞道：「一天君主就在咱身旁。」

俞若仙道：「你是說容夫人？」

江煙霞道：「是她！是她……」

容夫人目光凝注到俞若仙的臉上，冷冷說道：「你是相信江煙霞的話呢？還是相信我說的話？」

俞若仙細想兩人舉動，都有可疑之處，一時間大感困惑，緩緩說道：「兩位暫時不要爭論，容我仔細推想一番。」

轉身行到容哥兒身側，低聲說道：「容相公！今日之局，是我一生中經歷最難判料的事，你對令堂知曉好多，還望能據實而言。」

容哥兒道：「好，不過，對家母的事，我一向知曉不多。」

俞若仙道：「如若令堂真是一天君主化身，不論她行動如何謹慎機密，你和她相處十餘年，總該有些蛛絲馬跡可尋。」

容哥兒沉吟了一陣，道：「當時，晚輩並無感覺，如今細想起來，確有很多可疑之處……」

目光一掠容夫人，接道：「晚輩想先和家母談談如何？」

俞若仙道：「很好，以母子之情，也許可以問出真相……」

聲音突轉低微，接道：「此刻大廳中情勢，十分明顯，如若咱們倒向令堂，江煙霞必敗無疑，如若我們倒向江煙霞，令堂也未必能夠取勝。」

容哥兒突然想起了一件事，插口說道：「老前輩，你和家母相識很久嗎？」

俞若仙點點頭，道：「相識雖久，但其間卻有很多年未曾晤面。」

容哥兒道：「晚輩之意是，老前輩是否可以確定，家母和你昔年相識的是同一個人。」

俞若仙怔了一怔，道：「和令堂相識，乃先夫鄧玉龍所引見，就我記憶所及，似有些不同之處！」

容哥兒點點頭，道：「哪一方面？」

俞若仙道：「相隔十餘年，音容笑貌，自然也有些改變，但最要緊的，是她的性格，在我記憶之中，令堂是一位溫婉賢淑的人，不比此刻的性格……」

容哥兒不待俞若仙說完，接口說道：「多謝指教。」

轉身行向容夫人，肅然抱拳一禮道：「孩兒拜見母親。」

容夫人臉上毫無親情，淡淡一笑道：「什麼事？」

容哥兒道：「孩兒心中有著很多疑問，已經難再忍耐，希望母親指點。」

容夫人緩緩說道：「好！你說吧！」

容哥兒道：「孩兒心中很懷疑……」

容夫人道：「你懷疑什麼？」

容哥兒道：「孩兒和母親之間，是否還有母子情意。」

容夫人一皺眉頭，道：「你說呢？」

容哥兒道：「母親把我撫養長大，不論孩兒是否親生，爲人子者，都該盡孝膝前……」

容夫人接道：「你一直很乖啊！」

容哥兒道：「但母親對孩兒，保留的秘密太多了。」

容夫人道：「你聽信了俞若仙挑撥之言，是嗎？」

容哥兒道：「孩兒有眼會看，有耳會聽，難道還能不信嗎？」

突聞幾聲噗通之聲，傳了過來，那站在廳中的幾個黃衣大漢，全都倒了下去。

容哥兒回顧了倒摔地上的四個黃衣人一眼，說道：「如若母親對孩兒，還有一點母子之情，還望母親據實告訴孩兒真話。」

容夫人沉吟了一陣道：「你要問什麼？」

容哥兒流下淚來，撩起長衫，緩緩跪下，道：「母親是不是一天君主？」

容夫人長長嘆一口氣，道：「孩子，你當真不信母親的話嗎？」

容哥兒道：「母親隱瞞孩兒的事情太多了，叫孩兒無法再信。」

容夫人突然舉步向大廳一角行去。

容哥兒望著母親的背影，心中一片茫然，顯然，已不知如何對付此等變故了。

只聽俞若仙的聲音，傳了過來，道：「容相公，追過去，她已爲母子之情所動，也許會告訴你實話了。」

此時，容哥兒心中毫無主意，聽得俞若仙之言，緩緩站起身子，緊隨在容夫人身後行去。

容夫人直行至大廳一個角落處，再無去路時，才緩緩停下來。

容哥兒緊追身後，低聲道：「母親。」

容夫人面壁而立，冷漠地說道：「你不是我的兒子。」

容哥兒呆了一呆，道：「孩兒就算不是親生，但母親對我確有著深厚的養育之恩。」

容夫人道：「想不到你如此命大，我安排很多個使你死亡的機會，但卻都被你逃了開去，我又不忍心親手殺死你。」

容哥兒只覺容夫人字字如利劍一般，洞穿心胸，說不出心中是痛是苦，長久之後，才緩緩說道：「母親養育我二十年，就算殺了我也不為過，孩兒也死得甘心。」

容夫人道：「孩子，你該早些死去，也可使咱們都減少一些痛苦。」

容哥兒道：「不錯，但孩兒卻活了下來。」

容夫人道：「現在，你還有死去的機會，為什麼你不肯死呢？」

容哥兒呆了一呆，道：「母親真希望孩兒立刻死去嗎？」

容夫人道：「不要叫我母親，你不是我的兒子……」

話聲一頓，接道：「我給了你鄧玉龍的劍譜，和一本記述身世的畫冊，你為什麼不看呢？你如看過，也不會參與今日之事了。」

容哥兒細細回想離家際遇，確是九死一生，當下歎息一聲，道：「這麼說來，母親確是那一天君主的化身？」

容夫人緩緩說道：「就眼下而言，我還不是。」

容哥兒道：「以後呢？」

容夫人道：「還很難說，目下的紛爭還未結束。」

容哥兒沉吟了一陣，道：「孩兒還是不太明白的，母親可否說清楚一些。」

容夫人緩緩轉過頭來，臉上是一片冷肅，說道：「我已經說得很多了。」

容哥兒雙目神凝，盯注在容夫人的臉上，瞧了一陣，道：「母親雖然已不認孩兒，在未了然全部內情之前，孩兒卻不能不認母親。」

容夫人目光冷峻，凝注在容哥兒臉上，緩緩道：「此地之事，你似已無能幫忙，留此也是無用……」

容哥兒道：「母親之意，可是要孩兒離開此地嗎？」

容夫人道：「你如願意離開，那是最好不過。」

容哥兒搖搖頭，道：「一切演變，似都在母親預料之中，這一片山腹密室，似乎已是決定武林命運的所在，不管有多麼凶險的後果，孩兒也要看個明白。」

容夫人冷冷說道：「如果你對我預謀有所影響，我立時把你處死。」

容哥兒淡淡一笑，道：「母親遲遲不肯下手，足證還有母子情意了。」

俞若仙突然接口道：「還有一個原因……」

容哥兒道：「什麼原因？」

俞若仙道：「令堂武功雖高，卻未必是我和江煙霞聯手之敵。」

容夫人回頭掃掠了俞若仙一眼，冷冷說道：「俞若仙，萬上門在江湖獨樹一幟，爲所欲爲，難道你還不滿足，竟然又圖染指一天君主？」

俞若仙淡淡一笑，道：「先夫死後，我已經看透了權勢名利，早已無意在武林中逐鹿霸業！」

容夫人道：「那你組織萬上門，用心何在呢？」

俞若仙道：「當初動機，我只想爲先夫報仇。」

容夫人道：「現在呢？」

俞若仙歎息一聲，道：「現在，我這份替夫報仇之心，淡了許多。鄧玉龍生前，雖然行俠仗義，做了很多善事，但他生性風流，傷害了無數少女之心。」

容夫人冷笑一聲，接道：「你既然看穿了世情，爲何不安分守己，卻捲入了這場紛爭之中？」

俞若仙冷然說道：「一個人不過百年的壽命，不論武功如何高強的人，也無法永生不死，霸業、名利，都不過是過眼雲煙，但天生我才，必有我用，因此，我覺得應該在這短短數十年生命之中，做一點有益於武林的事。」

容夫人道：「這麼說來，你插手此事，那是爲了造福武林了？」

俞若仙道：「不論你是否相信，我確實有此用心。」

容夫人仰天大笑一陣，道：「俞若仙，你可是想以這大道理，說服於我嗎？」

俞若仙正容說道：「如今大錯還未鑄成，你如能及時悔悟，還來得及。」

容夫人道：「你可是已把我看成了一天君主？」

俞若仙道：「事情已如此明朗，你難道還要否認不成？」

容夫人道：「不論你是否相信，我並非一天君主……」

俞若仙道：「不是你，又是誰呢？」

容夫人突然舉步行近到江煙霞的身前，冷冷說道：「江大姑娘，不論你是否是一天君主，但你一定知曉如何見他之法。」

江煙霞長長吁一口氣，默然不語。

容夫人冷笑一聲，道：「整個大局，已然爲我控制，我不信逼不出那一天君主真身。」

江煙霞抬頭望了望容夫人，欲言又止。

容夫人接道：「你想引我到此絕地，集中屬下高手，一網打盡，可惜的是你百密一疏，爲我所乘。」

江煙霞冷冷說道：「我哪裏疏忽了……」話出口已知說錯，陡然住口不語。

容夫人望了俞若仙一眼，道：「你聽到了嗎？」

俞若仙點點頭，道：「聽到了。」

容夫人目光又轉到江煙霞的臉上，道：「可要說出來，給你聽聽嗎？」

江煙霞按不下心中好奇，點頭應道：「好！你說吧！」

容夫人冷冷說道：「俞若仙，此刻，你是否完全相信了呢？」

俞若仙道：「相信了。」

話聲一頓，提高了聲音，說道：「江煙霞，你也不用再多言狡辯，那一天君主是你，不會再錯，至低限度，你是那一天君主的化身之一。」

江煙霞道：「這個，我早就承認了。」

俞若仙道：「你先承認是一天君主化身，騙得我們相信，然後把我們騙到這座密室，準備盡出高手，一網打盡，但螳螂捕蟬，黃雀在後，那容夫人又高你一招，控制了大局，使你計成泡影，前功盡棄。」

江煙霞冷然一笑，道：「老前輩，由於晚輩和容夫人的相持，使你變成了主裁大局的微妙人物，你如肯助我，咱們不難把容夫人搏殺於此，但你如幫助容夫人，晚輩就自知難敵，所以，我們用盡心機，都是爲了爭取你、說服你。」

俞若仙道：「那是因爲你已經知曉，無能控制大局，預布的人手，也爲容夫人所制，無法增援這座大廳，是嗎？」

江煙霞道：「但他們也一樣無法進入這座大廳。」

俞若仙目光移動，望了江煙霞和容夫人一眼道：「似乎是兩位的屬下，正在這山腹密室之外，展開著一場惡戰。」

容夫人道：「如若事如江大姑娘所料，她能源源調入高手，此刻，咱們都已經傷在無數高手的圍攻之下了。」

江煙霞道：「夫人不要太樂觀，眼下無法預料結果……」

俞若仙接道：「所以兩位都在拖延時間，但我卻不用等下去。」

容夫人淡淡一笑，道：「俞若仙，你要和誰動手呢？」

江煙霞道：「若你無法從我們兩人間選定一人動手，只有陪我們等下去了。」

俞若仙點頭歎息道：「原來，兩位在等待外面激鬥的勝負，想盡方法拖延時光！」

容夫人道：「目下情形如此，如是江煙霞勝了，咱們只有兩條路走，不是依她歸降，就是自絕而亡……」

江煙霞接道：「如是你勝了呢？」

容夫人道：「你尚可多一條選擇之路。」

卅八　一代情聖

俞若仙接道：「多一條什麼路？」

容夫人道：「你們可以常居此地，樂度餘年歲月。」

俞若仙道：「包括了你的兒子容哥兒和我，是嗎？」

容夫人道：「還有江大姑娘。」

俞若仙回顧了容哥兒一眼，歎道：「古往今來，從沒有一個母親，對她自己的兒子，如此的冷酷殘忍。」

容夫人正待答話，突聞幾聲砰砰大震，傳了過來。

江煙霞望了容夫人一眼，冷冷說道：「現在，大約已分出勝敗了。」

容夫人道：「你可以開啓機關，看看誰勝誰負？」

江煙霞說道：「容夫人，在未證明勝負前，我有幾點不解之處，想請教一、二？」

俞若仙和容哥兒耳聞目睹兩人的說話神情，心中感慨萬千，但又有著一種強烈的好奇之感，希望能看一個水落石出。

但聞容夫人說道：「什麼事？姑娘只管請說。」

江煙霞道：「我相信那一天君主的真身，絕然非你，但你卻對此中之事，瞭若指掌。」

容夫人淡淡一笑，道：「這並非困難的事，因爲，在你的屬下之中，我已預布臥底之人。」

江煙霞道：「凡是我手下之人，大都服過藥物，縱然是你派遣的人物，他們也是一樣的忘了過去，不知出身經歷，如何還能爲你所用？」

容夫人笑道：「這並非難於解決的事，只要稍微用些心機就是。」

江煙霞道：「我就是此點想不明白，特向夫人請教。」

容夫人沉吟一陣道：「此刻，說明了也不要緊……」語聲一頓，道：「我們還派幾個精明而又善畫之人，繪了你屬下中部分人的面貌身材，這些人職位不太高，但他們卻都是最爲重要的小首領……」

江煙霞道：「是了，你們把他們暗中捕獲，派人頂替他們，混入其中。」

容夫人道：「也不像你江大姑娘說得如此簡單。」

江煙霞道：「那倒要再請教了？」

容夫人道：「我盡量選擇那面貌相似之人混入頂替，另外還有一位世間最好的易容大夫，改正他們的容貌，所以，那一天君主雖然是算無遺策，也未想到在他借藥物控制的屬下中，混入了我很多臥底之人。」

江煙霞接道：「這麼說來，夫人和那一天君主，已經鬥法很久了，是嗎？」

容夫人道：「不錯，我和他明爭暗鬥，已有數年之久，自然，還未算上準備的時間。」

江煙霞道：「你們鬥智鬥了數年之久，那一天君主，難道你也不清楚嗎？」

容夫人凝目沉吟了片刻道：「那一天君主，只不過是一個代號而已，可能是你，也可能是俞若仙……」

俞若仙冷冷接道：「你不要含血噴人！」

容夫人道：「我是說可能而已……」

語聲一頓，接道：「我的推想不錯，那一天君主的職位，已經有過很多次搏殺……」

俞若仙道：「你是說，有過很多一天君主了，是嗎？」

容夫人道：「也可以這麼說，不過，說得不夠精闢透徹，不論何時，一天君主，都是兩個人。」

俞若仙道：「這話使人聽得很難明瞭。」

容夫人道：「事情很簡單，有一個人，故意設下了這一天君主之位，它有著極大的虛名，指揮著無數的高手，對一個智慧聰明的人，自然充滿著誘惑，那隱身幕後的人，就用這種虛名高位，引誘了那些自負才華的人，爲他所用，同時，那人也在進行培養第二個接位的人，然後，讓他們自相殘殺……」

俞若仙接道：「這辦法很惡毒。」

容夫人道：「自然是惡毒，他借用了無數人的聰明才智，幫助他建立起這等雄厚的實力，當那人野心勃發，將要取他而代之時，他培養的第二個一天君主，及時而出，取代了舊人。」

江煙霞道：「那隱身幕後之人又是誰呢？他這般用心其故安在？」

容夫人道：「那隱身幕後人物是誰？正是咱們此刻要找的人，至於那身任一天君主名位的人，卻是很多了，白娘子和你江煙霞都是。」

江煙霞長歎一聲，沉吟不語，顯然，她對容夫人的分析，十分佩服。

俞若仙道：「你和那一天君主，鬥智數年，難道也是一點猜不出那真正的人物是誰嗎？」

容夫人緩緩說道：「不知道，他能有今日這等成就，有一個最重要的要訣，就是隱秘了身分，我能和他鬥智數年，尚未大敗，也得一個密字……」

目光轉到俞若仙的臉上，接道：「江湖上各門各派中的高手，都爲他收羅所用，而你萬上門獨無他臥底之人，你也是占了密字之光。」

容夫人道：「什麼事？」

江煙霞突然說道：「容夫人，晚輩有一事想和夫人商量，不知夫人肯否答允？」

江煙霞道：「晚輩說過之言，都是實話，只不過未曾說出心中所想的事，而且，還懷疑到容夫人囉……」

容夫人道：「懷疑什麼？」

江煙霞道：「懷疑你是一天君主。」

容夫人道：「所以你不肯暢所欲言？」

江煙霞緩緩說道：「不錯。」

俞若仙接道：「你心中又想些什麼事呢？」

江煙霞道：「晚輩所思之事，容夫人已經說過了。」

江煙霞道：「我要自保，就必得設法取得真正的權位。」

容夫人道：「對江大姑娘之能，我也不能不心生敬服。」

江煙霞道：「這話怎麼說？」

容夫人道：「如若你前言都是實情，就任這一天君主之位，不過數月，但姑娘竟能設法，把主要頭目收爲己用。」

江煙霞道：「那並非很難的事，因爲他們並不知在我身後，還有一位真的一天君主，他們認爲那一天君主，無所不能，化身難測，因此，對那一天君主的身分，已然不再用心分辨，只要我稍用心機，他們就不難爲我所用。」

容夫人道：「你要和我談的，就是這些事嗎？」

江煙霞道：「我覺得此時此情之下，咱們應該坦坦白白、真真誠誠的合作。」

容夫人道：「合作太過籠統，江大姑娘說得詳盡一些。」

江煙霞道：「咱們合作，對付那真正的一天君主……」

容夫人道：「以後呢？」

江煙霞道：「以後再說吧！此刻，咱們似乎該先行合作。」

容夫人目光轉到俞若仙的臉上，道：「你的高見呢？」

俞若仙道：「暫時放棄敵對，合力對付一天君主，然後，再解決本身爭端。」

容夫人道：「你認爲這是兩件事嗎？」

俞若仙道：「不錯啊！本來是兩件事。」

容夫人搖搖頭，不再理會俞若仙，卻望著江煙霞道：「現在，你可以求證一下自己是勝是敗了。」

江煙霞突然退到壁角處，一座石鼎之前，探手在鼎中一按。

只聽一陣軋軋之聲，壁間突然現出了兩個門戶。

廳中之人，全都凝神貫注，瞧著那兩扇門戶。

足足過了一盞熱茶工夫，不見任何動靜，那兩扇洞開門戶，也不見有人進來。
容夫人冷冷一聲，道：「江煙霞，夠久了，難道還不死心嗎？」
江煙霞黯然歎道：「我輸了。」
容夫人微微一笑，道：「那很好，識時務者爲俊傑。」
江煙霞道：「現在，你似乎不用再隱秘身分了……」
俞若仙接道：「看來，你確是一天君主的真身了？」
容夫人冷漠地說道：「我說過不是，就不是，諸位爲何不信呢？」
容哥兒也被這迷離的局面，鬧得頭暈腦脹，當下說道：「母親不是一天君主，那一天君主何在呢？」
容夫人道：「現在，是咱們逼他現身的時候了。」
容哥兒目光轉動，四顧了一眼道：「那一天君主也在此廳之中？」
容夫人道：「我想是的。」
容哥兒道：「可是此廳之中，除了咱們四人之外，只有八具屍體啊！」
容夫人不再理會容哥兒，沉聲對江煙霞道：「你自認已敗，當今大局已爲我控制，似是用不著再對一天君主畏懼了。」
江煙霞緩緩轉動鼎內機關，兩扇大開的石門，重又閉上，點點頭道：「我一直就不太怕他，只因他掌握了我金鳳谷中數十人的生死，我不得不聽他之命罷了。」
容夫人緩緩說道：「現在情勢不同了，整個山腹密室，都已爲我控制，不論那一天君主有多大能耐，他已無法施展，如你肯逼他出面，我們助你對付他就是。」

江煙霞沉吟了一陣，道：「我真不知他身在何處。」

容夫人道：「我想你知道，至低限度，你該知曉見他的辦法。」

江煙霞道：「好吧！我試試看，但我不知是否能夠見到他。」

容夫人道：「有我和俞若仙爲你助力，生死與共，你還有什麼怕的？」

江煙霞淡淡一笑，道：「好吧！試試看，不過，我不相信那一天君主在此。」

只見江煙霞緩步行到那石鼎之前，探手入石鼎中，轉了兩轉，突然向後退開。

容哥兒心中暗道：「這石室中的機關，似是都操在這石鼎之中。」

一時間，好奇之念大動，忍不住舉步向石鼎行去。

但聞江煙霞叫道：「容相公，不要行近石鼎！」

容哥兒道：「爲什麼？」

江煙霞還未來得及答話，突然見一陣寒芒閃動，一片毒針迸射而出。

容哥兒吃了一驚，暗道：「這毒針如此密集，我如行近石鼎，必然要傷在毒針之下無疑了。」

那射出的毒針，不但數量眾多，而且力道甚強，擊撞在屋頂之上，才紛紛落地。

而且延續甚久，才停了下來，容哥兒目光一轉，只見地上毒針，不下千枚。

容夫人冷然一笑，道：「江煙霞，毒針已經停下了。」

江煙霞也不答話，又舉步行近石鼎。

此時俞若仙和容哥兒心頭一片茫然，只覺容夫人和江煙霞都可能是那一天君主的真身，但也都可能不是，以那俞若仙的博聞見識，亦無法料想出下一步的變化。

只見江煙霞探手伸入石鼎中，摸索片刻，重又退了回來。

容夫人緩緩道：「江煙霞，那石鼎之中，還有什麼惡毒暗器射出來嗎？」

江煙霞冷然一笑，道：「我如說實話，夫人也是不信。」

容夫人道：「好！你說來聽聽吧！」

江煙霞道：「不知道容夫人信是不信？」

容夫人先是一怔，繼而淡淡一笑，道：「我相信你第一次開動這石鼎機關，相信你不知道詳細的內情變化，但我卻相信你知曉開到幾次之後，才沒有暗器射出。」

江煙霞道：「三次，第四次才是開啓這石鼎操縱的門戶，但我不知道會有什麼變化。」

容夫人點點頭道：「我聽得出來，這是你由衷之言。」

語聲甫落，突見石鼎中射出一股激泉，水勢極強，直擊在屋頂石橋之上。

江煙霞急急喝道：「向後退開！」一提氣，當先向後退出了七、八尺遠。

其實，容夫人、俞若仙、容哥兒，未待那江煙霞呼叫出口，人已經跳出八、九尺遠。

那石鼎中激射而出的泉水，間歇噴射，足有一盞熱茶工夫之久，才完全停下來。

容夫人四顧了那滿地水珠一眼，道：「那是毒水嗎？」

江煙霞道：「應該不錯。」

容夫人道：「還有一道暗器了。」

江煙霞舉步行到石鼎前面，沉思良久，才探手伸入石鼎之中。

容夫人、俞若仙等，全都注意那江煙霞的舉動，只見她伸入石鼎的右手，似是在轉動著什麼。顯然，那石鼎之中，有著控制機關的樞紐。

只見江煙霞右手在石鼎中轉動了一陣，又緩步向後退開。

容夫人、俞若仙等全神貫注在石鼎中又變出什麼花樣出來。

哪知，事情竟然大出了幾人的意料之外，良久之後，仍然不見動靜。

容夫人輕輕咳了一聲，道：「江大姑娘，是否轉錯了機關？」

江煙霞道：「沒有人教過我轉動石鼎機關的方法，我只憑記憶施爲。」

容夫人道：「有一件事，我想先得說明，如若這大廳中有凶險的變化，我們又都無能躲過，江大姑娘也要和我們一樣的死在這大廳之中。」

江煙霞道：「就算能很順利的開了這石鼎中的機關，我們也沒有生存的希望。」

俞若仙道：「爲什麼？」

江煙霞道：「如若一天君主，當真的藏身於此，絕不會放過咱們。」

容夫人接道：「你心中很怕他？」

江煙霞道：「如若那一天君主不在此地，這石鼎必設有置人死地的機關。」

容夫人道：「什麼佈置，能夠使咱們非死在此地不可？」

江煙霞道：「我只能比喻說：這石鼎中如是冒出毒煙，彌漫全室，咱們閉住呼吸之能，可以支持多久呢……」

容哥兒接道：「破門而出。」

江煙霞道：「我想，那位在這石鼎中布下毒煙的人，必然會在那毒煙冒出時，同時封閉住這廳中的門戶……」

語聲一頓，又道：「我又想到火，如是這石鼎中噴出毒火，那也夠咱們對付了。」談話之間，突聞得一陣軋軋之聲，起自地下。

那矗立在地上的石鼎，突然向下沉落，疾快地消失不見。原放石鼎處，卻突然出現了一個門戶。

容夫人道：「還有一道暗器未曾放出。」

江煙霞道：「我說過我憑此記憶，來開動石鼎機關，如何變化，那就非我所能預料了。」舉步行近門戶，道：「夫人如若害怕，晚輩先行就是。」緩步向下行去。

容夫人行近門戶，探首看去，只見一道石級，直向下面通去，那石鼎卻已消失不見。

俞若仙一側身，搶在容夫人的前面，道：「不入虎穴，焉得虎子！」緊隨在江煙霞身後行去。

容夫人回顧容哥兒道：「你是否要下去呢？」口氣之中，似是已全無母子關係。

容哥兒劍眉一揚，道：「母親似是已經決定不認孩兒了。」

容夫人道：「你非我之子。」

容哥兒道：「我既非你之子，你為何要養我二十年呢！」

容夫人道：「我不夠心狠，也不夠手辣。」

容哥兒道：「這話怎麼說呢？」

容夫人不再理會容哥兒，卻舉步直向下面行去。

容哥兒緊追在容夫人身後，向前行去，一面問道：「母親對我有二十年養育之情，縱然我不是你所生，這養育恩情，也使人報答不盡。」

容夫人冷冷說道：「你可是想以母子之情感動我嗎？」

容哥兒呆了一呆，道：「孩兒無此用心。」

容夫人道：「那很好，你記著，從現在起，不要再喊我母親了。」

容哥兒自重返山居之時，心中對自己身世，已然動了懷疑，對那容夫人確有著很多的懷疑、誤會，本想找個時間追問，但容夫人卻處處逃避、容忍，頗有慈母胸襟，但容哥兒卻是難忍心中疑慮，常想藉故逼問。

此刻，容夫人卻突然冷酷，一口推拒了母子關係，而且口氣堅決，大有從此視作陌路之意，容哥兒反生出孺慕之情，想到容夫人二十年養育之恩。

只聽容哥兒歎一口氣，自言自語地說道：「養育二十年的恩情，是何等深重，那和生身之母，有何不同？」這本是他心中之言，不覺間說出口來。

容夫人陡然轉過身子，雙目盯注在容哥兒臉上，厲聲說道：「從此刻起，你如再叫我一聲母親，我立刻出手殺你。」

容哥兒聽得一愣，還未來得及接回答話，那容夫人已轉身向前行去。

地道中十分黑暗，卻毫無濕霉氣味。但有一陣陣寒風吹來，使人油生寒意。

容哥兒完全未料到容夫人提出如此嚴厲的警告，要不是親耳聽到，言出養育自己的母親之口，實是難以叫人相信，就在愕然凝思之間，容夫人已走得蹤影不見。

幾番江湖驚變，生死際遇，已使容哥兒變得堅強了很多，略一定神，舉步向前追去。

行約二十丈，甬道突然向右轉去。容哥兒加快腳步，向前追去。

又行十餘丈，只見天光隱隱，似是已到了出口所在，平行的甬道，也突然向上升去。

借隱隱天光望去，江煙霞、俞若仙，都已經走得不知去向。

容哥兒心中暗道：「也許即將揭穿一樁武林的大隱秘，我必將振起精神應付才成。」提氣疾行，奔出洞口。

凝目看去，只見江煙霞和俞若仙並肩而立，站在一座石洞前面。

這是一座天然的井形石洞，上見青天，洞口也不過是數尺方圓大小，但底面卻有四丈見方大小，立壁如削，而且越高越小，縱然是世間第一流的輕功高手，也是無法攀登。

在洞底四面的石壁中，除了他們行經的一個洞口之外，另有兩座石洞。

洞口無門，但卻各自放著一座石爐，爐中冒著藍色的火焰。

那火焰高過石爐四寸有餘，熊熊而燃。

容夫人目光轉動，打量了那兩個洞口一眼，差不多一般大小，而且那石鼎的形狀，也是一樣，冒出的藍色火焰，也不見高低。

當下說道：「這似是兩座丹爐。」

俞若仙道：「是啊！誰會在這地方煉丹呢？」

容夫人道：「一天君主。」

俞若仙道：「此地既有丹爐，那是一定有人居住了。」

容夫人道：「想證明是否有人，只有進去瞧瞧了。」

容哥兒看那兩具丹爐，擺在門口之處，正好擋住了入洞去路，兩側各餘尺許，側身可過。

俞若仙道：「兩座石洞一般模樣，兩個丹爐，也差不多大小，但其中必有一座佈滿了陷阱，誘人入伏。」

容夫人道：「你在分辨真偽，是嗎？」
俞若仙道：「不錯。」
容夫人道：「從外面觀察，只怕是難以分辨出來。」
俞若仙道：「那要如何才能觀察得出來呢？」
容夫人道：「行近丹爐查看，哪一個丹爐有丹，就是真的了。」
俞若仙一皺眉頭，依言行近，把兩個丹爐都瞧一遍。
容夫人道：「怎麼樣？」
俞若仙道：「兩個丹爐一般模樣，每個爐中，都有丹丸。」
容夫人道：「如是你沒有看錯，那只有設法進去石洞瞧瞧了。」
俞若仙道：「既然到了此地，自然要看個水落石出。」
容夫人突然舉步而行，側身行入了左面石門之中。
那洞中一片黑暗，片刻後已失了容夫人的蹤影。
俞若仙回顧了江煙霞一眼，道：「如果你在石洞之內，布有惡毒機關，我和那容夫人全部死於那機關之內，當可遂了你霸統武林之願了，但我言已出口，縱然是萬死一生，也不能言出無信。」一側身，進入了右面石門之中。
江煙霞目睹俞若仙背影消失，突然長長歎息一聲，道：「容公子是否相信我是那一天君主呢？」
容哥兒怔了一怔，道：「這個，在下不敢斷言。」
江煙霞道：「大約你相信令堂的話了，唉！那也難怪，母子情深，你縱然知曉她是一天君主，也不肯說出來了。」

容哥兒臉色一怔，緩緩說道：「在下確實不知，咱們四人之中，以我的武功最弱，但在下也最清白……」

江煙霞一皺眉頭，欲言又止。

只聽一聲尖叫，傳了過來。

江煙霞目光轉動，看了那石洞一眼，黯然說道：「是俞老前輩行入的山洞。」

容哥兒道：「那是說俞老前輩遇害了？」

江煙霞道：「縱然未必遇害，但以她的身分武功，這等失聲尖喊，遇上之物，定然是十分可怖。」

但聞江煙霞歎息一聲道：「容兒，咱們進去瞧瞧如何？」

容哥兒說道：「是的，咱們應該進去瞧瞧。」

江煙霞道：「好，小妹帶路。」一側身向洞中行去。

容哥兒緊隨江煙霞身後，向前行去，一面暗中運氣戒備。

轉了兩個彎子，洞中更加黑暗，伸手不見五指。

江煙霞低聲說道：「容兒，運氣戒備，緊防暗襲。」

容哥兒心中暗道：「她是很關心我，但不知這情意是真是假。」

心中念轉，口中卻應道：「多謝關顧，姑娘也請小心。」談話之間，又轉過一個小彎。

只聽江煙霞唉喲一聲，向後退來，正好倒在了容哥兒的懷裏。

容哥兒隨在江煙霞的身後，還未轉過彎子，未看到前面景物，不知什麼事，竟然使江煙霞如此驚駭。

當下本能地伸出手去，抱住了江煙霞的嬌軀，低聲說道：「什麼事？」話出口後，才想起自己舉動失常，還緊緊的抱著江煙霞，趕忙鬆開雙手，扶正了江煙霞的身體。

江煙霞舉手拂拭著汗水，緩緩說道：「現在我才感覺到一件事，我江煙霞強煞了，仍然是一個女人啊！」

容哥兒道：「江姑娘瞧到了什麼？」

江煙霞鎮定了一下心神，淡淡一笑，道：「那是故布疑陣的手法，我該想到的，但我卻忍不住失聲而叫。」

容哥兒聽她說了半天，仍然沒有說出內情，忍不住側身越過江煙霞，探首望去。只見去路已到盡處，一條兩丈多長的甬道後面，就是盡處，在那石壁之前，放著兩具棺木，一盞光焰微弱的琉璃燈，除了那兩具棺木和一盞琉琉燈外，再無他物。

容哥兒心中暗道：「奇怪啊！兩具棺木有什麼好怕呢？尤其那江煙霞，已不知親手殺過了多少人，怎會為兩具棺木腔駭得失聲尖叫呢？實叫人想不通了。」

但聞江煙霞柔聲說道：「你瞧到了？」

容哥兒道：「瞧到了。」

江煙霞道：「男子漢大丈夫，究竟強過我們女人，我嚇得失聲尖叫，你卻能視若無睹。」

容哥兒皺皺眉頭，道：「沒有什麼好怕的啊！」

江煙霞緩步行了過來道：「你膽子很大……」

探頭看去，不禁一呆，道：「兩具棺木？」

容哥兒道：「是啊！就是這兩具棺木，你在武林之中行動，殺人無數，難道還對這兩具棺木畏懼嗎？」

江煙霞道：「不是這兩具棺木。」

容哥兒道：「是什麼呢？在下確確實實，只瞧到了這兩具棺木。」

江煙霞道：「還有一個全身是血，形狀恐怖的人，和從那棺木中伸出的一雙血手。」

容哥兒道：「在下怎的沒有瞧到？」

江煙霞道：「也許是他們故意布下的疑陣。」

容哥兒突然想到俞若仙，急急說道：「俞老前輩呢？這甬道已到盡處了。」

江煙霞已完全恢復了鎮靜，緩緩說道：「俞若仙已然失陷在他們預布的陷阱之中，毛病就出在那兩具棺木之上。」

容哥兒道：「咱們過去瞧瞧！」

江煙霞道：「過去瞧瞧可以，不過，要小心一些。」

容哥兒話說出口，心中已經後悔，暗道：「應該要江煙霞走在前面才是。」但話已經說出口來，無法收回，只好大步向前行去。

江煙霞緊隨在容哥兒身旁，行到兩具棺木前面。

微弱的燈火之下，只見那兩具棺蓋頂上，已然寫明了殮收屍體的姓名。

左面棺木頂上寫著，「一代情俠鄧玉龍存屍之棺。」

容哥兒只覺前胸被人擊了一拳般，喃喃自語道：「奇怪呀！奇怪。」

江煙霞道：「奇怪什麼？」

容哥兒道：「那鄧玉龍的存屍之棺，怎會在山腹密洞之中呢？」

江煙霞探首瞧了一眼，道：「一代情俠鄧玉龍……」

容哥兒接道：「江姑娘，如若你真不是一天君主，那就不用再隱瞞什麼了。」

江煙霞道：「你要問什麼？」

容哥兒道：「關係令尊的事。」

江煙霞道：「我爹爹已經死去很久了，他老人家在世之時，我還不解人事。」

容哥兒道：「姑娘知曉令尊死在何人之手嗎？」

江煙霞道：「十餘高人圍攻之下，先父敗得很榮耀，他們卻勝得卑劣。」

容哥兒道：「據在下聽聞，令尊在那次高手圍攻中，並未死去。」

江煙霞道：「怎麼？你是說家父還在世上嗎？」

容哥兒搖搖頭，道：「死是死了，不過他不是死在那次圍攻之中。」

江煙霞道：「那是死在何人之手？」

容哥兒道：「就在下聽得傳說，令尊是死在一次單打獨鬥中。」

江煙霞道：「我不信，除非很多高手圍攻，誰有本領能夠殺死先父？」

容哥兒道：「鄧玉龍。」

江煙霞怔了一怔，道：「鄧玉龍，聽哪一個說的？」

容哥兒道：「白娘子，在你之前的一天君主。」

江煙霞沉吟了一陣，道：「不可能吧！」

容哥兒道：「可惜那白娘子死於姑娘之手，要不然有她出面，或可說出一些內情。」

江煙霞搖搖頭道：「那白娘子死於花娘之手，並非我出手殺她。」

容哥兒突然伸出手去，按住棺木之上，說道：「目下武林中糾紛，似乎是都牽扯這鄧玉龍的身上，我倒要瞧瞧他是什麼樣一個人物……」口中說話，右手卻暗加功力，推那棺蓋。

江煙霞急急說道：「慢著。」右手疾快探出，抓住了容哥兒的手。

容哥兒道：「你要怎麼樣？」

江煙霞搖搖頭，道：「不可造次。」鬆開容哥兒的手臂，後退數步，舉手相招。容哥兒緩步行了過去，道：「什麼事？」

江煙霞低聲說道：「賤妾適才所見，左首那鄧玉龍存屍之棺中，伸出來一雙血手，右面棺木，是一個可怖至極的浴血之人……」

容哥兒道：「姑娘之意，可是說這石室之中，布有惡毒機關，是嗎？」

江煙霞道：「此地已前無過路，咱們一路行來，又未見俞若仙退出石洞，她此刻哪裏去了？」

容哥兒微微一怔，道：「不錯，這地方不但險惡重重，而且是充滿著神秘。」

江煙霞道：「所以，咱們要放棄成見，合力同心。」

容哥兒略一沉吟，道：「姑娘說那兩具棺木十分奇恐，棺中不是屍體，那是說俞若仙的失蹤，也和那兩具棺木有關了？」

江煙霞道：「內情未明，賤妾也不敢斷言，但那兩具棺木，放在這裏，賤妾實是想不出它作用何在。」

容哥兒凝目沉思一陣，臉上突然泛現悲天憫人之色，緩緩說道：「不入虎穴，焉得虎子，在下打開那棺木蓋子，姑娘從旁戒備，如有變故，還望姑娘立時出手援救。」

江煙霞道：「爲何不要賤妾涉險？」

容哥兒苦笑一下，道：「姑娘武功高過在下甚多，在下遇險，姑娘不難解救，如是姑娘遇險，在下就難救助了。」

江煙霞點點頭道：「好，就依容兒之意。」

容哥兒暗中運氣，緩步行到鄧玉龍存屍的棺木前面，右手運勁，集於掌心，左手暗加勁力，陡然揭開了棺蓋。

凝目一望，只見一個白紗覆面，身著銀白勁裝的屍體，靜靜的躺在棺木之中。

江煙霞站在四、五尺外，蓄勢戒備，只要那棺木一有動靜，立時出手馳援。

但見那容哥兒望著棺木呆呆出神，良久之後，仍然不發一言。

江煙霞心中大爲奇怪，忍不住說道：「容兒，哪裏不對了？」

容哥兒搖搖頭道：「這棺木中並無血手，也不是全身浴血的怪人。」

江煙霞道：「那是真正的鄧玉龍嗎？」

容哥兒道：「我不知道是誰，但這棺木中是一具屍體，應該是不會錯了。」

江煙霞道：「你再打開另外那具棺木瞧瞧如何？」

容哥兒道：「好！」橫行兩步，右手一掀，揭開了另一具棺木蓋，凝目望去，裏面是一個身著水綠裙子、水綠短襖的屍體，臉上蒙著一片白紗，無法瞧到她的面貌。

容哥兒一皺眉頭，道：「是一個女人屍體。」

江煙霞緩步行了過來，目光轉動，望了兩具棺木一眼，道：「奇怪呀……」

容哥兒道：「奇怪這兩具屍體，是嗎？」

江煙霞道：「我明明瞧到一雙血手和一個滿身浴血的怪人，但這兩具屍體卻全然不像。」

容哥兒道：「姑娘會不會瞧錯呢？」

江煙霞道：「不會，絕對不會。」

容哥兒道：「好！我揭開他們臉上面紗，拿起他們雙手瞧瞧，就可證明了。」

江煙霞搖搖手，道：「不用拿了，絕不會是這兩個人。」

容哥兒劍眉聳動，道：「姑娘之意，可是說這兩個屍體……」

江煙霞右手按在櫻口中，輕輕噓了一聲，退後五步。

容哥兒道：「姑娘可是懷疑這兩具屍體是活人假扮……」

江煙霞點點頭應道：「不錯。」

容哥兒道：「那要如何對付呢？」

江煙霞道：「咱們裝出揭去他們面紗瞧去，出其不意先點了他們的穴道，然後再揭面紗。」

容哥兒道：「如若真是兩具屍體，咱們豈不犯了毀屍之罪。」

江煙霞道：「容兄啊！此時此地，生死難料，你還能想到犯毀屍之罪。」

容哥兒臉上一熱，道：「就依姑娘之見辦理。」

江煙霞一指鄧玉龍的棺木，自己卻向那存放女屍的棺木行去。

容哥兒行到鄧玉龍棺木面前，忖道：「只要我心中有備，不為他暗襲所傷，那也不用先行點他的穴道了。」

心中念轉，右手戒備，左手探入棺中，揭開了那銀衣人臉上的面紗。

凝目望去，只見一個雙目緊閉，顎下有鬚的慘白面孔，安詳地躺在棺中。

容哥兒心中暗道：「這個人面無血跡，五官可辨，可惜的是我不認識那鄧玉龍，不知這屍體是真是假？」

抬頭看去，只見江煙霞手中也拿著一塊白紗，望著棺中屍體出神。

容哥兒輕輕咳了一聲，道：「江姑娘，你見過那鄧玉龍嗎？」

江煙霞回過臉來，搖頭道：「我生也晚，無緣一會。」

容哥兒道：「聽人說過嗎？」

江煙霞道：「聽倒聽人說過他的形貌。」

容哥兒道：「那很好，姑娘請來，看看此人是不是鄧玉龍？」

江煙霞依言行了過來，探首瞧了一陣，道：「活貌死容，差別很大，賤妾也不敢斷言是不是。」

容哥兒道：「在下之意，是問這容貌像不像。」

江煙霞道：「如是憑藉傳聞之言，倒是有些像那鄧玉龍。」

容哥兒道：「這就有些奇怪了。」

江煙霞道：「移開他屍體看看。」

容哥兒道：「如若這具屍體，真是那鄧玉龍，那就是萬上門主講的不是真話。」

江煙霞道：「萬上門主俞若仙，如何騙你？」

容哥兒道：「她說她收殮了鄧玉龍的屍體，怎的這裏又有一具屍體呢？一天君主似是用不著僞造一具形似鄧玉龍的屍體，借它嚇人吧！」

說完話，又替他覆上面紗，接道：「江姑娘，那棺中女人是誰？」

江煙霞道：「我不認識，你自己瞧瞧去吧！」

容哥兒慢步行過去，只見那棺中女屍，面貌如生，白裏透紅，且青絲如雲，五官端正，竟是不像一個死人。

心中大感奇怪，道：「江姑娘，這人是死的還是活的？」

江煙霞道：「如若她是活人，也被我點了穴道。」

容哥兒道：「解開她穴道瞧瞧如何？」

江煙霞搖搖頭，道：「此刻，咱們先找那俞若仙去處要緊。」

容哥兒目光轉動，四下瞧了一眼，道：「前無去路，她定然陷入秘門中了。」

江煙霞道：「你移開這兩具棺木瞧瞧。」

容哥兒道：「好！姑娘小心戒備。」

暗運功力，雙手一抬，哪知竟然未能把棺木移動分毫。

容哥兒一皺眉頭，道：「好重的棺材。」

江煙霞突然舉手，在那棺木上敲打了一陣道：「難怪移不動了。」

容哥兒道：「爲什麼？」

江煙霞道：「這棺木是生鐵所鑄，外面包了一層軟木。」

容哥兒道：「那要如何？」

江煙霞道：「移開他們屍體，也許在他們屍體之下，另有機關、門戶。」

容哥兒道：「移動這具女屍，那要有勞姑娘了。」

江煙霞道：「你要小心戒備。」雙手探入棺中抱起女屍。

突然那屍體雙手疾出，分別抓住了江煙霞雙腕的脈穴。

容哥兒吃了一驚，右掌橫裏削出，擊向那女子肘間關節。

就在容哥兒掌勢發出的同時，突覺雙肩一緊，左右「肩髎」雙穴，一齊被人拿住，擊出的一掌，也中途而住。

卅九　天作之合

江煙霞運氣行功，力達雙腕，雙腕堅如金石，先護住雙腕脈穴，不使對方控制，冷冷說道：「你是什麼人？」

那綠衣人淡淡一笑，道：「此時此刻，我縱然告訴你姓名來歷，也是不能救你性命。」

江煙霞暗中提聚功力，準備一發動，就要掙脫雙手的控制，在未準備好之前，不願輕舉妄動，當下說道：「我看夫人很面熟？」

那綠衣婦人冷笑一聲，道：「是嗎？」抬起頭來，突然間，那綠衣婦人，面上泛現出一種似驚怖，又似悲傷的神情，輕輕啊了一聲，五指突然一鬆。

江煙霞藉機掙脫雙手，右手一揮，拍了過去。

那綠衣婦人左手疾起，橫裏擊出了一掌，擋開了江煙霞的掌勢，右手一翻，食、中二指帶著尖利指甲，疾向那扣拿著容哥兒右肩「肩髎」穴上，一雙蒼白的手背上點了過去。

江煙霞正要再發掌力，瞥見那綠衣婦女一指攻向了自己人，同時，也感覺出那綠衣婦女有意地放了自己的雙腕。

只見那扣拿在容哥兒雙肩「肩髎」穴上的雙手，突然一收，容哥兒的身子，隨著那收縮的雙手，向後倒去，避開綠衣婦人的一指。

江煙霞一退步，反手一掌，切向容哥兒身後手臂。同時，也看清楚了那人正是棺木中躺著的銀衣人。

那銀衣人動作甚快，突然一轉，竟把容哥兒的前胸，疾向江煙霞的掌上送來。

江煙霞一伸右手，左手卻避開容哥兒，點向那銀衣人的面門。

容哥兒雙肩穴道被人拿住，完全失去反抗之能，任人擺佈。

石室狹小，雙棺又占去大半地方，搏鬥活動，大受限制，江煙霞和那銀衣人，隔著容哥兒動手，那銀衣人利用容哥兒做爲擋箭盾牌，拒擋那江煙霞的攻勢，江煙霞怕誤傷容哥兒，攻勢大失凌厲。

突然間，聽得那綠衣婦人叫道：「放開他！」

這聲音雖然急促，但卻十分微小，顯然，她心有所忌，怕人聽到。

那銀衣人似是很聽綠衣婦人之言，雙手一鬆，放開了容哥兒。

這變化大出了江煙霞意料之外，不禁一呆。

容哥兒望望那綠衣婦人，又回顧了那銀衣人一眼，輕輕歎息一聲道：「這是怎麼回事呢？」

目光轉到那綠衣婦人的臉上，接道：「你爲什麼要他放了我？」

那綠衣婦人緩緩坐入棺木之中，反問道：「孩子，你姓什麼？」

容哥兒道：「我姓容。」

綠衣婦人奇道：「姓容？」

容哥兒道：「不錯。」

目光轉向那銀衣人身上，道：「你是鄧玉龍？」
銀衣人搖搖頭，也不講話，緩緩坐了下去。
那棺木很深，兩人坐在棺木中，只露出一個頭來，石室孤燈，照著兩具棺木，每具棺木中露出一個人頭，看上去十分詭異。
容哥兒皺皺眉頭，道：「你不是鄧玉龍，為什麼躺在鄧玉龍棺木之中？」
那銀衣人冷冷地瞧了容哥兒一眼，仍是一語不發，緩緩躺入了棺木之中。
容哥兒舉步行到棺木之前，望了那銀衣人一眼，正待開口，卻聽那綠衣婦人說道：「孩子，不要招惹他。」
容哥兒緩緩轉過臉來，道：「為什麼他不肯講話？」
綠衣婦人道：「我也不能講話，因為講話要付出很大的痛苦。」
容哥兒道：「為什麼說話要付出痛苦呢？」
綠衣婦人閉上雙目，休息良久，才接口說道：「孩子，我不能說話，別問我太多事，答覆我的問題，好嗎？」
容哥兒望了江煙霞一眼，道：「江大姑娘，我有些糊塗了。」
江煙霞柔聲說道：「不管她問什麼，都據實告訴她。」
容哥兒道：「為什麼？」
江煙霞道：「因為她可以幫咱們，也可以害咱們！」
但聞那綠衣婦人道：「你是哪裏人氏？」
容哥兒道：「就在下所知，世居河南開封府。」

那綠衣婦人長長吁一口氣，道：「你爹爹還在嗎？」
容哥兒道：「死於仇家之手。」
綠衣婦人又閉目休息了一陣，道：「你今年幾歲了？」
容哥兒越聽越覺奇怪，心中暗暗忖道：「她問我這些事情做什麼呢？」
只聽那綠衣婦人接道：「仔細想想，別要講錯了。」
容哥兒沉吟了一陣，道：「似乎是二十歲。」
那綠衣婦人正待啓齒，突聞隆隆兩聲輕震傳入耳際。
容哥兒回顧江煙霞一眼，道：「什麼聲音？」
話未落口，突見銀衣人和綠衣婦人，由棺材中陷落而下。
而且去勢迅速，眨眼間消失不見。
江煙霞疾上一步，探首向兩具棺木望去。
只見那銀衣人停身的棺木中，陡然升上了一個鐵板，堵住了棺底。
那銀衣人，卻已蹤影不見。
再看那綠衣婦人的棺木時，只見一條石級，直向下面通去。
顯然，這是門戶，通向另一道隱密所在。
江煙霞探手從懷中拔出一柄匕首，輕輕點在銀衣人存身的棺底，只聽聲音鏘然，敢情那棺底是精鐵所鑄，當下輕輕歎息一聲，道：「容兒明白了嗎？」
容哥兒道：「還不太了然。」
江煙霞道：「事情很簡單，這兩具棺木，是通往另一處的門戶，兩條路，也許是殊途同歸，但也可能是分向兩個地方。」
容哥兒道：「為什麼一棺封閉，一棺卻大門開啓？」
江煙霞道：「那機關控制在他手中，他想我們進哪一條路，就開哪一個門戶。」
容哥兒望著那綠衣婦人存身棺木一眼，道：「他開了這一個門戶，那是這一條路沒有埋伏了。」
江煙霞道：「兩條路上，都會有埋伏，但可能有輕重之分。」
沉吟了一陣，接道：「如是這變化晚一些，也許咱們能從綠衣婦人口中，聽到一點內情。」
容哥兒道：「那婦人是誰？她好像一直很關心我。」
江煙霞道：「我不知道，她可能是你世間最親近的人，至低限度，她該和你有一種近親關係。」
容哥兒神色肅然，道：「你說她是我的親人？」
江煙霞道：「我只是說有可能，不是一定……」
柳眉聳動，正容接道：「容兒不用多想了，事已至此，只有走一步算一步了，我過去想得太簡單，目前的情勢變化，已經不是我的才智所能推斷了。」
容哥兒道：「此刻，我們應該如何？」
江煙霞道：「除了走入這條石道之中，一查究竟之外，咱們已別無可循之法。」
容哥兒道：「咱們可以退出此地。」
江煙霞道：「你很害怕，是嗎？」

容哥兒搖搖頭，道：「我想姑娘似是不用和在下一般模樣，涉險進入甬道。」

江煙霞一縱身，當先跳入棺中，道：「目前的詫奇情形，已然激起我強烈的好奇之心，縱然這棺木之下，是刀山油鍋，去者必死無疑，賤妾無法按捺下好奇之心……」

語聲一頓道：「賤妾帶路。」直向下面行去。

這甬道十分狹窄，只可容一人行進，而且黑暗異常，兩人雖有超異常人的眼力，也是難見數尺外的景物。

江煙霞一面走，一面說道：「似這等狹窄的甬道，別說機關埋伏了，就是暗器襲來，也是無法閃避啊！」

容哥兒輕輕歎息一聲，道：「是的，似此等險惡之地，必得把生死置之度外，才有勇氣超越。」

語聲一頓，「江姑娘，那銀衣人和綠衣婦人，爲什麼不能多講話呢？」

江煙霞道：「也許他們身上穴道受制，不便多言。」

容哥兒點點頭，又道：「他們似是限制在棺木之中，不能離開棺木。」

江煙霞道：「賤妾也是這樣想法，在他們身上，必然有一個很慘酷的『禁制』，使他們無法反抗，也無能離開棺木。」

容哥兒道：「在下進入甬道之後，一面留心查看，已不見那綠衣婦人行蹤，這甬道只此一條行進之路……」

江煙霞接道：「這個賤妾也已經想過了，那銀衣人和綠衣婦人，絕不會和咱們一樣的深入甬道之中，在甬道入口之處，必然有著一種佈置極為巧妙的機關，那銀衣人和綠衣婦人，都在那機關之上。」

容哥兒停下腳步，道：「那棺底陷落，兩人隨著沉下，機關是否操在兩人手中呢？」

江煙霞道：「這個，賤妾可以斷言不是。」

容哥兒道：「那是說咱們的行動，已在操縱機關之人的監視之下，那人絕不會離開兩具棺木很遠是嗎？」

江煙霞道：「不錯啊！」

容哥兒低聲說道：「也許此刻那棺木形狀，重又復原，咱們走上去看看，說不定可以瞧出一些隱秘。」

江煙霞沉吟了一陣，道：「話雖有理，不過咱們的才能智慧，絕然難及此地主人，咱們能想到，難道人家就想不到嗎？」

容哥兒正待答話，突聞一個冷冷的聲音，傳了過來，道：「後退之路，已經密閉，你們只有前行一途。」

此時容哥兒，早已不把生死放在心上，於是高聲喝道：「你是誰？」

那聲音應道：「守護這甬道的人。」

容哥兒心中暗道：「守護甬道的人，那不過是一個僕從的身分了。」心中念轉，口中卻高聲說道：「閣下躲在暗中，不是太小家子氣嗎？」

那聲音接道：「在下駐守這條甬道，已經十餘年，我從未現身和人見過，也未出手妄傷過一人，我不想打破此例……」

語聲一頓，聲音突轉嚴肅，接道：「不論你武功如何高強，也無能抗拒這甬道中的機關，和絕毒的暗器，既然進入了此地，只有聽命一途。」

江煙霞接道：「對大駕的良言，我等感激不盡……」

那聲應接道：「你們年紀都很輕，不知是兄妹，還是夫婦？」

江煙霞心中暗道：「隨你叫吧！」

口中卻接道：「我們還想請教一事，不知可否見教？」

那冷漠的聲音應道：「那要看你們問什麼，老夫雖然覺得和你們很投緣，但也要保些分寸才成。」

江煙霞道：「這甬道盡處，是何所在？」

那人應道：「是我家主人的宿居之地，老夫也未去過，情形不了然。」

江煙霞道：「閣下可否見告你家主人的姓名？」

那人道：「不可以！」

語聲一頓，道：「老夫只能言盡於此，你們不能再多問了，前面轉彎之後，就非我所管，那裏的管理人性情十分暴烈，不似老夫這般和善，很多進入這甬道之人，都是死在他的手中，你們要多多小心了。」

江煙霞道：「閣下慢走……」

但聞回應了一聲，傳入耳際，那人似乎是已經行遠不聞。

容哥兒低聲說道：「他似是躲在這石壁裏面。」

江煙霞道：「是的，這築造神奇的浩大工程，當今武林中，誰有此能耐呢？」

容哥兒道：「在下孤陋寡聞，知道的事情不多，姑娘仔細的想想，如若能想出一點眉目，那就不難解得眼前的穩秘了。」

江煙霞沉吟了一陣道：「當今之世，最精通建築之學和機關佈置的人，首推金雕龍手江伯常。」

容哥兒道：「金雕龍手江伯常，是何許人物？」

江煙霞黯然說道：「是我爹爹。」

容哥兒訝然道：「你的父親？」

江煙霞道：「是的，我的父親。他不但精於雕刻建築之學，而且還有鑒別古物之能，我們金鳳門收藏的三十二把名劍，都是經過他鑒評分出了等級。」

容哥兒道：「唉！在下有一件事，想來想去，想不明白。」

江煙霞道：「什麼事？」

容哥兒道：「這一番武林風波，追來覓去似乎都和我們有關？」

江煙霞道：「唉！不錯。因爲，武林中極強的高手就是這幾人，咱們卻不幸生爲他們的子女……」

語聲一頓，接道：「本來我生性十分自負，但自從受人挾制，當了這有名無實的一天君主之後，我才了然自己並非是天下第一聰明的人，武功、才智高過我的高手還有很多，但那時我還是自作聰明，認爲那幕後之一天君主，不是令堂就是那萬上門主。」

容哥兒道：「現在呢？」

江煙霞道：「現在看來，那俞若仙不是幕後的一天君主……」

容哥兒道：「家母呢？」

江煙霞道：「令堂不認你是她的兒子，必有內情。」

容哥兒避開此事，接道：「我是問姑娘對家母還有懷疑嗎？」

江煙霞道：「令堂自以為她深居簡出，在深山大澤訓練高手的事，任何人都不知曉，其實這些事我早就知道了！只是她既未出山爭霸武林，我們都沒有過問罷了。」

容哥兒道：「那是說，姑娘對家母是有懷疑了。」

江煙霞道：「縱然是對她還有些懷疑，但我料想她也不是主要人物。」

容哥兒道：「為什麼？」

江煙霞道：「不是我小看令堂，她還不夠陰沉，也沒有這等浩蕩的才氣。」

容哥兒道：「在下此刻，也相信了一件事。」

江煙霞道：「什麼事啊？」

容哥兒道：「相信姑娘並非真的一天君主。」

江煙霞道：「那很好，我們可以坦坦誠誠的合作了。」

容哥兒道：「此刻，姑娘作何打算？」

江煙霞低聲說道：「那棺木中的綠衣婦人，似乎是對你有著一種特別的情感，只有她，也許能告訴我們整個內情……」

容哥兒道：「咱們現在出去找她如何？」

江煙霞搖搖頭道：「不成了，現在，她已經被人生疑，所以，話未說完，機關就突然發動，如若咱們此刻再去找她，對她而言，有百害而無一利。」

容哥兒歎息一聲，道：「那咱們此刻要何去何從呢？」
江煙霞道：「目下只有一途，咱們必須涉險查看明白。」
容哥兒道：「好！在下聽姑娘吩咐就是。」
江煙霞道：「小妹替容兄帶路。」移步向前行去。
容哥兒緊隨在江煙霞身後而行。
兩人運功戒備而行，一路上未交談一言。
又行十餘丈，突聞波濤之聲，隱隱傳來。
江煙霞停下腳步，伸手按在石壁之上，側耳靜聽。
容哥兒未料到她突然停下，收勢不及，正撞在江煙霞的嬌軀上，不禁心頭一駭，急道：「在下失禮……」
江煙霞伸出手去，握住了容哥兒的左手，低聲說道：「此時此刻，不用太拘於凡俗的禮法了……」
語聲一頓，接道：「你聽，這地方距離那湖水似乎很近，又低在湖水之下，只要鑿開一個石洞，可以把這塊隱秘之地，完全淹沒。」
容哥兒心中暗道：「好惡毒的辦法。」
但聞江煙霞低聲說道：「咱們如能計算準這一片地方，那就好了。」
容哥兒無法接口，只好默默不語。
江煙霞不聞容哥兒接言，又舉步向前行去。

轉了兩個彎，形勢忽然一變。

只見一座寬敞的石廳，門戶大開，高燃著四支如兒臂粗的火燭，照得一片通明。

江煙霞停下腳步，回頭對容哥兒道：「那燭燃上不久，似是爲了我們……」

只聽一個蒼老的女子聲音接道：「不錯，這地方已然久年無人來訪，難得今日有佳賓光臨，當真是蓬華生輝。」

江煙霞、容哥兒，同時瞧得一怔，暗道：「這人說話很客氣，不知何許身分。」

凝目望去，卻又不見人影。似是室中人有意躲在門後。

容哥兒低聲說道：「室中人似乎是一位女子，只怕未必歡迎男客，還是姑娘答話吧！」

江煙霞一提氣，高聲說道：「老前輩，晚輩可否進入室中瞧瞧？」

室中又傳出那蒼老的聲音道：「恕老身身體行動不便，不便出室迎賓，兩位請進來吧！」

江煙霞一提氣，緩步向室中行去。容哥兒緊隨在身後，行了過去。

這座石室，深不過一丈，但卻三丈多寬，顯然是依據天然的形勢鑿成。

石室中，除了四支高燃的火燭外，還擺著四張太師椅，和一張木桌。

江煙霞目光轉動，只見那門牆之內，一張石椅之上，端坐一個雞皮鶴發的老嫗。

她穿著一身黑色的衣服，一件奇大的黑色裙子，掩住大半張石椅，雙足、雙腿，盡都隱於裙下。

江煙霞微微欠身，道：「驚擾老前輩的清修，我等十分不安。」

那老嫗打量了江煙霞一陣，道：「孩子，你有病嗎？」

江煙霞道：「晚輩昔年練功，急求速進，以致走火入魔，又因受傷不久，所以，臉色不好。」

黑衣老嫗點點頭，道：「原來如此！」

語聲一頓接道：「你們是夫妻嗎？」

江煙霞道：「不是。」

黑衣老嫗道：「那很可惜。」

長長吁一口氣，道：「不是夫妻，那是兄妹了。」

江煙霞道：「也不是，我和這位容兄，是新交不久的朋友。」

黑衣老嫗突然閉上雙目，不再言語，似乎根本把兩人忘去一般。

江煙霞、容哥兒都看得大爲奇怪，暗道：「這老嫗爲人十分和藹，但舉動卻是有些怪異，叫人揣摸不透她心中所思。」

等待了足足有一盞熱茶工夫之後，那老嫗突然睜開了雙目，低聲說道：「孩子，你們爲何來此？」

江煙霞呆了一呆，道：「找一個人。」

黑衣老嫗道：「找人找上此地來了，你們膽子不小，但不知你們找什麼人？」

江煙霞道：「一天君主。」

黑衣老嫗道：「一天君主？」

江煙霞道：「不錯。」

那黑衣老嫗沉吟了一陣，道：「孩子們，如果我們無意放你們進來，不論武功多高強的人，也無法活著到此。」

江煙霞道：「多謝老前輩。」
黑衣老嫗淡淡一笑，道：「老身並無救助你們，不用謝我。」
目光轉到容哥兒的臉上，道：「孩子，你不太喜歡講話？」
容哥兒道：「晚輩不善措詞，恐會出言開罪人，這位江姑娘足以代表在下。」
黑衣老嫗搖頭說道：「唉！你們很相稱，如若是一對夫妻多好！」
容哥兒不便接口，只好默然不語。
倒是那江煙霞聽她連續提出此事，不禁心中一動，接道：「老前輩，是夫妻有什麼好呢？」
黑衣老嫗低聲說道：「老身知曉一套劍法，必得夫婦兩人同時習練才成。」
江煙霞呆了一呆道：「有這等事？如非夫婦，難道就不能練了？」
黑衣老嫗道：「是的，如非夫婦，不能習練，就是練，也練不出名堂。」
江煙霞道：「這倒是從未聽過的事情……」
黑衣老嫗臉色一沉，道：「怎麼，你可是認爲老身騙你嗎？」
江煙霞道：「晚輩孤陋寡聞，此番大開茅塞，故而十分驚訝，怎麼會想到老前輩欺騙。」
黑衣老嫗輕輕歎息一聲，道：「老身終老於斯，那是命已注定，那也罷了，但這套絕世劍法，至我失傳，實是武林中一大恨事。」
江煙霞回顧容哥兒一眼道：「老前輩，晚輩想請教一事。」
黑衣老嫗道：「什麼！」
江煙霞道：「不久之前，有一位婦人先我到此，老前輩可曾見到？」

黑衣老媼道：「你是說那俞若仙嗎？」
江煙霞道：「不錯，老前輩認識她嗎？」
黑衣老媼道：「老身見她之時，她還不過十五、六歲的小姑娘，如今，已是四十開外的人了！」
容哥兒心中暗道：「想不到恩怨糾結，竟然都是相識之人。」
江煙霞道：「那俞若仙現在何處？」
黑衣老媼道：「她已被召至水宮中去。」
江煙霞道：「水宮……」
黑衣老媼道：「是的，水宮。這地方深在湖水之下，建一座水宮，並非難事。」
江煙霞抬頭看去，只見雞皮鶴髮的老媼，皺紋堆疊的面容上，似有著無限的幽怨愁苦，心中一動，暗道：「這老媼滿腹憂苦，如若能夠說動於她，或可助我們一臂之力。」
心中念轉，口中說道：「老前輩，似是很多心事？」
黑衣老媼道：「老身此刻只有一件心事了。」
江煙霞通：「不知可否告訴晚輩們聽聽，老前輩也可一解心中愁苦。」
黑衣老媼道：「告訴你們也是無用，除非你們能答應老身一件事！」
江煙霞道：「什麼事？」
黑衣老媼道：「答應學習老身的天地劍法。」
江煙霞道：「老前輩之意，是要我們……」
黑衣老媼道：「這是一套絕世奇學，老身不願它失傳，在你們而言，學成此劍之後，才能在武林有所作爲，此乃一舉兩得之事，問題是你們兩個人，必得先行結成夫婦才行。」

江煙霞面泛羞紅，歎息一聲，道：「這個實在有些礙難……」

黑衣老嫗接道：「所以，老身這心願，是永難得償了。」

語聲微微一頓，接道：「唉！我忍辱偷生，活了這麼十幾年，唯一的希望，就是能夠遇得這兩個人，能夠傳我劍法，好不容易等到了，但你們卻又不肯結爲夫婦，致使我心願又行落空，看來是再難有此機會了。」

言罷，老淚點點，滴了下來。

容哥兒心中暗道：「她只是爲了想把一套絕世劍法，傳諸後世，竟然是如此的悲苦傷心，倒也是世間一大奇事。」

但聞江煙霞道：「老前輩可是此地主人嗎？」

黑衣老嫗搖搖頭道：「不是，老身只不過是一個看門之人罷了。」

江煙霞道：「就算我等答允老前輩習那天地劍法，只怕也沒有這個時間……」

黑衣老嫗喜道：「這個老身自會替你們設法安排，不用你們費心，只要你們答應，那就行了。」

江煙霞話未說完，被那老嫗接過口去，一時間，窘得滿臉通紅，半晌說不出一句話來。

只見那老嫗接道：「你們商量一下吧！結爲夫婦，對你們太重要了，老身也不能太勉強你們。」

江煙霞無限羞澀，回顧了容哥兒一眼，道：「容兄……」

她叫容哥兒，本想問他此事該當如何？但只叫出了一句容兄，竟是難再開口。

容哥兒輕輕咳了一聲，道：「姑娘有何吩咐？」
江煙霞道：「這位老前輩的話，你都聽到了？」
容哥兒道：「聽到了。」
江煙霞道：「容兄有何高見？」
容哥兒道：「這個，這個叫在下也無法決定，但不知可否用一個變通之法？」
江煙霞道：「什麼變通之法？」
容哥兒低聲說道：「一套劍法，非要夫婦才能同學，那是從未聞過之事，這位老前輩，既想要我們學她的劍法承續絕技，又要訂下一種嚴苛的規定，目下咱要先知道那套劍法，是否是絕世奇學，學會之後，又有什麼用處……」
江煙霞接道：「是的，咱們應該先問清楚。」
轉過頭去，說道：「請教老前輩！」
那黑衣老嫗閉目而坐，此時睜開雙目，道：「是否有什麼事？老身運氣，封閉了聽覺，以杜絕聽你們談話，但不知你們商量的怎麼樣了？」
江煙霞道：「晚輩有一件事，想先行請教老前輩。」
黑衣老嫗道：「好，你問吧！」
江煙霞道：「晚輩想明白一件事，就是那天地劍法，是否爲世間絕技，晚輩學會了，又有什麼用處？」
黑衣老嫗沉吟了一陣，道：「就老身所知，天地劍法，乃武林中罕聞罕見的奇學，其威力的強大，世間極少人能夠匹敵。」

話到此處，突然沉吟了一陣，道：「你們冒險到此地……」

江煙霞道：「晚輩們被情勢迫逼，不得不到此地。」

黑衣老媼道：「你們是否想過一件事？」

江煙霞道：「什麼事？」

黑衣老媼道：「你們到了此地，發覺真相之後，又有什麼能力，阻止即將發生的事情呢？」

江煙霞道：「如若晚輩能和那俞若仙聯手對敵，強敵縱然厲害，晚輩們也可對付。」

黑衣老媼搖搖頭，道：「孩子，不要太信任自己，就算你和俞若仙聯手合作，也難有所作爲。」

沉思了一陣，道：「你們只有一個希望，那就是學會老身的劍法。」

江煙霞道：「這話當真嗎？」

黑衣老媼道：「你如不信老身的話，何不試試！」

江煙霞道：「如何一個試法？」

黑衣老媼道：「老身坐著不動，你們兩人聯手攻我。」

江煙霞心中暗道：「不論你武功何等高強，但要坐著不動，拒擋我們兩人攻勢，未免太過誇大了。」

心中念轉，口中卻說道：「老前輩，動手相搏，很難控制得恰到好處，不論何人受傷，都不太好……」

黑衣老媼道：「不要緊，你們自己小心一些，對老身不用顧慮。」

江煙霞暗道：「她口氣如此托大、堅決、看來是不打不行了。」

當下說道：「既是如此，晚輩等恭敬不如從命了。」

黑衣老嫗笑道：「咱們沒有太多的時間，你們出手時，請全力攻出。」

江煙霞回顧了容哥兒一眼，道：「容兄攻左面，賤妾攻右面。」

欺身而上，右手一招「波擊礁岩」，直擊過去。

容哥兒看那江煙霞已經出手，也從左側揮手拍出一掌。

那老嫗眼看兩人掌勢，左右合擊而來，恍如不見，仍然端坐不動。

江煙霞掌勢已沾上那老嫗衣服，但卻及時而止，道：「老前輩怎不還手？」

容哥兒卻一掌拍在那老嫗後肩之上，但聞砰然一聲，那老嫗仍然端坐不動，容哥兒反而被震得向後退了一步。

容哥兒只覺右腕微微麻疼，不禁為之一呆。

只見那黑衣老嫗轉過臉來，望了江煙霞一眼，笑道：「我相信姑娘的掌力，還無法傷得老身。」

江煙霞一皺眉頭，道：「老前輩內功雖然精深，但這話也未免說得太過……」

黑衣老嫗冷冷說道：「你全力重擊老身一掌試試！」

江煙霞緩緩揚起右掌，拍了過去。

果然，那黑衣老嫗仍未閃避。只聽砰然一聲，擊個正著。

江煙霞只覺掌勢如同擊在一團氣泡之上，消失了大半力道，然後，又如撞擊在堅石之上，震得手腕一麻。

原來，那黑衣老嫗，先行運氣，使寬大的衣服膨脹起來，消掉了江煙霞部分掌力，再行承受一擊。

江煙霞看那老嫗受了一掌之後，若無其事般，當下說道：「老前輩內功精深，晚輩極是佩服。」

黑衣老嫗道：「老身分受兩位每人一掌，用心在使兩位相信，老身並非是信口開河，誇張那天地劍法的威力，使你們油生學劍之心。」

江煙霞道：「老前輩似是很希望我們學那劍法，是嗎？」

黑衣老嫗道：「不錯，老身心中明白，除了兩位之外，老身這一生中，恐怕再難遇到像兩位這等合適的人了。」

長長歎息一聲，接道：「唉！老身等了這多年，忍受了無比的痛苦。」

江煙霞道：「老前輩很痛苦？」

黑衣老嫗道：「是啊！難道你們認爲老身很樂意在這裏爲人看守門戶嗎？」

江煙霞愕然道：「老前輩是被人強迫在此守門？」

黑衣老嫗撩起黑裙，道：「兩位瞧瞧老身所受之苦！」

容哥兒凝目望去，只見那老嫗兩面琵琶骨，都爲牛筋洞穿，繞過石椅，不知通向何處，另外有兩個鐵箍，緊扣在黑衣老嫗的雙腿之上。

江煙霞望了那牛筋一眼道：「一般人也許無能弄斷牛筋，但老前輩功力如神，非同小可，難道也會爲牛筋鐵箍所困嗎？」

黑衣老嫗道：「在老身這石椅之上，埋有一種毒火，那控制這毒火爆燃的機紐，操人手中，只要他燃起藥線，片刻之間，那毒火就可爆燃，老身勢必被那毒火生生燒死不可。」

容哥兒歎口氣道：「那人想出這等惡毒手段，逼人為其效命，實在匪夷所思。」

黑衣老媼道：「因此，老身不得不聽他之命，任他擺佈，替他們看守門戶了。」

語聲一頓，接道：「因此，老身知道你們萬難是他之敵，包括俞若仙在內。唉！就算老身能夠解開身上的重重禁制，和他動手，也未必是他敵手。」

容哥兒道：「如若我們學會那天地劍法，是否可以勝他？」

黑衣老媼道：「可以，就老身所知，這套劍法，是唯一可以勝他的武功。」

江煙霞道：「學那天地劍法，大約需時好久？」

黑衣老媼道：「很難說，劍法奇在招數變化和陰陽配合，你們如若是才智絕人，也許三、五日即可學會。」

容哥兒和江煙霞對望了一眼，滿臉都是困惑、茫然神色。

如是那黑衣老媼，提出其他的條件，兩人都會毫不猶豫地答應下來，但要兩人結做夫婦，使兩人都有著尷尬無比之感。

但聞那黑衣老媼輕輕歎息一聲，道：「孩子們，趁現在，他正在入定時間，你們早些退回去吧！」

江煙霞道：「怎麼？老前輩可是改變了心意？」

黑衣老媼道：「我已經說得明白，你們無法習那天地劍了。」

江煙霞道：「如是我們願結為夫婦呢？」

黑衣老媼搖搖頭道：「那也不行。」

江煙霞道：「爲什麼？」

黑衣老嫗道：「習那天地劍法，並非只要夫婦之名，而是要兩情相悅，兩心相投。如若兩位只是爲了想學那天地劍法，答應結做夫婦，不但無法發揮那絕學的威力，而且也將和老身一般地落得終身痛苦。」

江煙霞不自覺地轉臉望了容哥兒一眼，只見他肅容而立，劍眉朗目中，流現一股堅強、飄逸的氣度。她和容哥兒數度晤面，但始終沒有仔細地看這容哥兒一眼，那時只覺是一位俊美人物，此刻卻又感到他俊美中，另有一番不可屈辱的剛正之氣。

這一剎那間，江煙霞古井死水般的心田中，突然間，微波泛動。

黑衣老嫗又道：「那天地劍法，必須要兩人同時習練，而且又非要一男一女不可，老身想了十餘年，仍然想不出道理安在。」

江煙霞突然回過臉去，望著容哥兒說道：「容兄，你可要學那天地劍法嗎？」

言下之意，那無疑是已然答允嫁容哥兒了。

容哥兒輕輕歎息一聲，道：「在下武功能夠配合姑娘嗎？」

黑衣老嫗接道：「你們不能這樣湊合，而是要真真正正地做爲夫妻，兩心相投，才能把天地劍法的威力，發揮出來。」

江煙霞黯然一歎道：「我習道入魔，落下一臉病容，只怕難以匹配容公子。」

容哥兒道：「你雖然面帶病容，但卻無法掩去你天生的麗質。」

黑衣老嫗接道：「不錯啊！你這娃兒很有眼光，一旦她病容恢復，舉世間，恐怕再也找不出比她更美的女子了。」

江煙霞才慧絕世，但她究竟是女人，心中何嘗不爲自己的容貌擔憂？只不過她平日裏把憂慮深藏內心，不形諸於外罷了，此刻提到，亦不禁感慨萬千，苦笑一下，道：「只怕這一生很難恢復了。」

黑衣老嫗道：「孩子，別灰心，只要你肯練天地劍法，臉上的病容很快就可以恢復。」

江煙霞是何等聰慧之人，如何會聽不懂弦外之音，心知那老嫗明指習劍，實在是指她和容哥兒做爲夫婦之後，才可能恢復容貌。

黑衣老嫗目光轉到容哥兒臉上，道：「人家姑娘已答應了，小娃兒你怎麼說？」

容哥兒道：「那天地劍法，確能有助於武林大局，在下……」

突聞噹噹噹三聲鐘響，傳了過來。

那黑衣老嫗神色一變，突然揚手一揮，掌風熄去了室中火燭，道：「兩位快些藏起。」

江煙霞看她如此緊張，心知有了大變，低聲道：「這石室沒有隱藏之處，有何處好藏？」

黑衣老嫗道：「只有一處，可供你們藏身之用。」

江煙霞道：「什麼地方？」

黑衣老嫗道：「老身這黑裙之下。」

江煙霞低聲說道：「容兒，事情非比尋常，還望容兄通權達變。」

牽著容哥兒的右手，一齊躲入那黑衣老嫗大裙之下。

就在兩人剛剛躲好身子之時，突聞一陣軋軋之聲，傳入耳際。

一側石壁間，突然裂出一座門戶，兩個手中執著紗燈的女婢，當先而行。

江煙霞低聲對容哥兒道：「容兄，不能掀裙偷看，免得露出破綻。」

容哥兒用傳音之術答道：「這黑裙布孔，已隱隱可見外面情景了。」
江煙霞也用傳音道：「外明我暗，只要咱們不使裙袂飄動，大概就不致被他們發覺了。」
容哥兒點點頭，不再答話。凝目望去，只見兩個執燈女婢之後，緩步行出來一位青衣老人。
那老人臉上戴著面罩，顯然，在這等隱秘所在，他也不願被人瞧出真正的面貌。
只見那黑衣老嫗說道：「金姥姥見過吾主。」
那青衣老人冷淡地說道：「你身體有殘疾，不用拜迎了……」
語聲微微一頓，接道：「有人來過，是嗎？」
黑衣老嫗道：「不錯。」
青衣老人道：「來的是什麼人？」
黑衣老嫗道：「萬上門主俞若仙。」
青衣老人道：「她人現在何處？」
黑衣老嫗道：「已爲兩位護法真人擒至水宮去了。」
青衣老人道：「適才本座聞得前面幾位關主，不停地傳入警號，想是又有人進來了。」
黑衣老嫗道：「想是那人還未行到此地……」
青衣老人淡淡一笑，道：「他們早晚要到的，除非已死在那狹窄的斷魂道上。」
黑衣老嫗道：「是的，那設計險惡的斷魂道上，不論武功何等高強，都不能通過。」
青衣老人突然哈哈一笑，改變了話題，道：「我把你囚禁於此，替我看守門戶，不知你心中感覺如何？」

黑衣老嫗道：「老身心中很快樂。」
青衣老人冷笑一聲，道：「這個麼？老夫就很難相信了，老夫希望你能講實話。」
黑衣老嫗道：「初被禁時，老身心中確是充滿了忿恨。」
青衣老人哈哈大笑，道：「老夫所用之人，大都是心中對老夫懷恨甚深的人，但他們經過一段很長時間的磨練之後，心中的忿恨已然逐漸消去，慢慢地安於現狀了。」
這當兒，突然又聞得幾聲鐘鳴，傳了過來。
青衣老人突然一皺眉道：「回宮。」突然轉身，又從那壁門中行了回去。
又聽得一陣軋軋之聲，傳入了耳際，那大開的石門突然又密合起來。
良久之後，才聽那黑衣老嫗道：「你們出來吧！」
容哥兒當先跳出，長長吁一口氣道：「老前輩，那人是誰？」
黑衣老嫗金姥姥，道：「此地主人。」
江煙霞隨後跳出道：「一天君主？」
金姥姥道：「我們都稱他宮主，至於他在江湖上用什麼名字，那就不知道了。」
江煙霞道：「此地門戶森嚴，他爲什麼還要戴面具呢？」
金姥姥道：「他不願老身等瞧出他的真正面目。」
江煙霞柳眉微顰，思索了一陣，道：「他是常住在此地水宮之中？」
金姥姥道：「不常住在此地，但他有個替身在此，他還認爲我們未瞧出來呢！」
江煙霞道：「他常常來此地嗎？」
金姥姥道：「不常來此，有時一隔半年之久。」

江煙霞道：「容晚輩放肆問上一句，老前輩和他見面不多，又怎知他有替身？」

金姥姥笑道：「問得好，孩子，你很細心……」

語聲微頓接道：「如果他本人到此，必然問東問西，但如非他本人，即是一語不發。」

江煙霞道：「就此一點證明嗎？」

金姥姥道：「同一個人，有兩種不同性格，一個好大喜功，詞鋒犀利，一個沉默寡言，冷服旁觀，似乎是大不可能，何況，他們那不同的眼神，也無法欺騙我。」

江煙霞沉吟了一陣，道：「晚輩決心修習那天地劍法……」

金姥姥道：「那很好……」

目光轉到容哥兒的臉上道：「你是否願學呢？」

容哥兒點頭應道：「晚輩也願修習，但不知需要多少時間，才能學成？」

金姥姥道：「就你們才質而論，都是上上之選，但你們何時能夠習成，那就要看你們心意是否堅誠了。」

江煙霞道：「我們既願意習劍，自然會全力以赴。」

金姥姥道：「老身之意，不是指習劍之事。」

江煙霞臉上一熱，道：「那你是說什麼啊？」

金姥姥正容說道：「天地劍法，實是劍術中，至高的奇學，其奧奇之處，全在兩情相依、互信互愛中發揮出來。所以，它無法流傳廣泛，一是因為美質難求，二是見得美質，還要一男一女，年齡相當，而且，又要心心相印、兩情交融。這些條件使天地劍法在武林中流傳，也使它時時有失傳之慮……」

她似是自知解說了半天，還未說到正題，急急轉彎，接道：「如因你們誠心相愛，一意融合，就老身觀察，多則半月，小則十日，你們就可雙劍合璧，對付強敵，如是心存隔閡，兩情漠然，學上三個月，甚至於三年五載，也是學不到劍法奧妙所在。」

江煙霞道：「世間有這等神奇的劍法，神奇的情事。」

金姥姥道：「老身初習此劍時，也和你有同感，覺得此事幾近神話，但修習之後，才知是絕對的真實。當初那創出這套劍法的人，不是一對恩愛逾恒的夫婦，就是一對相愛深刻的情侶。」

江煙霞道：「現在，我們都答應修習此劍了，不知還要辦些什麼事情？」

金姥姥道：「第一，你們要在老身見證之下，結做夫婦……」

江煙霞吃了一驚，接道：「老前輩之意，可是說，我們就在此地結做夫婦？」

金姥姥道：「不錯啊！」

容哥兒也爲之呆了一呆，心中暗道：「難道要把此地當做花燭洞房嗎？」

但聞金姥姥接道：「在老身見證之下，先要你們有了夫婦之名，此地形勢不同，自然可免去洞房花燭。」

江煙霞暗暗舒一口氣，忖道：「還不算太過強人所難。」

金姥姥眼看兩人都不發問，只好接道：「你們有了夫婦之名後，有很多劍招，學起來，才不會有彆扭之感。」

這樣，容哥兒和江煙霞，在那石室中，相從金姥姥練習起天地劍法來。

每日午時，有人送飯一次，給金姥姥食用，只是一人的飯菜，卻分作二人食用，每當那送飯人到此之時，容哥兒和江煙霞都躲到金姥姥的大裙之下。

習劍第一日，容哥兒和江煙霞都還覺不到這天地劍法有何奇奧之處，也覺不出為什麼一定要有夫妻名份之後，才能習練這「天地劍法」。

但過了三日，兩人觀念，隨之改變。

原來，兩人劍招熟悉，才覺得學這一套劍法，每人各占一半，單獨對敵，根本無法施用，必得兩人合用，才能克敵致果，其中有幾招險惡的劍法，也是全劍中精奧所在，必得有甘為情死的決心，才能施展出手。

七日匆匆而過，容哥兒和江煙霞，在七日習劍之中，不覺間滋長了深摯的情苗。

那夜，兩人相偎而坐，雖未說過一句情話，但那交投雙目中的情意，實是無語勝有言。

第八日，金姥姥要兩人再習練一遍劍法，大為驚訝，沉吟了良久，道：「孩子，你們已情愛交流，彼此心許，劍法到此，已至巔峰，老身也無法再教你們了。記著，不論何等情境之中，都別分開，分則死無葬身之地，你們可以去了。」

四十　將軍謀反

江煙霞這幾日和容哥兒相處，確然已生情愫，聞言頓生羞意，雙頰飛紅，偷偷瞧了容哥兒一眼。

容哥兒輕輕歎息一聲，道：「老前輩是說我們可以進入水宮去了？」

金姥姥道：「不錯，老身替你們打開暗門。」

江煙霞心中暗道：「我和容郎在此練劍八日之久，竟然未被發覺，看來，此地之中的戒備，實也不算森嚴。」

思忖之間，只見那金姥姥石椅轉動，行向石壁一角。原來金姥姥坐的石椅之下，還裝有小輪。

金姥姥舉起右手，按動壁角機紐，果然有一座暗門，應手而開，說道：「孩子，從這裏下去，就可通達水宮，個中詳細情勢如何，老身知曉不多，你們小心一些。」

江煙霞道：「晚輩們必將設法找到控制毒火的機關，解除老前輩石椅中的禁制，設法使老前輩離開此地。」

金姥姥道：「老身最大的心願，就是把那天地劍法，傳諸於世，已在你們身上完成，希望你們百年好合，雙劍合璧，在武林中獨樹一幟，使這套劍法揚名於江湖之上。至於能否救得老身，那已非重要之事了。」

江煙霞道：「晚輩們將竭盡心力。」

容哥兒抱拳一揖，道：「晚輩們去了。」當先進入暗門，江煙霞緊隨容哥兒身後而入。

金姥姥一鬆手，那暗門突然關閉起來。

暗門內是一條曲折的甬道，每個轉角處，都燃著一個琉璃燈。

江煙霞打量了甬道情勢一眼，道：「此地似是已經到了重要所在，咱們不能大意。」唰的一聲，抽出長劍，分給了容哥兒一支。

原來，金姥姥把一柄同鞘的雙股劍，也贈送了兩人。此劍構造極是精巧，合則可做一劍施用，分則可做兩劍對敵。

容哥兒接過長劍，搶前一步，道：「在下替姑娘開道。」

江煙霞道：「什麼姑娘姑娘的，好像我們剛剛認識似的？」

容哥兒微微一笑，道：「那怎麼稱呼？」

江煙霞一顰柳眉兒，道：「叫我大姐姐啊！」

容哥兒道：「那怎麼成，我年紀比你大。」

江煙霞微微一笑，道：「那你就隨便叫吧。」

一側嬌軀，又搶在容哥兒的前面，接道：「還是由我帶路。」

容哥兒也不再爭執，緊隨在江煙霞身後而行。

江煙霞心中知曉此時此地，隨時可以遇上強敵施襲，是以行動之間，十分小心，仗劍倚壁，緩緩而行。

兩人轉過了兩條甬道，瞥見轉彎處，人影一閃，一個身著黃色衣服，腰佩長劍的大漢，快步行過來。

這甬道兩側，都是光滑的石壁，多盞琉璃燈照射之下，十分明亮，容哥兒等要想閃避，已自不及。那黃衣大漢似是未料到，會有人混入此地，一時之間，也不禁爲之一呆。

江煙霞一拱手，道：「借問兄台？」人卻快速絕倫地舉步，直欺過去。

黃衣大漢口中應道：「你們是何身分……」話出口，同時發覺到江煙霞的來意不善，伸手拔劍。

江煙霞舉動奇快，不容那大漢長劍出鞘，手中長劍已然刺入那大漢前胸。右手同時遞出，點中那大漢的咽喉。

容哥兒緊隨而到，低聲讚道：「好快的劍法！」

江煙霞不理容哥兒的稱讚，卻低頭打量那黃衣大漢一陣，道：「這人用黃絹製成勁裝，江湖上倒是甚少聽聞，這黃色衣著代表著什麼呢？」

容哥兒沉吟了一陣，道：「不錯，確實有些奇怪。」

江煙霞回顧了容哥兒一眼道：「這地方藏身不易，唯一的接近之法，就是設法改裝，這人衣服，只怕是大了一些。」

容哥兒已然知她心意，當下說道：「不要緊，將就一些。」

江煙霞道：「你先換過，我替你把風。」舉步行向甬道轉角處，執劍戒備。

容哥兒匆匆脫下那人外衣穿好，行向江煙霞道：「那屍體要如何處理？」

江煙霞道：「快快熄去前面幾盞琉璃燈，把屍體放在暗處，你衣服上染的血跡，設法把它隱起。」

容哥兒手腳甚快，也不過片刻工夫，已然做妥。

江煙霞打量了容哥兒一眼，道：「不太像，但也沒有法子了。」

這當兒，突聞得一陣步履之聲，傳了過來。

江煙霞低聲說道：「有人來了。」

容哥兒輕巧地移動身軀，緊靠在石壁下。

但聞步履聲越來越近，一個黃衣人，急步轉過了彎子。江煙霞早已有備，左手陡然點出。那黃衣人驟不及防，吃江煙霞一指點中了肩頭穴道。容哥兒左手探出，抓住了黃衣人的身子，不讓他摔倒下去。

容哥兒細看了那黃衣人一眼，笑道：「天助我們，這人瘦小多了。」

江煙霞迅快脫去那人外衣，解下頭巾，容哥兒卻提起那人，送向前面熄去燈火的甬道中。那大漢雖然未死，但因啞穴被點，身不能動，口不能言，那是和死去無異了。容哥兒回到原地，江煙霞也穿好了衣服。

江煙霞望了望自己的衣服一眼，道：「咱們衣服，都有些大，稍微細心一些的人，都不難看出破綻……」

容哥兒接道：「那要如何？」

江煙霞道：「使他們無法細看，無暇思索。」

容哥兒道：「那要如何才成？」

江煙霞道：「咱們發出警號，使他們陷入慌亂中，就無法注意我們的真偽了。」

容哥兒道：「如何一個發警法？」

江煙霞笑道：「這就要咱們仔細查看了。」

容哥兒沉吟一陣，道：「有了，咱們設法擊熄琉璃燈，一定可引起他們注意。」

江煙霞道：「我想在這石壁之間，定然有一種報警的設備，只是咱們沒有法子找著而已。」

語聲一頓，道：「既然如此，只好退求其次了。」

容哥兒微微一笑，也不答話，舉手一劍，擊落了一盞琉璃燈。兩人沿兩側石壁而進，凡是經過琉璃燈時，就舉劍擊去。兩人轉過了幾條甬道，一連擊熄了十餘盞琉璃燈。

江煙霞突然停下了腳步，道：「情形有些不對。」

容哥兒道：「什麼事？」

江煙霞道：「第一，這裏建築很奇怪，每隔丈餘就要轉一個彎。」

容哥兒點點頭，道：「不錯。」

江煙霞道：「第二，這裏防備太鬆懈，疏忽得有些不近人情，目前情勢，只有一個解釋，他們已經知曉我們到此，有意地讓我們深入。」

容哥兒道：「但我們已然到了此地，總不能半途而廢，退出此地。」

江煙霞道：「不錯，我們必須一查究竟，雖然可能要落入陷阱，那也是無可奈何的事了。」

突然微微一笑，道：「在那金姥姥主持之下，咱們已經有了夫妻的名分，今日咱們戰死此地，也不算孤鬼遊魂了。」

容哥兒道：「你好像毫無信心。」

江煙霞輕輕歎息一聲，道：「是的，本來，我生性很自負，第一次走火入魔，受了很大的挫折，但沒有使我改變；這一次被迫當了一天君主之後，才使我感覺，天下才智武功，高過我的人，實在很多，尤其習過天地劍法之後，我覺得自己突然變得膽小了。」

容哥兒道：「爲什麼？」

江煙霞道：「也許因爲我有了丈夫。」

容哥兒微微一怔，道：「這話當真嗎？」

江煙霞嫣然一笑，道：「誰知道呢？反正我過去天不怕、地不怕，此刻卻突然變得膽小起來？」

容哥兒突然歎息一聲，道：「我身世不明，才智、武功，更是難以和你比擬，你如真的嫁給我，對你而言，實在太委屈了。」

江煙霞道：「委屈的是你，像你這樣瀟灑、英俊的人，娶一個滿臉病容的人，終日裏相對相依，不覺得很討厭嗎？」

容哥兒微微一笑，道：「那金姥姥說過，假以時日，你臉上病容即將消退。」

江煙霞接道：「如若它永不消退呢？」

容哥兒道：「那也沒有什麼妨礙啊！我將會更爲小心的善待於你。」

江煙霞臉上泛現一抹羞喜的笑意，道：「但願你心口如一。」

兩人情意綿綿邊談邊走，似是忘卻了置身於險惡之地。

突然間，響起了砰然一聲，似是一件極重之物，跌落在實地之上。回頭看去，只見那轉角口處，跌落一塊又厚又重的鐵門，封住了兩人退路。

江煙霞哦了一聲，道：「該死，我該早想起來這轉角處有門戶才是。」

容哥兒淡淡一笑，道：「想起來，也是無用，這條甬道中轉角之處甚多，咱們已經過了十幾重門戶了。」

語聲甫落，突聞一個冷漠的聲音，傳了過來，道：「兩位已經傷了我們兩個人，正好兩命抵兩命，互不虧欠。」

容哥兒、江煙霞齊齊望去，只見一身著黃袍，手執金刀的大漢，帶著四個黃衣勁裝人，攔住了去路。四個黃衣人，手中各執著一柄長劍，分排在那黃袍大漢身後。

容哥兒打量那黃袍大漢一眼，只見他黃袍前胸之上，繡著一條金龍。那金龍似是真正的金片串成，看上去燦然生光。

容哥兒不理那黃衣大漢，卻回頭對江煙霞道：「這些人穿的衣服很怪，似是仿照皇宮內苑衣服顏色。」

江煙霞道：「一天君主躲在這隱秘地方，大過他皇帝的癮頭。」

只聽那黃袍人怒聲喝道：「兩位很膽大，好似根本未聽到本座的問話。」

江煙霞望了容哥兒一眼，道：「你跟他談吧。」

容哥兒看他手中金刀，似是極爲沉重，心中暗道：「這人的臂力大概不小。」

唰的一聲，拔出長劍，冷冷說道：「閣下手中這柄金刀，看來份量不輕，但不知刀法如何？」

黃袍人冷笑一聲，道：「看來，閣下的膽子不小。」

舉手一揮，兩個身著黃衣的大漢，突然一跳而上，也不講話，雙劍並出，分左右向容哥兒刺了過去，容哥兒長劍遞出，左右搖動，噹噹兩聲，把兩個人的兩柄長劍應聲震開。長劍一抖，閃起兩朵劍花，分向兩位勁裝黃衣大漢刺去。兩個黃衣勁裝大漢，被容哥兒快劍分攻，逼得各自退了一步。容哥兒一劍得手，立時展開反擊，唰唰一連八劍，分向兩人擊去。兩個黃衣大漢又連退數步。

這條甬道，寬不過數尺，三人動手，已把甬道占滿。兩個黃衣勁裝人被容哥兒快劍逼得向後退去，那黃衣人也被逼得向後倒退。

黃衣人怒聲喝道：「你們兩個給我讓開。」

兩個黃衣勁裝人雖想抽身而退，但容哥兒劍勢盤絲繞索，想獨身避開，亦是有所不能。被容哥兒迫退了一丈多遠，到了一處轉彎所在，兩人才借勢退下。

黃衣人金刀一橫，放過兩人，迎著容哥兒，道：「閣下武功不錯啊！」

容哥兒也不答話，長劍一起，直刺過去。那黃袍人金刀一揚，噹的一聲，震開了容哥兒的長劍。那金刀看上去十分沉重，但那黃袍人卻似有強大無比的臂力，舉重若輕，極是神速。

容哥兒和他兵刃相觸，只震得右腕發麻，不禁吃了一駭，暗道：「這人內力強勁，實是一個勁敵。」

只見黃袍人金刀一揮，一招「泰山壓頂」直劈下來。容哥兒不敢再硬接他的刀勢，縱身避開，手中劍「回風拂柳」，斜裏掃出一劍。黃袍人金刀急收，「力屏天南」向外推出，封擋容哥兒的劍勢。容哥兒挫腕收劍，避開金刀，揮劍連攻三招，雙方立時展開了一場激烈的搏鬥。

負。

容哥兒以劍招輕巧靈快見勝，黃袍人卻以刀勢沉重見長。雙方鬥了十餘回合，仍是不分勝

江煙霞冷眼旁觀，看那黃袍人刀勢猛惡，容哥兒雖然可以應對，未有敗象，但纏鬥下去，卻一時間難以分出勝負。

當下說道：「容哥哥，我們施用天地劍法，對付他們如何？」

容哥兒知她怕傷害到自己，當下說道：「好啊！咱們試試那天地劍法的威力如何？」

江煙霞應了一聲，拔劍而上。她有心試試那天地劍法的威力，是以一出手就施出了天地劍法。容哥兒微微一笑，劍法也隨之一變。雙劍合璧，兩情融一，攻勢頓然銳不可當。

兩人用出天地劍法之後，才覺出這劍法，果然有不可拒擋的威勢。那黃衣大漢手中金刀，左拒右擋，立時顯出了手忙腳亂。不到五回合，刀法已然大變，全身破綻百出。江煙霞目注容哥兒，多情一笑，唰的一劍，刺中那黃衣大漢的右臂。

容哥兒道：「好劍法。」

劍勢一轉，刺中了黃衣大漢的左腿。那黃衣大漢連中兩劍，血如泉湧，右臂中劍之後，手中金刀，更有沉重之感。

容哥兒冷笑一聲，道：「閣下還不棄刀嗎？」

黃衣大漢還未來得及答話，右腿上又中了江煙霞一劍，噹的一聲，金刀落地。容哥兒一上步，劍尖一閃，抵在黃衣大漢的咽喉之上。

江煙霞急急說道：「不要殺他。」

容哥兒手腕微振，劍花閃動，割破了那黃衣大漢的衣服，笑道：「不會殺他……」

劍光在那黃衣大漢胸前肌膚之上，劃了一個圈子，笑道：「閣下如若不想死，只有回答我們的問話。」

那黃衣大漢身後幾個穿著勁裝的大漢，眼看著首腦受制劍下，不敢出手，呆呆地站在那裏。

江煙霞冷笑一聲，接道：「我知道你可能受了很嚴厲、惡毒的禁制控制，不敢隨便說話，是嗎？」

黃衣大漢神情木然，望了江煙霞一眼，仍是一語不發。

江煙霞輕輕歎息一聲，道：「閣下能使用這等沉重的金刀，自非無名之輩，受制於此，爲人奴役，恐也非內心之願。」那黃衣大漢緊咬牙關，仍是一語不發。

江煙霞輕輕歎息一聲，道：「男子漢，大丈夫，如若終身爲人奴役，只怕比死亡的痛苦還要深刻一些。」

這兩句攻心之言，果然十分厲害，那黃衣大漢忽然歎息一聲，道：「姑娘說得不錯，在下如若終身受人奴役，還不如早些死去的好，你們只管動手吧。」

江煙霞道：「你既想開了生死之結，自然是應該恩怨分明，一個人連死亡都不害怕，似乎是再無可怕之事了，但你應該明白，那奴役你已多年的人，不是我們，你既然連死都不怕，似乎再不用替他保守隱秘了。」

黃衣大漢沉吟一陣，歎道：「在下想勸兩位一句話。」

江煙霞道：「我們洗耳恭聽。」

黃衣大漢道：「兩位的時間，已經不多了，但還來得及生離此地，在下死定了，你們放了我，我也無法再活下去，人之將死，其言也善，就算盡告所知，兩位也是無法生離此地，知道了一些內情，又有何用？」

江煙霞道：「這個閣下可以放心了，我們來此之時，已把生死置之度外。」

黃衣大漢搖搖頭，道：「兩位武功誠然高強，但比在下，也不過稍勝一籌而已，但區區在此，只不過一個二等金刀護衛，在下之上，還有一等金刀護衛，以及四大將軍，就依兩位的武功，想生離此地，實非容易的事了。」

江煙霞道：「四大將軍，這稱呼武林倒是罕見罕聞啊……」

突然間，一陣清亮的鐘聲，傳了過來。

黃衣大漢突然伏身抓起金刀，道：「兩位不肯聽信在下，恐要後悔莫及了。」突然舉刀橫頸，自刎而死。

站在黃衣大漢身後的勁裝大漢，突然轉過身子，向後奔去。

容哥兒望著那橫躺在地上的黃衣大漢屍體，問道：「這是怎麼回事啊？」

江煙霞低聲說道：「他未能暢所欲言，就急忙橫刀而死，那是說，有一種比死亡更可怕的感受，控制了他。」

容哥兒低聲道：「難道世間真有比死亡更可怕的事嗎？」

江煙霞道：「有，有很多事比死亡可怕，唉！人，有時並非爲己而生。」這兩句話，語含禪機，只聽得容哥兒似懂非懂。

但聞鐘聲急響，連鳴九聲。突然，眼前一黑，前面高燃的琉璃燈，忽的熄去。甬道中忽然黑了下來，伸手不見五指。

江煙霞突然向容哥兒側身靠去，口中低聲說道：「容郎，咱們此刻，已經陷身絕地，求生之路，只有一途可循。」

容哥兒道：「哪一條路？」

江煙霞低聲說道：「合力同心，共禦強敵，不過，你要聽我的話。」

容哥兒微微一笑道：「好吧！聽你吩咐就是。」

江煙霞長劍護胸，道：「你隨在我後面。」緩步向前行去。

突然間火光一閃，一個火球，拋了過來，落在兩人身前數尺之處。

緊接著，響起了一個冷漠的聲音，道：「兩位能夠深入此地，十分難得，十幾年來，除了我的屬下之外，從無一人，能得自由地行入此地。」

縱聲大笑了一陣，道：「因此，老夫對兩位到此之舉，感覺到十分新奇。」

江煙霞道：「你是一天君主？」

又是一聲陰沉的大笑，傳了過來，道：「隨便你們怎麼稱呼老夫都好。」

江煙霞心中一動，暗道：「這人口氣，似乎是此地主人，但語聲之間，似是又不承認是一天君主。」

心中念動，口中卻說道：「你準備如何對付我們？」

那陰沉的聲音道：「老夫想和你們談談，不過……」

江煙霞道：「不過什麼？」

那陰沉的聲音道：「不過，你們得棄去手中兵刃。」

江煙霞回顧了容哥兒一眼，低聲說道：「咱們如若放下兵刃，那就無法施用天地劍法對付他了。」

容哥兒道：「咱們如若不放下兵刃，那就無法接近於他了。」

江煙霞道：「你的意思是咱們放下了兵刃？」

容哥兒道：「情勢逼人，也只有如此了。」

江煙霞大聲道：「好！但我們也有一個條件。」

那陰沉的聲音縱聲大笑起來，歷久不絕。

容哥兒怒道：「你笑什麼？」

那人應道：「這多年來，老夫沒有聽過有人對我如此說話了，因此，覺得很可笑……」

語聲一頓，接道：「你說吧！什麼條件？」

江煙霞道：「我們棄去長劍，但你可要答應不動武……」

那聲音呵呵大笑一陣，接道：「可以，但你們要聽老夫的話，如果是太過激怒於我，那就不同了。」

江煙霞道：「你錯了，我們並不是怕你動武。」

那聲音愕然說道：「不是怕我動武，那又為何要求老夫不許動武呢？」

江煙霞道：「我只是和你君子協定，如要動武，必得先還給我們長劍。」

那陰沉的聲音應道：「很公平，老夫答應你們……」

停了一停，接道：「現在，你們可以帶著兵刃，走到一座金黃色的大門面前，然後，放下兵刃，記著那裏沒有人提醒你們，你們自行放下兵刃，然後走進去。」

江煙霞道：「然後呢？」

那陰沉的聲音接道：「老夫在那裏等你們，那裏雖然戒備森嚴，但你們只要丟棄兵刃行去，就不會有人干涉你們，如你們不遵規定，帶著兵刃而入，老夫就不保證你們的安全了，記著老夫的話，我去了。」

江煙霞道：「容兄，咱們去吧。」

容哥兒道：「你說那人是誰？」

江煙霞道：「我想不出來，咱們瞧瞧去吧。」兩人依言向前行去。

那熄去的琉璃燈，突然又亮了起來。

又轉過兩個彎子，果然到一座金色的大門前面。四盞黃紙糊成的氣死風燈，懸在門前，氣派十分宏偉。兩扇金色的大門，緊緊的關閉著。

江煙霞緩緩把手中長劍，放在地上，道：「容郎，放下兵刃，咱們不能失信於他。」

容哥兒依言放下長劍。

江煙霞舉手在門上敲了兩下，那金色大門突然大開。凝目望去，只見那金色大門之內，是一個廣大的客廳。整個的大廳，全部是金黃的顏色，金色的椅子，金色的紗燈，金黃色的龍榻之上，半躺半臥一個身著黃袍，繡著金龍的老人。下半身覆蓋著一條黃色被子。

四個身著黃衫黃裙的女婢，分列在那龍榻兩側。

江煙霞目光轉動，只見四周分站十二個黃衣大漢，每人手中都捧著一柄金刀。那龍榻上仰臥的黃衣老人，雖然明明知曉兩人行了進來，但一直躺著動也未動一下。

江煙霞打量四周形勢之後，目注龍榻說道：「我等如約前來。」

黃衣老人仍然躺著未動，說道：「替兩位佳賓看座。」

只聽兩聲嬌應，傳了過來，後面壁間，突然裂開了一個門戶。兩個少女緩步而出，每人手中捧著一個錦墩。

江煙霞仔細打量那兩個少女一陣，只見她們雖然生得面目端正，但臉上蒼白得不見一絲血色，想來是因久居地底，不見天日之故。二女放下錦墩，悄然退去。

只聽那身著龍袍的老人道：「既來之，則安之，兩位請坐吧。」

容哥兒和江煙霞經過這一陣時光之後，心中反而鎮靜下來。

江煙霞緩緩落座，道：「你是此地主人嗎？」

黃袍老人突然坐了起來，燭火下，面目清楚可見。

江煙霞、容哥兒看清楚了那黃袍人面目之後，都不禁為之一呆。原來，那黃袍人五官破裂，臉上疤痕累累，難看無比，世間最醜陋的男人，也沒有這等難看。

江煙霞定定神，還未來得及說話，那黃袍人已搶先開口。

黃袍人道：「不錯，老夫正是此地主人。」目光卻投注在容哥兒臉上，一眨不眨。

容哥兒只覺他投注在自己臉上的目光，有如利劍霜刀，直透肺腑，似是要看穿自己的內心，不禁呆了一呆，道：「你瞧什麼？」

那黃袍人突然舉手一擺，道：「你們都下去，未得我呼喚，不得擅自進來！」四個女婢，和四周金刀侍衛，齊齊躬身而退。

那黃衣老人雙目仍然盯注在容哥兒的臉上，輕輕歎息一聲，道：「孩子，你叫什麼名字？」

容哥兒道：「我姓容。」

黃衣老人又打量容哥兒一陣，醜怪的臉上，泛起一片很奇異的神情。

江煙霞心中暗道：「奇怪啊！他下令侍衛撤走，敵意全消，不知是何用心。他那般盯著容哥郎瞧看，神情若有無限隱痛，又是何意呢？」

心中念轉，口中卻說道：「老前輩，在下有事請教。」

黃衣老人轉過臉來，瞧了江煙霞一眼道：「什麼事？」

江煙霞道：「你這地下宮殿之中，囚禁著很多武林高人是嗎？」

黃衣老人愕然說道：「老夫沒有囚禁過人，在地下皇宮中人，都是我的屬下……」

仰臉大笑一陣，接道：「也都是十惡不赦的人，老夫把他們收集此地，為我所役。」

江煙霞「嗯」了一聲。

黃衣老人輕輕咳了一聲，道：「也許兩位不信老夫的話，唉！事實上，說出來，也難使人置信，不過，老夫說的卻是句句實言，我在這地下皇宮之中，佈置森嚴無比的禁制，收集一批無惡不作的劣徒，那也不過略減我一生所犯罪惡的十分之一。」

容哥兒聽得忍不住冷笑一聲。

黃衣老人奇道：「孩子，你笑什麼？可是不信我的話嗎？」

容哥兒道：「不信。」

黃衣老人道：「好！你倒說說看，為什麼不信老夫的話了？」

容哥兒道：「我們初到此地之時，見你之面，聽你口氣……」

黃衣老人哈哈一笑，接道：「原來為了這……」

語聲一頓，接道：「那是因爲，來到此地之人，大都不是好人，老夫對他們自是不用客氣了。」

江煙霞心中暗道：「這老人如此醜怪，必有怪癖，說的話如何能信？」

那老人似是已從江煙霞神色間，瞧出她心中所思，當下說道：「女娃兒，你可是覺得老夫長得很醜怪嗎？」

江煙霞打了一個冷顫，道：「如若老前輩不責怪，晚輩確有此感。」

黃衣老人哈哈一笑，道：「不錯，老夫攬鏡自照，也覺得醜怪得十分滿意。」

江煙霞道：「醜怪得十分滿意？」

黃衣老人道：「不錯，這是老夫的親手傑作，我想把自己變成世間第一醜怪的人，已經如願以償。」

江煙霞點點頭道：「原來如此。」

黃衣老人突然改變話題，道：「你們年紀不大，想來知曉的事不多，怎麼會跑到地下皇宮中來？」

江煙霞聽他話涉正題，自然打鐵趁熱，說道：「老前輩這個地下皇宮中共有多少人手？」

黃衣老人沉吟了片刻，道：「除了四大將軍之外，男的還有七十二個，女的有三十六人。」

江煙霞道：「爲什麼不算四大將軍呢？」

黃衣老人道：「因爲那四大將軍，個個都是滿腔熱血，仰不愧天、俯不作地的英雄豪傑，他們一個個都受著我無比的敬重，但除了四大將軍之外，餘下的人，男的都是武林中惡賊，女的是淫婦，老夫把他們關在此地，讓他們終年不見天日，而且以森嚴的規戒，束縛他們，稍有違犯，立時處死，十餘年來，老夫已處死四十一個男奴，十九位女婢。」

江煙霞心中一動，暗道：「聽他口氣，四大將軍是經常離開此地了。」

心中念轉，口中問道：「老前輩從不離開此地，這些惡人淫婦，又是何人擒他們來此呢？」

黃衣老人道：「四大將軍。」

江煙霞心中一動，道：「那是說這地下皇宮之中，只有四大將軍可以經常出入？」

黃衣老人道：「不錯，除了四大將軍之外，其他之人，都很難離此一步。」

江煙霞心中暗道：「如若這中間有什麼問題，那四大將軍的嫌疑最大了。」

輕輕歎息一聲說道：「那四大將軍在外面的舉動，老前輩是否很清楚？」

黃衣老人說道：「他們每次回來之後，都對我有很詳盡的報告，他們擄回之人，都有著詳細的記載，家住何處，今年幾歲，做何行業，爲惡事蹟，都有著很清楚的記明，那自然是不會錯了。」

江煙霞心中暗道：「此時此刻，我和他還不熟悉，自是不能交淺言深，直接說出那四大將軍涉嫌之言，必得用旁敲側擊之法，使他自然覺悟。」

心中念轉，口中說道：「老前輩這樣相信那四大將軍嗎？」

黃衣老人道：「那些人，都是我觀察很久之後，才選定之人，自然不會錯了。」

江煙霞道：「老前輩忽略了一件事。」

黃衣老人沉吟了良久之後，才緩緩說道：「什麼事？」

江煙霞道：「時間可以使一個人改變，好人可以變成壞人，壞人也可以變成好人。」

語音一頓，又道：「老前輩應該到外面瞧瞧，現在武林之中，正發生一場亙古未有的巨變。」

黃衣老人雙目眨動，顯然對這幾句話，甚感吃驚。

良久之後，才緩緩說道：「老夫這地下皇宮中，拘禁這麼多惡人淫婦，武林中應該清淨才是，爲什麼會有巨變？」

江煙霞道：「很多事情的變化，往往會出人意外，就拿老前輩說吧！你選擇四個最爲正直的人，要他們代你行道，把武林中爲非作歹之徒，拘回於此地之中，希望武林中，有一段安謐寧靜的日子好過。」

黃衣老人接道：「這正是老夫的用心。」

江煙霞道：「但情勢卻剛剛和你老人家想的完全相反，武林中此刻是一片混亂，而且混亂的程度，爲千百年來所僅見。」

黃衣老人接道：「亂必有原，原起何處呢？」

江煙霞道：「這個，就非晚輩所知曉了……」

語聲一頓，接道：「老前輩這幾年來，可是常常和四大將軍見面呢？」

黃衣老人沉吟了一陣，道：「只要他們留在這地下皇宮之中，每三天總要和我見面一次……」

輕輕咳了一聲，接道：「你這女娃口口聲聲不離四大將軍，難道那四大將軍和此刻的武林大變有關嗎？」

江煙霞道：「這個晚輩不敢妄言，但如四大將軍還在皇宮，晚輩希望能夠一見。」

黃衣老人道：「四大將軍，現在兩人在此，另外兩人因出未返。」

語聲一頓，接著道：「你這女娃兒極善心機，而且利口靈舌，句句話都能激動人心，使老夫連你的姓名也忘記問了。」

江煙霞道：「晚輩叫江煙霞。」

黃衣老人搖搖頭道：「沒有聽過。」

江煙霞道：「如若目前武林中正有大變，老前輩您是否肯出手解救呢？」

黃衣老人道：「那要看什麼人了？」

江煙霞道：「自然是好人了。」

黃衣老人點點頭道：「自然，老夫如若能夠解救，決不袖手旁觀。」

江煙霞道：「老前輩適才所言，四大將軍現有兩人在此，不知可否請出一會？」

黃衣老人道：「要你們見識一下也好。」

回頭高聲喝道：「去請兩位將軍來此！」

只聽一聲嬌應，傳了過來。

江煙霞道：「晚輩等見著兩位將軍時，不知該如何稱呼？」

黃衣老人道：「隨你們怎樣稱呼就是，我這地下皇宮中四位將軍，個個平易近人。」

江煙霞心中暗道：「就目下情勢而言，那四大將軍，應該是嫌疑最大的人，也許是四人合謀，那一天君主，乃四人合組的名稱，也許是其中一、二人的私自行動，但除了四大將軍，似是再無他人了。」

忖思之間，突然一個宏亮的聲音道：「平北將軍夏琪見駕。」

緊接著又響起一個威重的聲音，道：「平南將軍張超請安。」

黃衣老人輕輕咳了一聲，道：「兩位將軍請。」

只聽一陣軋軋之聲，南面壁間，裂開一座門，兩個身著紅袍的中年大漢，並肩行了進來。

江煙霞抬頭看去，只見兩個大漢，都在四旬以上的年紀，紅袍玉帶，赤手空拳而入。行近黃衣老人丈許左右處，齊齊撩袍拜倒。

黃衣老人道：「兩位將軍請起，我要替你們引見兩位朋友。」

兩人依言起身，打量了江煙霞和容哥兒兩眼，都是從未晤面之人，心中暗道奇怪，心想：「這兩人年紀不大，怎會認識王爺。」

但見那黃衣老人指著左面一人，說道：「這是平北將軍夏琪，那是平南將軍張超。」

江煙霞欠身說道：「見過兩位將軍。」

夏琪、張超齊齊拱手，道：「不敢當。」

目光轉到黃衣老人身上，道：「王爺召喚我等，不知有何吩咐？」

黃衣老人道：「這位江姑娘和容大俠，剛從宮外來。」

江煙霞道：「老前輩，晚輩想和他們兩位談幾句話，不知可否？」

黃衣老人道：「你儘管說吧，你心中想什麼，都可以說出來。」

江煙霞道：「謝老前輩……」

目光一掠夏琪，道：「夏大將軍，您可會用毒。」

夏琪搖頭說道：「不會。姑娘問此言，用心何在？」

江煙霞道：「隨便問問。」

目光轉到張超的臉上，道：「張大將軍是否擅長用毒呢？」

張超濃眉聳揚，不答江煙霞的問話，卻反問道：「姑娘先請說明問話用心，我再答覆姑娘之言。」

江煙霞呆了一呆，張口結舌，說不出話。

但聞那黃衣老人說道：「答覆她！不管她問什麼，只要你們能夠回答的，就據實回答她。」

張超似是不敢抗拒那黃衣老人之命，望了江煙霞一眼，道：「在下略通用毒之法，不過，很膚淺，只是稍有涉獵，人人都可以有此能。」

江煙霞微微一笑，道：「兩位將軍幾時回到這地下皇宮之中？」

張超道：「回來不久。」

江煙霞淡淡一笑，道：「目下江湖上的大變，兩位已經知曉了？」

張超道：「略知一、二，不過，不像姑娘說得那樣嚴重，未免是危言聳聽了。」

江煙霞說：「如何才算嚴重呢？」

黃衣老人聽到此處，突然接口說道：「江湖上有些什麼變化？……」

江煙霞暗道：「此刻，這個洞庭湖，已不知成何慘景，早說一刻，也許還有一絲希望……」

心中念轉，口中說道：「近年之中，江湖上崛起了一股邪惡的勢力，那勢力用意統治江湖黃衣老人道：「有這等事，那股邪惡勢力的主腦人物，是何許人物？」

江煙霞道：「沒有人知曉那人的真正姓名，只知他自號一天君主。」

黃衣老人道：「那人今年幾歲，是何模樣？」

江煙霞道：「他化身無數，出現江湖的身分，每次不同，因此他雖然鬧了很久的時間，卻無人知曉他的真正身分。」

黃衣老人道：「姑娘見過他嗎？」

江煙霞道：「夜色幽暗中見過一面……」

黃衣老人道：「他爲何要見你？」

江煙霞道：「不瞞老前輩說，晚輩就是那一天君主的替身。」

黃衣老人雖然聽得很清楚，但仍然忍不住問了一句，道：「什麼？」

江煙霞道：「晚輩是他的替身之一。」

黃衣老人道：「你是他的替身之一，那就是說他還有替身之二、之三了？」

江煙霞道：「也許他還有很多替身，但他每一個替身，都是按當時需要決定，才選擇適合他的替身。」

黃衣老人道：「嗯！此刻他做些什麼事？」

江煙霞道：「此刻，他已將如他謀霸江湖之願……」

黃衣老人道：「這等厲害嗎？難道那少林派和丐幫都坐視不管。」

江煙霞道：「包括了少林派和丐幫在內，都已經被他控制、掌握。」

黃衣老人道：「有這等事，實是叫人難以相信啊！」

江煙霞緩緩說道：「還有甚者，晚輩說出來，只怕老前輩也要大吃一驚。」

黃衣老人醜怪的臉色，滿布怒意，雙目盯注在江煙霞的臉上瞧著。

江煙霞心中忐忑不安，不敢多言。

足足過了一盞茶工夫，那黃衣老人臉色才逐漸緩和下來，說道：「老夫經歷過無數的大風大浪，不論何等大變，大約還嚇不倒老夫，什麼事？你說吧！」

江煙霞心中暗道：「原來他生性如此倔強，此後說話，要留心些才是，不能再刺傷了他。」

心中暗自警惕，口中卻說道：「此刻這地下皇宮之上，正雲集著天下大部分精英的高手……」

黃衣老人道：「那些人來此作甚？」

江煙霞道：「那一天君主舉行一個『求命大會』，天下英雄，都到此求命而來。」

黃衣老人目光轉到夏琪和張超臉上，道：「有這等事嗎？」

夏琪欠身說道：「屬下已半月未離地下皇宮，是否有此大變，還不清楚。」

張超接道：「屬下和夏將軍正在研究一種武功，也半月未離地下皇宮了。」

黃衣老人皺皺眉頭，目光轉到江煙霞的臉上，道：「你說的當真嗎？」

江煙霞道：「那『求命大會』，雖然開始不久，但那準備工夫，至少有半年之久，如若是稍微留心之人，半年前就可以瞧到徵兆了。」

黃衣老人冷笑一聲，道：「兩位將軍！」

夏琪、張超齊欠身應道：「王爺有何吩咐？」

黃衣老人道：「我對你們如何？」
夏琪道：「愛護有加。」
張超接道：「信任無比。」
黃衣老人道：「你們明白就好！」
語聲一頓，接道：「但如背叛了我定下的戒規的人，那將又該如何？兩位還記得嗎？」
夏琪道：「屬下怎敢忘記！」
黃衣老人道：「好！你說一遍給我聽聽！」
夏琪道：「七劍分屍而死！」
黃衣老人厲聲說道：「這位姑娘說的是真話，還是假話？」
張超、夏琪互望了一眼，齊齊說道：「屬下等不太知曉。」
黃衣老人冷笑一聲，道：「不知道？」
張超、夏琪齊聲應道：「是的，屬下等進入地下皇宮時，還未發現有何異狀。」
黃衣老人道：「如若這位姑娘說的實話，兩位將軍應該有所見才對，要不然就是這位姑娘說的謊言。」
張超道：「屬下立時出去查看一下。」說完話，突然站起身子。
黃衣老人道：「坐下！」
張超站起的身子，重又緩緩坐了下去。
江煙霞心中暗暗忖道：「看來這四大將軍定然和此事有關。」
只聽那黃衣老人說道：「夏將軍……」

夏琪站起身子，道：「王爺有何吩咐？」
黃衣老人道：「平東、平西兩位將軍，幾時回來？」
夏琪道：「大約要一個月的時間。」
黃衣老人道：「他們現在何處？」
夏琪道：「這個在下不知。」
黃衣老人道：「可否設法找他們回來？」
夏琪道：「屬下可以試放信鴿，找找看能否召回他們。」
黃衣老人道：「兩位可以走了。」
夏琪、張超，緩緩站起身子，欠身一禮，大步而去。
黃衣老人直待兩人去遠之後，才緩緩說道：「江姑娘。」
江煙霞道：「老前輩有何吩咐？」
黃衣老人目光望著屋頂，道：「你說，一個人生性，會不會變？」
江煙霞道：「權勢、欲望，最易使人改變生性。」
黃衣老人道：「也許老夫太相信他們了，這幾年來，我疏於查問。」
語聲微微一頓，接道：「你說的沒有誇張嗎？」
江煙霞道：「晚輩說得句句真實，絕無一句虛言。」
黃衣老人道：「老夫想親自去查看一下。」
江煙霞道：「晚輩奉陪，如若我說的有一句一字虛言，老前輩可以把晚輩立斃掌下。」
黃衣老人道：「唉！可惜老夫進入皇宮之時，曾經立下重誓，不離開地下皇宮一步。」

江煙霞道：「這就是老前輩唯一的弱點了，你不能離開地下皇宮，無法出去查看，他們只要欺瞞到底，那就成了。」

黃衣老人道：「如是情勢必要，老夫拚著違犯誓言便是。」

江煙霞低聲說道：「老前輩，此地談話方便嗎？」

黃衣老人突然哈哈一笑，道：「怎麼樣，你可認爲老夫，身受他們的控制嗎？」

江煙霞道：「十幾年的時間，不算大短，如若他們暗中佈置，應該是有著充分的時間。」

黃衣老人道：「我料他們還不敢。」

語聲微微一頓，接道：「不過，此事也不能不防。」

江煙霞道：「老前輩應該有很完全的準備才是。」

黃衣老人沉吟了一陣，突然站起身子道：「姑娘，你的武功如何？」

江煙霞道：「那要看和什麼人比較了。」

黃衣老人道：「和老夫比較呢？」

江煙霞道：「這個，晚輩只怕難及得了。」

黃衣老人醜怪的臉上一片嚴肅，緩緩說道：「老夫這些年來，一直沒有和人動過手……」

江煙霞接道：「所以，老前輩想和晚輩來試驗一下，是嗎？」

黃衣老人搖搖頭，道：「你只算猜對了一半。」

江煙霞道：「老前輩還請說明白一點吧。」

黃衣老人道：「很多年來，既無人和我動過手，也無人忤逆過我，甚至連個和我談話的人，也是沒有，因此，我很寂寞，就開始研習一種很奇怪的武功。」

江煙霞道：「老前輩，可是想在晚輩身上試試嗎？」

黃衣老人道：「那武功不傷人。」

江煙霞道：「不傷人的武功，晚輩還未聽過，不知是什麼武功？」

黃衣老人道：「攝心術，又叫移魂大法。」

江煙霞道：「晚輩倒是聽過這門武功，但不知老前輩要如何一個試驗之法？」

黃衣老人道：「我這地下皇宮中人，不是被藥物控制，就是被傷了經脈，實際上，除了老夫和四大將軍之外，再無一個正常的人。」

江煙霞道：「他們不能試驗。」

黃衣老人道：「必得正常的人才成。」

容哥兒突然挺身說道：「在下可以嗎？」

黃衣老人怔了一怔，道：「孩子，你很有豪氣，她是你的什麼人？」

容哥兒道：「妻子，這關係應該是很深吧。」

黃衣老人打量了江煙霞一陣，搖搖頭，道：「孩子，別騙我，她還是黃花閨女。」

容哥兒只覺臉上一熱，道：「我們已有夫妻之名，卻還沒有夫妻之實。」

黃衣老人哈哈大笑了一陣，道：「昔年老夫和人，只有夫妻之實，卻很少夫妻之名……」

這幾句話，只聽得江煙霞粉臉之上，登時泛起了一片紅暈。

那黃衣老人似是自知說錯了話，立時臉色一整，改口說道：「不論你們哪一個以身相試都好，老夫只是想證明我苦苦習練的武功，是否有著成就？」

江煙霞道：「慢著……」

黃衣老人接道：「怎麼？你可是不忍讓你的丈夫以身相試嗎？」

江煙霞道：「咱們和老前輩相識不久，老前輩也無意要求我們完全相信老前輩的話吧？」

黃衣老人道：「嗯，你說得很婉轉，但卻還未說出你的心意。」

江煙霞道：「晚輩已說得很明顯，我們不能以身相試你老前輩武功的成就；何況，你苦習的武功用出之後，有些什麼結果，目下還難預料。」

黃衣老人道：「你們如此不信任老夫，又讓老夫如何信任你們呢？」

江煙霞道：「老前輩目下心中作何打算？晚輩等並不了解。」

黃衣老人道：「如若你講的實話，老夫不能不對四大將軍心生懷疑，地下皇宮之中，能夠興風作浪的人，也只有四大將軍了。」

江煙霞道：「老前輩要如何處理此事呢？」

黃衣老人道：「老夫想先行制服此刻留在皇宮中的兩大將軍，使他們先行失去了反抗之能，再和你們同出外面查看，如若你所言屬實，老夫自當嚴刑逼供，使兩位將軍招出內情，然後，助你們解除天下英雄身受之毒……」

語聲一頓，醜臉上一片肅然，道：「老夫在制服兩位將軍的同時，你們兩位，也要同時為老夫所制，如若查看之下，兩位所言不實，老夫也將立時追取兩位之命。」

江煙霞緩緩說道：「所以，你想先借試驗之名把我們制服？」

黃衣老人道：「制服兩位，似是還用不著使用這番心機。」

江煙霞沉吟了一陣，道：「晚輩明白了。」

黃衣老人一皺眉頭，道：「你明白了什麼？」

江煙霞道：「因為老前輩自知這地下皇宮之中，個個對你，外表敬服，內懷怨氣，沒有可用之兵，沒有可信之人，所以，不會不未雨綢繆，早作準備，先使兩位將軍消失反抗之力。」

黃衣老人道：「你提醒老夫之後，老夫才想到，應該有一個完善的準備才是。」

江煙霞道：「但就晚輩所知，你這地下皇宮之中，並非是全無可用之兵。」

黃衣老人道：「你講的什麼人？」

江煙霞道：「兩個守衛大門的男人，和那守衛廳堂的婆婆。」

黃衣老人一皺眉頭，道：「你見過他們嗎？」

江煙霞道：「自然見過。」

黃衣老人道：「他們的武功如何？」

江煙霞道：「第一流的身手。」

黃衣老人道：「神智呢？」

江煙霞道：「神智清明。」

那黃衣老人似是很小心，又接口問了一句：「你怎知曉他們的神智清明？」

江煙霞道：「晚輩和他們交談過……」

語聲一頓，接道：「不過，他們都受著很嚴厲的控制，如若想借重他們，必得先設法解除身受的禁制才成。」

黃衣老人緩緩說道：「姑娘可否仔細一點，把他們身上的禁制說明白。」

江煙霞道：「自然可以……」

當下把所見經過之情，特別是那些人身受禁制的情形說了一遍。

黃衣老人很用心聽完之後，沉吟不語。
江煙霞一皺眉頭，暗道：「那機關埋伏，也被那四大將軍修改過了。」心中念轉，不禁打了一個冷顫，忖道：「這地下皇官，全是堅硬的石壁，那四大將軍如非有預謀，豈能如此從容的準備。看來，縱然有這黃衣老人相助，也不容易對付那四大將軍了。」
但聞那黃衣老人說道：「當年老夫建築這地下皇宮之時，並未設有什麼機關，只不過有著很堅厚的門戶。」
江煙霞道：「老前輩，可是說這地下皇宮中很多的建築，都非昔年你避來此地的原樣，那些機關埋伏，你已不知曉？」
黃衣老人點點頭道：「孩子，你們帶的兵刃呢？」
江煙霞道：「現留在室門之外。」
黃衣老人道：「好！你們去把兵刃取來。」
江煙霞應了一聲，急急奔出門外，凝目望去，哪裏還有兵刃呢？不禁心中一震，急急轉回室中，搖頭說道：「晚輩們兵刃已經不見。」
黃衣老人道：「你們使用的什麼兵刃？」
江煙霞道：「劍。」
黃衣老人點點頭，轉身行向臥榻。
只見那黃衣老人伸手揭開鋪在榻上的黃色墊子，抽出兩把寶劍，道：「你們試試看是否合手。」
江煙霞和容哥兒各執寶劍，在手上掂了一掂，覺得分量雖稍嫌重一些，但可勉強使用。

當下說道：「可以使用。」

黃衣老人道：「老夫並未下令要他們收去你們兵刃，但他們卻自行取去了你們的兵刃，這是不打自招的舉動了……」

語聲微微一頓，接道：「兩人叛意既明，老夫已別無選擇，我原想借兩位之一，試試老夫習練的武功如何，能否立見神效。此刻只好改變方式，直接在他們身上試驗了。」

江煙霞道：「如是晚輩推斷不錯，此刻他們已然有備……」

黃衣老人道：「這個老夫知道，但拖延時間，對他們更是有利了。」

江煙霞道：「正是如此，老前輩要立刻行動，先把留在宮中的兩位將軍制服，斷了內應，再行對外不遲。」

黃衣老人歎息一聲，道：「想不到老夫這般信任他們，他們仍然背叛了老夫。」

語聲稍停，高聲說道：「請兩位將軍進殿。」

黃衣老人說完話，又回到木榻之上坐下。

哪知，過了足足有一刻工夫之久，不但兩位將軍沒有現身，連個回話的人也沒有。

黃衣老人挺身而出，大聲吼道：「你們都死光了嗎？」

江煙霞急急說道：「老前輩，此刻不宜發怒。」

黃衣老人點點頭道：「不錯，老夫要鎮靜應變。」

語聲甫落，壁間一陣軋軋之聲，開現了一座石門。

夏琪、張超並肩而入，在兩人身後緊隨著八個身著黑色勁裝，背插鬼頭刀的大漢。

黃衣老人冷冷地望了夏琪和張超一眼，道：「你們要造反嗎？」

夏琪淡淡一笑，道：「如是王爺逼得我們別無選擇，那也只好造反了。」

黃衣老人一指那八個勁裝大漢，道：「那些人爲何不穿地下皇宮中規定的衣著？」

張超道：「因爲他們根本不是大王的人。」

黃衣老人道：「不是本座的屬下，是何人屬下？」

張超道：「大王一定要問，在下只好據實而言。這八位嗎？都是我和夏琪蓄養於此的死黨。」

黃衣老人突然平靜下來，哈哈一笑，道：「他們在地下皇宮中住了很久嗎？」

張超道：「是的，住了很久。」

黃衣老人醜怪的臉上，突然間一片冷肅，緩緩說道：「你們謀叛很久了？」

張超道：「大王聽信外人之言，對屬下生出疑心，我等爲了自保，不得不早作打算了。」

黃衣老人道：「我知道，先下手爲強，是嗎？」

夏琪接道：「事情逼迫我們如此，那也是沒有法子的事。」

黃衣老人冷笑道：「此刻之前，老夫對你們信任有加，你們爲何又蓄養死黨呢？」

夏琪道：「那要怪大王你了。」

黃衣老人怒道：「爲何怪我？」

夏琪道：「大王平日對待屬下的手段，太過殘酷，凡是入宮之人，不是被你點傷穴道，就是被你暗傷經脈，使他們身懷殘疾，而且若干年後，傷發而死，古往今來，從無一人如大王一般，對屬下這等冷酷、殘忍。」

黃衣老人冷冷說道：「好一個利口狡辯，老夫要你們外出江湖，替我行道，凡是大奸大惡的武林人物，才許押回宮中，這些人，自然都是死有餘辜之徒，老夫不殺他們，傷他們經脈、穴道，以觀後效，已是寬大爲懷了……」

夏琪淡淡一笑，接道：「我知道大王的用心，不過，大王傷人過多，使他們心懷怨忿，那也是不爭之事了。」

黃衣老人回顧了容哥兒和江煙霞一眼，目光又轉到夏琪的臉上，道：「此時此刻，爾等叛意已明，只怪老夫平日對你們太過信任，疏於查問，使你們坐收黨羽。」

張超道：「大主，可是覺得此刻已經晚了嗎？」

黃衣老人冷冷說道：「你們可是想逼迫老夫屈服嗎？」

張超道：「這個屬下倒是未存此念。」

黃衣老人道：「你們有何意圖，現在可以從實說來了。」

夏琪緩緩說道：「大王這般相問，屬下等自然不便相瞞了。」

黃衣老人道：「好！你們說吧。」

夏琪輕輕咳了一聲，道：「大王事情繁多，無暇聽咱們談話，咱們只有長話短說了……」語聲一頓，接道：「咱們希望大王安居地下皇宮，不要再過問江湖之事，但大王的生活，屬下等自會善作安排。」

黃衣老人淡淡一笑，接道：「你們要爲我安排什麼樣的生活？」

張超道：「自然是最豪華舒適的生活。」

夏琪道：「屬下已替大王選擇了幾個絕色美女，準備運入皇宮中來。」

黃衣老人道：「運入皇宮作甚？」

張超道：「做大王的妃子。」
黃衣老人道：「你們替我想得很周到啊！」
張超道：「大王如肯答允，不干預此事，在下等對大王，自然要保持著原有尊重。」
黃衣老人雙手互搓了一陣，緩緩揚起，道：「老夫帶你們四人到此之時，曾經告訴你們幾句話，你們還記得嗎？」
張超道：「自然記得，不過，那已是十幾年前的事了。」
黃衣老人道：「不錯，你們還記得老夫說的什麼？」
夏琪突然警覺，冷冷說道：「大王，可是在拖延時間嗎？」
黃衣老人道：「你們可是感覺今日之局，勝定了嗎？」
夏琪道：「大王是不見棺材不掉淚，不到黃河不死心了。」
黃衣老人道：「好！老夫給你們一個機會，你們先動手吧！」
張超舉手一揮，八個黑衣大漢，唰的一聲，抽出了鬼頭刀。
黃衣老人冷笑一聲，道：「很好，你先要他們出手試試吧？」
容哥兒、江煙霞突然一齊上步，攔在黃衣老人身前。
江煙霞道：「殺雞不用牛刀，老前輩留下氣力對付兩個首腦，這幾人由晚輩們對付了。」
黃衣老人點點頭道：「好，你們先試試吧！」
張超冷冷說道：「大王，當真是準備動手嗎？」
黃衣老人突然間閉上雙目，有如老僧入定一般，不再回答張超之話。
夏琪冷笑一聲，舉手互擊三掌。只聽八個黑衣人同時發出一聲長嘯，分由八個方位，撲向那黃衣老人。

江煙霞眼看刀光閃閃，分由四面八方襲來，但心中還在猶豫，容哥兒搶先出手，長劍探出，封住三個方位。

他用的正是天地劍法一招「海市蜃樓」，江煙霞不自覺地揮劍配合。

只聽一陣金鐵交鳴之聲，八把鬼頭刀，盡爲兩人劍勢震開。

容哥兒一劍得手，揮劍搶攻。

江煙霞只好配合容哥兒的劍勢，反擊過去。八個黑衣人雖然劍法精妙，但容哥兒和江煙霞施展了天地劍法，幾劍搶攻之後，立時反賓爲主，逼退了幾人。

黃衣老人突然睜開雙目，揚起一記劈空掌力，強猛的掌風，有如巨浪湧波，打開一條出路，閃身衝出。

那黃衣老人突圍而出之後，背手站在一側觀戰，也不出手相助。

容哥兒和江煙霞原爲那黃衣老人站在中間阻隔，劍招上的變化，大受影響，那黃衣老人讓開之後，兩人的行動方便不少，劍勢威力備增。原來，天地劍法施開後，江煙霞忽然覺得每擊出的一劍，都留了一個很大的破綻，如非容哥兒的劍勢，及時而至，塡補了那個破綻，這空隙，非被人家揮劍攻入不可。敢情這天地劍法，有著一種強烈的依屬性。

容哥兒一面揮劍禦敵，一面說道：「這套劍法果是奧妙，彼此相關相顧中，劍勢更具威力。」

江煙霞只覺心中一甜，道：「容郎，咱們和他們纏鬥下去，有百害無一利，還是早些給他們個厲害嘗嘗，傷他幾個人如何？」

容哥兒道：「很好啊。」

這兩人一面揮劍和八個大漢惡鬥，一面柔情蜜意地大談其情。但他們的劍勢，在綿綿情話中，反而更見凌厲。八個黑衣執刀大漢，久戰兩個不下，反而被迫落居下風，心中又急又氣，但因容哥兒和江煙霞劍招配合佳妙，八人心中一急，不再顧及配合之勢，各出絕招搶攻。

剎那間，刀光電閃，逼了過來。表面上看去，幾人各出絕招，攻勢大見凌厲，實則幾人配合陣勢一亂，反給了容哥兒和江煙霞以可乘之機。

搏鬥中，突聞一聲慘叫，一個黑衣大漢中劍倒地。一環斷去，全陣皆亂，八個黑衣大漢，傷在江煙霞手中一人之後，全陣運轉，更是不靈。

但聞江煙霞柔聲說道：「容哥兒，敵眾我寡，利在速戰。」說話中，劍鋒一轉，又傷了一個黑衣人。這一次劍招惡毒，透腹而過，鮮血噴射中當場氣絕。

但聞容哥兒道：「賢妻說得不錯。」劍芒閃動，刺倒一人。這時八黑衣大漢，已有三人受傷倒地，還有五個人仍在揮刀惡鬥。

夏琪實未料到，容哥兒和江煙霞武功是如此高強，心中大是震駭，望了張超一眼，低聲說道：「張兄，再打下去，只怕咱們也討不了便宜，這一男一女兩個娃兒，劍招怪異，必得另想辦法，制服他們才成。」

只聽又一聲慘叫傳來，又一個黑衣大漢，中劍倒地。

張超一皺眉頭道：「住手。」

餘下四個黑衣大漢，心中亦知難以再支撐下去，但又不敢擅自退開，聽得張超呼叫之言，立時倒躍而退。

容哥兒、江煙霞在這一番纏鬥之中，初試天地劍法，漸覺得心應手。兩人心中都知再過二十回合，可以使四人中劍，不死亦傷。

只見張超一揮手，道：「兩位武功的確很高，在下想親自領教幾招。」

但聞一個微小的聲音，傳入了江煙霞的耳中，道：「天地劍法足可對付他，就算不能勝，也不致落敗，我正想了解這些年中，他們的武功進境如何，再設法對付他們，但千萬不可逞強好勝，一人出手。」

江煙霞心知是那黃衣老人暗施「傳音入密」之術，在指示自己的機宜，當下說道：「那很好，我們當得奉陪。」

張超道：「兩位仍是一起上嗎？」

江煙霞道：「不錯，他們八個人，也是攻的我們兩個，閣下一人，也是我們兩個。」

張超道：「你們是夫婦？」

江煙霞道：「這個與動手無關，恕不作答。」

張超冷笑一聲，道：「兩位也很狂妄。」

江煙霞冷笑一聲，道：「我想到你們也是兩個人，爲什麼不一齊出手呢？」

張超回顧了夏琪一眼，道：「兄弟自信一個人，足可對付此地之事。」冷笑一聲，突然揚手一掌，劈向江煙霞。強有力的掌風，挾帶起一片呼嘯之聲。

江煙霞只覺那湧來的暗勁，有如排山倒海一般，心中大爲吃驚，縱身閃避，讓到一側。

張超哈哈一笑道：「丫頭，口氣很大，怎的不敢硬接老夫一掌？」說話之間，又是一掌，劈了過來。這一掌勢道之強，似是尤過上一掌。

江煙霞心中暗道：「此時此情之下，不是好勝逞強之時，不能硬接他的掌力。」一提氣又縱身讓避開去。

但聞那黃衣老人的聲音，傳入耳際，道：「孩子，不要怕，只管接他一掌。」

江煙霞怔了一怔，念頭還未轉，張超又是一掌，追劈過來。那張超一直是站在原地未動，遙遙發出劈空掌力。原來，張超已瞧出兩人的劍法，十分奧妙，心中亦有戒心，不敢輕易相試。是以，想依藉深厚的功力，發出劈空掌力，先把兩人打傷一個，然後，再行設法對付另一人。

江煙霞既得那黃衣老人傳音入密之言，那張超第三掌又適時劈到。迫促的時間，使得江煙霞無暇考慮，揚手接下一掌。江煙霞掌勢提起，已覺出對方的力道強大無比，想要收回掌勢，已自無及。

這時，突然有一股強大的力量，直打過來，接住那湧來的力量，也正好配合了江煙霞揚起的掌力。兩股暗勁懸空接實，激起了一股強大的旋風。只見張超臉色大變，突然向後退了三步。夏琪睹狀大驚，突然一步上前，扶住了張超。

四一　鴛鴦同命

江煙霞心知是那黃衣老人暗中相助之力，心中暗道了一聲慚愧，口中卻笑道：「張大將軍的掌力很強啊。」

夏琪目睹張超連連後退，心中大驚，從身後竄到張超身前，低聲說道：「張兄，受了傷嗎？」

張超低聲說道：「這丫頭掌力柔中蘊剛，強猛無匹。」

夏琪右手一揮，突然發出一掌，攻向江煙霞，人卻低聲說道：「咱們退走。」

張超自和江煙霞對了一掌之後，狂傲之氣，已然消失，聞得夏琪之言，立時向後退去。

四個黑衣大漢，緊隨在兩人身後，一齊退出，很快地隱入壁間門中消失。

容哥兒本想追趕，但見江煙霞站著未動，也就未獨自行動。就這一瞬間工夫，張超、夏琪已隱入那門戶之內，消失不見。那大開的門戶，也迅快地閉了起來，大殿中，只餘下四具死屍。

江煙霞回顧那黃衣老人道：「老前輩不肯自行出手，卻暗中相助晚輩。」

黃衣老人道：「等候片刻！咱們再詳談內情。」舉手互擊三掌。

三掌響過良久，大殿中仍是一片靜悄悄的，毫無動靜。

黃衣老人輕輕歎息一聲，道：「果然都被他們控制了。」

目光一掠江煙霞和容哥兒道：「此刻情勢已很明白，老夫也不欺瞞你們，要憑咱們三個人的力量，來應付這次大變局了。」

江煙霞四顧一眼，道：「地下皇宮中佈滿機關，那機關樞鈕可在這大殿中嗎？」

黃衣老人搖搖頭道：「不在這大殿之中。」

江煙霞道：「那大殿之中，是否裝有機關呢？」

黃衣老人道：「自然是有。」

江煙霞道：「如若他們在外面發動機關，咱們豈不是毫無抗拒之能嗎？」

黃衣老人道：「這地下皇宮中的機關，各有專人掌管，唯獨這大殿中的機關，由老夫控制，咱們守在殿中，尚無問題，但離開大殿，那就很難說了。」

容哥兒心中暗道：「咱們總不能永遠守在這大殿之中啊！」

那黃衣老人說道：「老夫原想先把那夏琪、張超擊傷。」

江煙霞接道：「在晚輩感覺之中，老前輩固然有此功力，不知何以不肯出手？」

黃衣老人道：「兩人武功頗有進境，老夫必須全力施爲，才有此可能。」

容哥兒道：「此刻咱們是死中求生，難道還要手下留情嗎？」

黃衣老人道：「手下留情？哼哼，老夫已對他們恨之入骨，恨不得把兩人碎屍萬段，哪裏還會手下留情！」

容哥兒道：「那爲何不肯出手？」

黃衣老人道：「老夫本要出手，但卻覺出了自己受了暗算。」

江煙霞吃了一驚，道：「什麼？你受了暗算？」

黃衣老人道：「不錯，老夫如若不顧傷勢，全力施爲，擊傷兩人，也非難事，問題是老夫在全力施展時，無能再控制傷勢，擊傷兩人之後，傷勢也必然嚴重惡化。因此，老夫不能涉險，必須要留下有用生命。」

江煙霞長長吁了一口氣道：「原來如此！」

黃衣老人點點頭道：「但問題是咱們如多上一分準備時間，對方亦是如此。」

江煙霞道：「老前輩此刻有何打算？」

黃衣老人道：「老夫深知毒性，因此他們在我身上用毒不敢太多。我又發覺很早，只要能給我十二個時辰的時間，老夫自信可用我平生修爲的內功，逼出身受之毒，但對方卻不會耐心地等十二個時辰，才和我動手。」

江煙霞道：「晚輩明白了。」

容哥兒奇道：「你明白什麼？」

江煙霞道：「這位老前輩希望咱們的力量，能夠支持過十二個時辰，替他護法，讓他運功逼出身上奇毒。」

黃衣老人道：「正是如此，不過，時間上，要十五個時辰。」

江煙霞道：「爲什麼呢？」

黃衣老人笑道：「老夫要利用一個時辰，教給你們一點速成的武功和暗器施毒之法；此外，老夫逼出奇毒之後，還要兩個時辰休息才行。」

江煙霞道：「晚輩的武功，老前輩已經瞧到，你估計一下，我們能否抗拒十五個時辰？」

黃衣老人道：「此刻不能。」
江煙霞道：「如何才能？」
黃衣老人道：「老夫傳你們武功、暗器，再加上用毒之法後，可增多一點機會。」
江煙霞道：「除此之外，咱們是否有別的辦法呢？」
黃衣老人搖搖頭，道：「沒有別的辦法了。」
江煙霞道：「既然只有這條路，事不宜遲，老前輩可以開始傳授我們武功了。」
黃衣老人道：「好！你們坐過來。」
江煙霞、容哥兒齊齊行了過去，圍坐在那老人身側。
黃衣老人突然站起身子，雙掌連揮，熄去了宮中火焰。
黃衣老人道：「敵強我弱，咱們要借黑暗掩護。」
江煙霞道：「黑暗中施展暗器，那是最好的拒敵方法。」
黃衣老人突然放低了聲音，道：「如若老夫推斷無誤，在這大殿四周，必然有人暗中監視著咱們，咱們說話小聲一些。」
江煙霞道：「那就是說，老前輩傳授我們武功，只能口述，無法示範了？」
黃衣老人道：「不錯，所以你們要用心聽。」
語聲一頓，又道：「現在，老夫先講兩招最惡毒的劍法。」
江煙霞、容哥兒屏息凝神，專注而聽。
良久之後，才聽得一個低微的聲音傳了過來，道：「你們用心聽了，第一招名叫『萬流歸一』，第二招名叫『一星掩月』。」

語聲頓了一頓，接道：「時機緊迫，老夫只講密訣了。」

當下詳細地說明了出劍攻襲之法，江煙霞、容哥兒，劍法上都有著很深的造詣，聽聞之後，果然覺出這劍招，凶猛狠毒，奇奧非常。

但聞那黃衣老人接道：「現在教你們幾種施放暗器的手法。」

江煙霞道：「暗器人人會用，只是手法不能精奇而已，但不知老前輩用的什麼暗器？」

黃衣老人道：「很歹毒的芙蓉針，不知江姑娘肯不肯學？」

江煙霞道：「情勢如此，不學也得學了。」

容哥兒道：「但不知在下要學什麼暗器？」

黃衣老人道：「子母彈和蝙蝠鏢……」語聲一頓，接道：「兩種暗器，雖不比芙蓉針那般惡毒，但卻各具奇用。但那暗器都很歹毒，兩位在此可以施展，但離開此處後，兩位最好不要再用，最低限度，也要少用。」

容哥兒、江煙霞齊聲應道：「我等自會少施用，老前輩但請放心。」

黃衣老人道：「那很好。」當下把施用的手法傳給兩人。

緊接著，又傳了兩人施毒之法。黃衣老人講完了用毒之法，也就差不多快一個時辰。

當下站起身子，取來了十二支蝙蝠鏢、一袋子母彈，交給容哥兒，又把一袋芙蓉針交給了江煙霞，接道：「暗器只有這麼多，你們要珍惜它……」

江煙霞道：「晚輩自會小心，老前輩快請運氣逼毒。」

黃衣老人低聲說道：「老夫那臥身之榻，乃是鋼鐵做成，堅固無比，其中裝有機關，老夫運氣迫毒之時，可以躲在裏面……」

容哥兒心中暗道：「原來早已有了準備。」

但聞那黃衣老人接道：「老夫一行運氣，即無暇顧到爾等，你們要多珍重。」

江煙霞道：「晚輩們盡力而爲。」

黃衣老人道：「最重要的事，是不要讓他們在宮中燃起火光，敵眾我寡，實力懸殊，大殿越暗，對我們越是有利。」

江煙霞道：「晚輩們記下了，此刻寸陰如金，老前輩還是早些開始運氣迫毒。」

黃衣老人連連歎息幾聲，接道：「你們小心了。」

跳上臥榻，搬動機關，臥榻中陷，把那黃衣老人圍了起來。

江煙霞緩緩伸出手去，握著容哥兒左手，道：「容郎，此刻，咱們倒真變成一對同命鴛鴦了，唉！不知此刻，武林道中大變如何呢？」

容哥兒道：「事已至此，只有走一步算一步，待他迫出奇毒之後，再作計較。」

江煙霞歎息一聲，道：「咱們機會不大，幾個時辰，那張超和夏琪，有著佈置毀去這大殿的充分時間。」

容哥兒點點頭，道：「不錯……」

語聲一頓，接道：「近兩個時辰了，怎麼他們還是毫無舉動。」

江煙霞道：「時間越久，他們的攻勢也越是可怕……」

話未落口，突然一陣軋軋之聲，傳了過來。南面壁間突然裂開了一座門戶。

江煙霞道：「容郎，沉著些，咱們各自選擇一個拒敵位置。」

容哥兒微微一笑，橫裏移開身子，隱在一張椅子後面。

只見那門戶裂現之後，卻無人緊隨而入。顯然，那張超、夏琪，對那黃衣老人還有著幾分顧慮。

大約過了一盞熱茶工夫，瞥見火光一閃，一支松油火把，投入大殿。幽暗的大殿中，登時被那火把照得一片明亮。

容哥兒摸出一粒子母彈在右手，左手卻抓了一塊黃緞子坐墊。但聞呼的一聲，一個黑影，飛奔而至，擊熄那松油火把。原來，江煙霞已先他出手，擊熄火把。

容哥兒輕輕放下坐墊，雙目神凝，盯注那壁間的石門。果然，就在那江煙霞擊熄火把的同時，突見人影閃動，兩個大漢直向室中衝來。

容哥兒右手一抬，握在手中的子母彈，及時發出，向當先大漢擊去。只見那大漢右手一提，寒芒閃動，護住了身子。來人武功極是高強，容哥兒打出暗器，對方似是已經警覺。

但聞砰然一聲金鐵交鳴，接著響起了兩聲慘叫。原來，那大漢手中兵刃擊中了容哥兒手中的子母彈，立時母彈破裂，十數顆子彈，四散迸飛，兩個大漢，都爲子彈所傷，又退了出去。

容哥兒未料到這子母彈有如此威力，不禁一呆，暗道：「好厲害的暗器。」

江煙霞身子一閃，飛躍到容哥兒身側，低聲道：「你剛才打出的是什麼暗器？」

容哥兒道：「子母彈。」

江煙霞道：「看來那威力很強，你得珍惜施用。」

容哥兒道：「這袋子母彈，總有二十粒，若粒粒都能傷人，至少要傷二十人了。」

兩人雖在談話，但四道目光，卻是一齊投注在石門口處。

但聞江煙霞道：「如若進入大殿只有一道門，咱們依仗這些惡毒暗器的威力，防守十幾個時辰，或非難事，如是別處還有門戶，那就難以支持了。」
語聲微微一頓道：「我想去那門口布毒……」
容哥兒道：「不行。」
江煙霞一怔道：「為什麼？」
容哥兒道：「這等事應該我去才成。」
江煙霞微微一笑：道：「男人家粗心大意，咱們現在又都非熟手，如何得了。」
容哥兒道：「難道你不怕嗎？」
江煙霞道：「我會小心。」起身向前行去。
就在江煙霞將要行到門口之時，突見火光一閃，兩個松油火把，拋了進來，且各落一個方位，相距有兩丈多遠。同時，人影一閃，夏琪出現在門口處。
江煙霞大為吃驚，右手一探，摸出了三支芙蓉針扣在手中。
只見夏琪一抱拳，說道：「大王，此刻地下皇宮已全然入了我等掌握之中，大王要依仗一男一女兩個人，助你挽救大局嗎？」
提高了聲音，接道：「大王過去，待我等不錯，傳授武功，以及指導我等施毒之法，極是深刻難忘，因此，我等絕不會傷害大王，只要大王同意不干涉我等作為，大王仍然是繼承原位，你做你的地下皇宮之王，我等也是每月來此請安。」
他一連問了數聲，始終不聞那黃衣老人回答之言，不禁大怒。
冷笑一聲，厲聲接道：「在下言盡於此，大王不聽，那也是沒有法子的事了。」
江煙霞看他話落之際，一揚右手，三枚芙蓉針電射而出，分取那夏琪前胸三處要穴。

夏琪口中說話，兩道目光，卻不住流動，希望藉機看清楚室內景物。瞥見三縷寒芒，電射而至，心知是極爲歹毒的暗器，急急閃避開去。

江煙霞、容哥兒身手一齊發動，熄去了兩支火把。大殿中，陡然間又黑了下來，黑得伸手不見五指。

容哥兒中心暗道：「我應該涉險布毒才是，怎能讓一個女孩子常常涉險呢？」心中念轉，人卻縱躍而起，直向門口撲去。

只聽一聲低喝道：「快退回去！」

容哥兒一聽之下，知是江煙霞的聲音，吸氣向後躍去。身子剛剛站好，突聞破空之聲。顯然，夏琪等，也以牙還牙，施用暗器，擊入室中。

容哥兒凝神聽去，由那破空暗器中，分辨出至少在五件以上，心中大爲震動，暗道：「不知江煙霞是否已隱好身子……」

只聽啪的一聲，一把柳葉飛刀，正釘在容哥兒掩身的木椅之上。

他久處暗中，雙目已然隱隱可以辨物，只見那一把柳葉飛刀深入了木椅大半，心中暗道：「發飛刀人的手勁，非同小可。」

緊接著響起了一陣劈啪之聲，想來是暗器撞上木椅和石壁，發出了不同的響聲。

容哥兒雖未聞江煙霞呼叫之聲，心中仍是不安，正想開口呼叫，突聞一個低微聲音，傳了過來，道：「容郎，你無恙嗎？」

容哥兒道：「我很好，你呢？」

那說話之人正是江煙霞，只聽她柔聲應道：「我會照顧自己，你多多小心了。」

但聞一陣冷厲的笑聲，由門外傳了進來，道：「你們兩人已然身陷絕境，唯一自救之道，就是棄去手中兵刃，走出殿外，老夫答允饒你們之命。」

容哥兒知江煙霞無恙，心中大爲寬慰，仔細分辨來人聲音，似是張超所爲，忍不住大聲喝道：「大王已有消滅爾等的神算妙策，你們等著受死吧！」

張超怒道：「等本座攻入大殿之後，不把你小子碎屍萬段，決不甘休！」

容哥兒冷冷說道：「你有膽子就進來！」

語聲未落，瞥見門口一片寒光，直向容哥兒停身之處襲來。容哥兒一縮身，全身躲在那木椅後面。但聞一陣卜卜之聲，數道寒芒，一齊釘在那木椅之上。容哥兒側臉一看，只見那釘在木椅上的暗器，有亮釘梭、白虎釘，顯然，這些暗器，並非由一人所發。幸好，容哥兒用來掩身的大椅，十分堅厚，那暗器雖然凌厲，卻也無法洞穿。

容哥兒探手從懷中摸出一粒子母彈扣在手中，流目四顧，希望找一個隱身之處。大約是夏琪、張超也對子母彈、芙蓉針心存畏懼，竟是不敢冒險進來。

雙方相持一刻功夫，耳際間又響起了張超的聲音，道：「大王意下如何？還望早些提出，屬下等心念傳藝之情，不忍施下毒手，但如大王一直默不作聲，屬下等只好開罪了。」

容哥兒心中暗道：「原來他們遲遲不敢冒險而入，還是對那黃衣老人心有畏懼，如若他們知曉那黃衣老人在運氣迫毒，定然會冒險而入了。」

心念轉動之間，突見一個氣死風燈，伸入殿中。

容哥兒細看那風燈，原來是用一根長槍遞入，只見槍身、燈籠，不見人影。那風燈伸入了殿內七尺深，大殿甚多地方都在那燈光照射之下。

容哥兒心中暗道：「如若他們此刻借燈光衝入殿中，敵眾我寡，對我等大是不利，縱然冒險，也要設法把這燈火熄去。」

心念轉動，隨手取過一個坐墊，暗中運氣，陡然站起身子，右手一抖，坐墊脫手而出，直向那風燈飛去。

但聞砰然一聲大震，那風燈被容哥兒貫注內家真力的坐墊擊碎，火光一閃而熄。燈火熄去的一瞬，幾條人影，連續衝入殿中。

同時，四點寒芒，破空而至，擊向容哥兒停身之處。容哥兒也預料到，強敵會借那混亂的一剎間，有所行動。是以在燈火熄去之後，左手扣著子母彈，用力打出，騰出右手，握住劍把，拔劍一揮。寒芒閃動，幾枚疾射而來的暗器，盡爲長劍擊落。

但那衝入殿中三人，已然聽出了容哥兒停身的位置。立時有兩人挨了過來，衣袂飄風中，挾著凌厲的刀風。容哥兒長劍疾揮，嚐的一聲，震開了那疾落而下的一柄單刀。

但另一條亮銀軟鞭，卻呼的一聲，捲了過來。容哥兒早已借適才燈火選擇了停身之位，擋開迎面一刀之後，立時斜裏一側躍退。那疾捲而來的軟鞭，擊在木椅之上，登時碎木橫飛。

這時幾聲悶哼慘叫，傳了過來。原來，容哥兒發出的一顆子母彈，被敵人揮刀一擋，母彈破裂，子彈碎飛，傷了兩人。江煙霞又連發十餘枚芙蓉針傷了三人。魚貫衝入殿中的強敵，在門口死屍堆積之下，頓然而住。

那執刀大漢低聲說道：「你聽出那小子閃避到哪個方向去了？」

那執鞭大漢道：「沒有聽到。」

執刀人道：「我護著你，你晃燃火摺子。」

執鞭人應了一聲，左手探入懷中，摸出火摺，隨手一晃而燃。火摺子剛剛一亮，突然尖叫一聲，丟棄於地。原來江煙霞及時發出一針，擊在那人握拿火摺子的左腕之上。那火摺子燃燒之力甚強，雖然落在地上，仍然熊熊燃燒。

江煙霞右手一揚，又打出四枚芙蓉針，同時高聲說道：「老前輩請出手吧！」

容哥兒心中暗道：「那黃衣老人明明在運氣迫毒，她這般呼叫，那是分明暗中要我出手了。」

目光一轉，火光下只見除了那執刀和執鞭大漢之外，還有三個勁服大漢，也衝入室中。不過，那三人中間，有兩個似是已經中了江煙霞的芙蓉針，倒在地上。

容哥兒心道：「好殘酷的屠殺，但此刻情形，實難心存仁慈。」

心中念轉，右手一指，兩粒子母彈，脫手而出。這不過是一瞬間的工夫，那執刀大漢等正伏身撿起火摺子，容哥兒兩粒子母彈已然挾著勁風急襲而至。那執刀大漢右手一指，噹的一聲，擊在子母彈上。但聞一聲金鐵交鳴，兩個子母彈，外殼破碎，數十粒小鐵彈，如雨點般擊下。但聞兩聲慘叫，那執刀和執鞭大漢同時傷在那散彈之下。這時，那另一個大漢，亦傷在江煙霞的芙蓉針下。

但那跌落在地的火摺子，仍在熊熊燃燒不熄。容哥兒看那火摺子，火焰越來越大，心想無論如何不能讓江煙霞冒險，當下一躍而出，撲向火摺子。長劍探出，啪的一聲，擊熄了火焰。

這時，突聽一陣暗器破空之聲，疾飛而至，襲向容哥兒。容哥兒長劍拍擊火摺子，回救不及，只覺左臂一麻，被一件暗器擊中。容哥兒身中暗器，立時一個地堂滾，回到原地。

但聞噗噗兩聲，兩個大火球，由門外投了過來。這火球似是經火油浸過，燃燒之力十分強大，滾入殿中之後，火焰冒起了兩尺多高。江煙霞順手抓起一張木椅，投了過去。

但聞砰然一聲大震，那木椅擊在火球之上，只震得木椅四分五裂。但那火球火焰往下一暗，重又冒升二尺多高。

江煙霞雖未確定容哥兒已經受傷，但她已從出奇寧靜的情勢中，感覺到容哥兒受了傷害，心中十分掛念。但她心中明白，此刻的形勢，絕然不能出聲呼叫，那將洩漏了大殿中的情勢，給人以可乘的機會，只好強行壓制著內心的焦慮。

且說容哥兒回到原處，藉桌椅遮掩，撕破衣服看去，只見左肩上釘著一支三寸長短的鋼箭，深入肌肉半寸多深，傷處一片青紫，顯然，那鋼箭經過毒藥淬煉。他自己心中明白，自己受傷不輕，如不及時施救，很可能要廢去這一隻臂膀，但如把受傷之事告訴江煙霞，不過是增多她一分精神的負擔，在強敵監視之下，絕不會讓自己有療傷的機會。因此容哥兒咬牙苦撐，默默承受著痛苦，一面運氣，和擴展的奇毒抗拒，一面扯下了一條衣襟，綑起肩膀。

那熊熊的火焰，雖使大殿中一半景物，暴露於火光耀照之下，但卻給了容哥兒療傷的光亮。他自行紮好肩膀之後，伸手拔出毒箭，輕輕地放在地上。容哥兒一語不發，默默忍受著最大的痛苦，一面從身上取出匕首，挖出那毒傷處一片肉來，只待那黑紫色膚肉消失，見到鮮血，才停下手來，把傷處包好。

這樣足足耗費了半個時辰之久。幸好，這一段時間中，敵人也未派人攻入。殿中容哥兒暗暗一提真氣，探手從袋中摸出了一粒子母彈，扣在掌心之中。

江煙霞把長劍放在一側，雙手中都扣了數枚芙蓉針，目光凝注在那石門之上。

江煙霞長長吁一口氣，暗道：「奇怪呀，他們怎麼不進攻了呢？」忖思之間，突見火光連閃，四個火球拋入了大殿之中。

江煙霞心跳了一下，這才是大攻勢之前的預兆，想對方這一次衝入之人，定然不在少數。當下精神一振，凝目看去。只見一面盾牌，首先出現，緩緩向殿中行了過來。

這一著倒是出了江煙霞意料之外，不禁一呆，暗道：「原來，地下皇宮之中，萬物皆備，無所不有了。」

那執盾人，盾牌放得很低，全身隱在盾牌後。江煙霞暗罵一聲，好狡猾的惡徒。容哥兒首先沉不住氣，右手一揚，子母彈脫手飛出。但聞噹的一聲，子母彈正擊在盾牌之上。外殼破裂，十餘粒包在母彈中的三稜子彈，四面擊射。

但聞悶哼一聲，另一個手執盾牌的大漢，突然棄去手中盾牌。原來那四面散飛的三稜子彈，打在緊隨而入，另一個執盾的大漢左手之上。那大漢左手執盾，右手執刀，左手受傷，五指一鬆，盾牌落地。容哥兒打出這一顆子母彈，使得江煙霞了然到容哥兒安然無恙，不禁精神一振，右手一揚，四枚芙蓉針電射而出。四針去勢快速，那大漢還未來得及掙扎而起，江煙霞四枚芙蓉針已然激射而到，全部射中。那大漢悶哼一聲，打了幾個滾，不再掙扎。

這時，室門口處，又出現了兩面盾牌。大約是兩人見到了同伴遭遇，停在門口，不敢再向前行進。

江煙霞突然想到布毒的事，暗道：「在那門口之處，我已經布下了奇毒，怎的還不見任何作用，難道這些人早已顧慮及此，有了防範，或是那黃衣老人誇張奇毒之能。忖思之間，突然，當先執盾人，大叫一聲，棄去手中盾牌，倒地而逝。火光耀射之下，只見那人面色鐵青，正是中毒之故。

江煙霞暗暗吁一口氣，忖道：「他們連番受挫，仍不肯從別處門戶攻入，顯然，進入這大殿之門，只有這一個了，如是那奇毒真如那黃衣老人說的一般奇烈，看來，我和容郎，只要防守嚴密，不爲敵傷，或可支撐下十五個時辰……」念轉未完，突見人影閃動，四個手執盾牌的人先後躍入。

江煙霞看他們提氣飛躍而入，一跳一丈多遠，顯然，已知門口布有奇毒。只聽兩聲嗤嗤輕響，兩枚蝙蝠鏢，破空分飛，分向襲去。

四個執盾人躍入大殿之後，立時集於一處，各執盾牌，護住身子。但那蝙蝠鏢雙翼平衡之力，大於一般暗器，並非直接對人射去，而是弧形飛了過去。超過盾牌，忽然直射而下。但見刀光閃動，兩柄單刀由那盾牌後面飛起，擊向蝙蝠鏢。只聽啪啪兩聲，兩枚蝙蝠鏢懸空打了兩個轉身，斜斜向一側飛去。

隱在暗處發鏢的容哥兒，只瞧得大爲洩氣，忖道：「我還道這蝙蝠鏢有什麼特殊厲害之處，原來只不過如此，還要用大異一般暗器的特殊手法打出才成……」

心中念頭還未轉完，突聞一陣砰砰啵啵之聲，傳了過來。

凝目望去，只見兩個刀擊蝙蝠鏢的大漢，突然倒摔在地上，手中盾牌，也摔出了七、八尺外。原來，那蝙蝠鏢中含有兩枚毒針，兵刃一擋，那蝙蝠鏢中毒針激射而出。

容哥兒看著兩個刀擊蝙蝠鏢的大漢，突然摔倒在地上，不禁心中一動，暗道：「原來那奧妙處是蝙蝠鏢中機關。」

另外兩個大漢，眼看兩個同伴莫名其妙地倒摔了下去，不禁爲之一呆，急急地道：「怎麼回事啊?」

兩個摔倒在地上的大漢,有氣無力地應道:「我們中了暗器。」說完一句話,氣絕而逝。原來,那蝙蝠鏢口中含的毒針,毒性奇烈無比,見血封喉,是以兩人用盡了全力,才說得兩句話,便嗚乎哀哉。

兩個活著的大漢,仔細在兩人身上看了一遍,找不到暗器的痕跡,心中大是駭然。相互望了一眼,默不作聲。兩人心中驚震過甚,忘了自己也正置身在險惡之中。

江煙霞看容哥兒連連打出子母彈和蝙蝠鏢,傷了數人,信心大增,立時一振手腕,四枚芙蓉針脫手而出。只聽一聲悶哼,又一個大漢跌落在地上。這時,室中只餘一個人,心中更是驚慌,但也激發他捨命一拚的決心,突然大喝一聲,直向江煙霞停身之處撲過去。

這人武功不弱,來勢甚快,而且似已瞧到了江煙霞停身之處,竟把手中盾牌,當做兵器,直向江煙霞隱身的木椅之上擊了下去。江煙霞一提氣,飄身退後三尺。只聽砰然一聲大震,那大漢手中的盾牌,正擊在木椅之上。江煙霞長劍探出,橫裏一招「天外來雲」,劈向大漢右臂。那大漢右手刀一揮,一招「力屏天南」,噹的一聲,震開了江煙霞手中之劍。

江煙霞吃了一驚,暗道:「這人武功不弱,看來那四大將軍,早思謀反,已在禁宮中布下了很多高手。」

心中念轉,手中長劍卻已連連擊出,攻了四劍。快速的攻勢下,使那大漢無暇收回盾牌,只憑手中的單刀封擋劍勢。只聽一陣金鐵交鳴,江煙霞攻出四劍,竟被大漢單刀擋開。

江煙霞和那大漢硬拚了幾劍之後,已知對方武功,絕不是十招之內,能夠取勝。而目下情勢,實不便纏鬥下去。沉思之間,突聞那大漢悶哼一聲,手中的單刀一緩。江煙霞趁勢一劍,刺中那大漢前胸。

原來，容哥兒運用內力，發出了數種暗器，傷處疼痛難支，閉目調息片刻，又爲江煙霞和那大漢刀劍相擊的聲音驚醒。睜眼看時，只見江煙霞正和那大漢展開一場惡鬥，當下強忍傷疼，揚手打出一粒子母彈。

那大漢全神貫注在江煙霞劍勢之上，不防身後暗器襲來，正中後背，刀勢一緩，被江煙霞一劍刺入前胸。這一劍傷及心臟，只見那大漢，身子搖了兩搖，翻身栽倒。江煙霞一劍得手，立時向前一步，飛起一腳，踢向那大漢的屍體，但聞砰的一聲，那屍體飛了起來，撞向一枚火球之上。江煙霞緊隨著飛躍而起，直向另一枚火球之上撲去。

盾牌護身，右手長劍探出，劈了下去。只聽一陣嗤嗤之聲，數點寒芒疾飛而入，襲向江煙霞。江煙霞一吸氣，全身縮入那盾牌之後。但聞一陣叮叮噹當之聲，暗器全部擊在盾牌之上。

江煙霞放下長劍，右手摸出一把芙蓉針。這時，容哥兒已揚手打出兩粒子母彈。子母彈擊在石壁之上，蕩起了一陣輕震，母殼碎裂，子彈散飛。只聽幾聲冷哼，一切重歸沉寂。原來，門外是條夾道，寬約四尺，那施放暗器之人，都藏在門外，借牆隙掩護。

容哥兒打出之子母彈，擊在門外壁上，母殼破裂，子丸橫飛，隱身敵人，甚多受傷，頃刻間全部逃去。

江煙霞挺身而起，揮動盾牌，擊熄了火球，縱身飛落到容哥兒隱身之處，低聲道：「多謝容郎相助。」

容哥兒之傷，一直未得調息，而且連連施放暗器，傷處疼痛難支，但他不願因自己的疼苦，加重江煙霞精神上的負擔，暗中吸上口氣，道：「我很好。」

他雖然盡量想使自己的語氣平靜，但精明的江煙霞，仍然從語聲中聽出了破綻，低聲說道：「你受了傷？」
容哥兒苦笑一下，道：「一點輕傷，算不得什麼。」
江煙霞無限關心地問：「傷在何處？給我瞧瞧。」
容哥兒道：「傷在左肩，我已包紮起來。」
江煙霞道：「中了暗器，是嗎？」
容哥兒道：「不錯。」
江煙霞道：「暗器上可能有毒啊！」
容哥兒道：「我已經顧慮及此，挖出四周的肌肉。」
江煙霞放下兵刃，緩緩偎入容哥兒的懷中。

四二　不負初心

江煙霞嫣然一笑，道：「容郎，你看今日之局，咱們是否能生離此地？」

容哥兒笑道：「很難說，張超、夏琪，似是心中有所顧慮，咱們只憑藉著暗器，阻止了他們數番攻勢，但不難想到，他們的攻擊，將一次比一次擴大，我們暗器已用去不少，再有幾次攻勢，暗器就要用完，那時咱們只有挺身而鬥了。」

江煙霞道：「大約估計，咱們不過支持了兩、三個時辰，還有十幾個時辰，絕然無法支撐過去，我想那位主人心中也明白，只不過為勢所迫，希望碰運氣罷了。」

只聽一陣衣袂飄風聲，兩條人影，躍入大殿。這一次，對方似是也改變方法，不再燃起火球，進入大殿，立時躍入暗影之中。

那躍入大殿的人影，並未立刻出手，潛伏在暗處不動。江煙霞探手入懷，摸出兩枚芙蓉針，目光轉動，四下搜尋那躍入大殿之人。

突覺衣袖被人輕拉了一下，耳際間響起容哥兒的聲音，道：「賢妻，快些隱起身子。」

這當兒，又是一陣衣袂飄風之聲傳了進來，四條人影，連袂而入。進入大殿的四條人影，也和適才躍入殿中的人影一般，悄然潛伏起來，未發出一點聲息。

江煙霞緩緩蹲下身，附在容哥兒耳旁低聲道：「快放開我，咱們先下手為強。」

容哥兒摸出了兩個子母彈，扣在手中。江煙霞一揚手，一枚芙蓉針，打在三丈外一面牆壁之上。但聞啪的一聲輕響，傳入了耳際。那進入大殿的六個人，竟也是十分的沉得住氣，雖然聽到聲音，仍然站著不動。

江煙霞打出芙蓉針後，抓住容哥兒，施展傳音之術，道：「容郎跟我來。」

容哥兒知她智慧高過自己，也不多問，隨在她身後行去。江煙霞走得十分小心，聽不到一點腳步著地的聲息。容哥兒緊隨著江煙霞的身後，行到那黃衣老人的臥榻之處。原來是一座臥榻，但此刻，變成了座鐵塔般，把那黃衣老人藏在中間。

江煙霞伸出手在那鐵塔上摸了一把，只覺那鐵塔表面上光滑無比，竟然是銅鐵打成，心中暗道：「原來，他已有備了。」

但聞衣袂飄風之聲，傳了過來，又有幾條人影飛入大殿。只見火光一閃，大殿一角處，閃起了一支火摺子。江煙霞早已有備，右手一抬，三枚芙蓉針，電射而出。

容哥兒手上扣住一顆子母彈，但他心中明白，這些都是賴以保命之物，不能輕易出手，眼看江煙霞暗器出手，也就省下了一顆子母彈。

這次衝入室中之人，似是武林中高才，只見寒芒一閃，江煙霞打出的三枚芙蓉針，盡爲寒芒擊落。容哥兒一抬手，一顆子母彈，脫手飛出。就在容哥兒子母彈出手的同時，那人也突然丟棄手中的火摺子，隱入暗影之中。顯然，對方也知曉江煙霞和容哥兒的暗器厲害，不敢再行暴露。

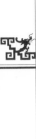

容哥兒打出的子母彈，驟然間失去目標。啪的一聲輕響，似是擊在牆壁之上。兩聲輕微悶哼傳了過來，夜色幽深，也無法看到，是否傷到了人。只聽嗤嗤金刃破空之聲，襲了過來，數枚暗器，一齊襲了過來。一陣啵啵之聲，擊在鐵塔之上，滑過一側。

忽然間，火光一閃，一片藍色的火焰，粘在鐵塔上燃燒起來。

江煙霞吃了一驚，暗道：「看起來地下皇宮之中，什麼人才都有。」

容哥兒長劍探出，想劈落那塔上火焰。哪知長劍一出，立時有四、五件暗器，飛了過來。

容哥兒一縮身子，隱在塔後。四、五件暗器一齊打到，一陣叮叮連響，暗器全都滑到一側。那粘在鐵塔上的藍色火焰，仍在繼續燃燒著。

江煙霞低聲說道：「看那燃燒的藍焰，似是江湖上有名的魔火解元，此人乃天下第一位施展火器的高手，不能絲毫大意。」

語聲微一頓，接道：「你一臂受傷，用劍不便，你那子母彈又是他們的剋星，你再施放暗器，由我劈熄燃燒的毒火。」

容哥兒點點頭。

江煙霞一提真氣，長劍突然探出，寒芒一閃，劈在燃燒的藍色火焰之上。她落劍甚重，那燃燒的火焰雖被劈落，但落地之後，仍在下停地燃燒。江煙霞劈落了藍色火焰，同時也暴露了停身之處。只聽金刃破空，兩把柳葉飛刀，並排飛來。緊隨那柳葉飛刀之後，是一道閃動的火光。對付那柳葉飛刀，江煙霞並未放在心上，但對那火器，卻是不敢輕視，長劍揮展，又擊落兩把柳葉飛刀，卻不敢用兵刃擊那火器，一閃身讓避開去。

緊隨那火器之後，兩條人影疾飛而到。一條十三節亮銀軟鞭，一把厚背開山刀，同時擊了過來。

江煙霞長身而起，劍身上貫注內力，噹噹兩聲，震開了軟鞭和開山刀。那粘在牆壁上燃燒的藍焰，正好照亮了江煙霞等隱身的塔後。連容哥兒也暴露在火光之下。

容哥兒心中暗道：「形跡已露，看來勢難再求隱蔽了。」索性站起了身子。

這時，他左臂傷疼更重，無法執劍，寶劍含在口中，右手卻扣住了兩粒子母彈。

只見人影連閃，另一側，兩個勁服執劍大漢，疾衝過來，各自舉劍護身，撲向容哥兒。容哥兒一揚手，兩粒子母彈脫手而出，分襲兩人。

這時，雙方距離甚近，容哥兒子母彈脫手飛出的速度奇快。兩個奔來的大漢，不自覺一揚手中寶劍，擊在了子母彈上。但聞啵啵兩聲，子母彈突然分裂，兩個大漢慘叫一聲，棄去手中寶劍，雙手掩面。

容哥兒一擊得手，右手握住劍把，飛身躍起，直向兩人衝了過去。寶劍左右揮動，寒芒閃轉，兩顆人頭，滾落地上。

江煙霞正和那用鞭、用刀的兩個大漢，打在一起，瞥見容哥兒竟也運劍和人動上了手，心中大急，暗中一提真氣，急攻三劍。這三劍，不但力道奇猛，而且招術奇幻，那手執開山刀的大漢應聲慘叫，一條右臂，生生被砍了下來。

江煙霞一劍得手，破圍而出，飛身一躍，落在容哥兒的身側，低聲說道：「容郎，咱們雙劍聯手拒敵。」

容哥兒回目一笑，道：「我已殺了數人，今日縱然戰死於此，那也是連本帶利都有了，不過……」

談話之間，瞥見人影閃動，又有四個大漢衝了過來。四個人兩個施刀，兩個用劍，再加上施用軟鞭的大漢，五個人團團把兩個人圍了起來，展開了一場激烈的惡鬥。

江煙霞心中明白，此刻，已有更多的強敵，衝入了殿中，如若傷了這五個人，立時有更厲害的敵人，接替動手。是故並不急於求勝，和容哥兒聯手施展天地劍法，維持個不勝不敗之局。

容哥兒未得休息，臂傷越來越重，鮮血透過包紮的白布，染紅了衣袖。江煙霞看在眼裏，痛在心中，但卻沒有點破，劍勢盡量擴展，把攻向容哥兒的招術，盡量接了過來。雙方惡鬥十幾回合，仍然保持了一個不勝不敗之局。

惡鬥間，突然大放光明，整個大殿中景物清晰可見。

耳際間，同時響起了一聲大喝，道：「你們退下來。」圍攻兩人的五個大漢，同時應聲而退。

江煙霞抬頭看去，只見張超、夏琪，並肩而立，站在五尺開外。在兩人身旁，站著四個舉火把的大漢。身後，一字橫排著十二個黑衣勁裝人。那十二人年歲不同，老者白鬚飄飄，年輕的不過二十四、五，但服色、著裝，卻是一般模樣，全身黑衣勁裝，背上插著長劍，右肋間，掛著鏢袋，袋中突起，不知裝著何物。

江煙霞冷笑一聲，道：「還是兩位將軍。」

張超冷笑一聲，道：「大王呢？」

江煙霞道：「離開此地很久了。」

夏琪抬頭望了那鐵塔一眼，道：「留兩位守在這大殿之中？」

江煙霞道：「不錯。」

張超道：「兩位替他受死？」

江煙霞道：「他如能離開此地，那就是蛟龍入海，彩鳳飛天，剿滅諸位，不過時間早晚而已了。」

張超冷冷說道：「老夫的眼睛不瞎，他把龍床機關開動，變化鐵塔，他躲在塔中，是嗎？」

江煙霞道：「這鐵塔之下，有一條密道往皇宮之外……」

語聲一頓，道：「想來，兩位不會知曉此事了。」

張超望了夏琪一眼，道：「所有的通路，都已封鎖，諒他也逃不出地下皇宮。」

江煙霞道：「兩位千慮一失，只有這一條密徑，兩位不知。」

夏琪道：「有什麼辦法，使我等相信姑娘之言。」

江煙霞道：「信不信是兩位的事，我用不著和兩位打賭。」

張超道：「識時務者爲俊傑，在下等只要一聲令下，立時可使兩位命喪當場。」

江煙霞道：「但我的死，可換來天下武林重見天日，也使諸位難逃覆亡之厄。」

張超大聲喝道：「夏兄，這丫頭胡說八道，分明在施展緩兵之計，不用和他們囉唆了。」

夏琪道：「不錯。」側身而上，劈出一掌。他自恃身分，連兵刃也不施用。

江煙霞縱身避開，反手一劍，刺了過去。出手招術，正是天地劍法。

容哥兒不自主地跟著劈出一劍，正好是那夏琪閃避的方位。夏琪一閃避開，容哥兒的劍勢剛剛刺到，逼得夏琪又向一旁閃去。

江煙霞低聲說道：「困住他。」劍隨身轉，橫斬一劍。這一劍去勢奇幻無比，那夏琪閃避之位，又正好是江煙霞劍勢所襲之處。夏琪右手一揮，拍出一掌，一股潛力，直向劍上逼去。

卻原來，江煙霞橫斬一劍，正好是封住了那夏琪的退路，逼得那夏琪不得不揮手出掌，以內力逼住劍勢，夏琪內力強猛，一掌發出，竟然把江煙霞的劍勢半途震開。

但這天地劍法，有著一種連綿的慣性，江煙霞劍勢探出，容哥兒的劍勢隨著攻了出來。夏琪一掌震開了江煙霞的劍勢，容哥兒的劍勢卻接踵而去。

江煙霞右腕一挫，收回的劍勢又擊了出去。兩人的劍勢，交接連綿，幻化起一片綿密的劍網，把夏琪圈入了一片劍光之中。奇幻連綿的劍勢，逼得夏琪無法閃避，只好連連劈出掌力，封擋劍勢。因爲容哥兒臂力不健，使得這套天地劍法的威力，大爲減弱。

話雖如此，但那天地劍法，奇幻的變化，仍然把夏琪困於一團劍光之中。雙方惡鬥了數十回合，仍是個不勝不敗之局。

表面看去，夏琪赤手空拳，雙掌連揮，逼開那兩人劍勢，實則夏琪已然全無還手之能，雙掌連發掌力，只是逼開容哥兒和江煙霞的劍勢而已。

夏琪雖然有著深厚的功力，但也無法連綿不斷地發出掌力，支撐了數十回合，已然感覺到不易再支撐下去。但那綿密的劍勢，又使他無法停下手來。江煙霞和夏琪動手之時，大爲擔心，待動手鬥了十餘回合之後，才發覺這天地劍法，果然有著不可思議的奧妙。以巧破力，正是功力淺薄之人，對付功力深厚的人最佳劍法。

這時，張超帶有很多高手在旁側觀戰，但卻感覺到無法插手相助。除非不顧及那夏琪傷亡，施展暗器對付兩人。

突然夏琪大喝一聲，身軀搖動，脫出劍芒。原來，容哥兒傷勢已經很重，右手運劍，已有著力不從心之處，劍勢一緩，使那綿密的劍網中，出現了破綻。夏琪武功，何等高強，由於兩人劍招變化的奇幻，無法破圍而去，一見劍法露出破綻，立時疾發兩掌，破圍而出。

江煙霞心中雖然暗叫可惜，但口中卻未說話，反而回顧容哥兒一眼。她心中明白，容哥兒已到難以支撐地步，他重傷之後，一直強行運氣拒敵，無法得到片刻休息，失血過多，早已不支。

只聽張超說道：「不錯，看來咱們想生擒兩人的心願，只怕是很難實現了。」

張超道：「既是不能生擒，那就只好殺死他們了。」右手向腰間一探，抽出一把緬刀來。

江煙霞橫跨一步，擋在容哥兒的身前，低聲說道：「容郎，請退後休息，爲妻一人試試他的刀法。」

容哥兒自知難再支撐下去，黯然說道：「賢妻小心。」悄悄退回那鐵塔之後，背靠鐵塔而立。他心中明白，此刻處境已然面臨到生死的關頭，除非發生奇蹟，兩人生機已絕，他希望盡量恢復一點體力，再搏殺一、兩個人，心願已足，退回鐵塔之後，立時運氣調息，屏絕雜念，連那江煙霞的安危，也不去想它。

只聽張超冷笑一聲，道：「小丫頭，你們已經窮途末路了，難道還要作垂死掙扎不成？聽在下良言相勸，放下兵刃，在下或可饒你們的死罪。」

江煙霞心中亦知此刻之局，唯死一途，反而輕鬆下來，淡淡一笑，道：「你還沒有勝利，鹿死誰手，還難預料啊！」

張超怒道：「不知死活的臭丫頭。」突然挺身而進，一刀劈去。鋒利的緬刀，帶起一片刀風。

江煙霞從未遇到如此威勢的一刀，不禁心頭駭然，暗道：「這些人，果然是有著非常的武功，就算是萬上門主俞若仙，和容郎之母，也沒有這等功力。」
她雖已了然此刻處境生機渺茫，但她仍然存著萬一的希望，反正拖延一刻是一刻，並未硬接那張超的刀勢。縱身一閃避開，還擊一劍。刹那間刀來劍往，展開了一場激烈絕倫的惡鬥。江煙霞劍走輕靈，趁隙攻擊，避免和那張超的力勢相觸。兩人惡鬥了數十回合，是一個不勝不敗之局。
張超冷笑一聲，道：「姑娘還不肯束手就擒，那是自討苦吃了。」突然棄刀而上，揮掌劈出，口中大笑道：「老夫再試試你的掌法如何？」
張超的動作太快了，快得江煙霞不及再拿暗器，只覺一股強猛掌風，直向前胸襲來。形勢迫人，江煙霞閃避不及，只好舉起左掌，硬接一擊。
但聞砰然一聲大震，雙掌接實。江煙霞只覺內腑中響起了一陣強烈的激蕩，不由自主地向後退了三步，一跤跌坐地上。
江煙霞暗暗歎息一聲，道：「容郎，賤妾先去了。」強提內力，左手一揮，自向「天靈」要穴之上擊去。
只聽笑聲入耳，一支粗大的手臂，伸了過來，抓住了江煙霞的左腕。
江煙霞抬目一顧，只見那抓著自己左腕之人，正是張超，當下怒道：「放開我。」
張超微微一笑，道：「你不能死，待老夫擒了那小子之後，才慢慢來拷問你們。」左手伸動，點了江煙霞兩處穴道。
張超點了江煙霞的穴道之後，突然縱身而起，躍過鐵塔。
江煙霞穴道被點，人還能夠喊叫，當下用力叫道：「容郎小心！」

容哥兒正在運氣調息，聞聲睜開了眼睛，那張超右手已然直抵胸前，閃避不及，也被點中了穴道。

張超一手提起了容哥兒，砰然一聲，摔在江煙霞身前，冷冷說道：「你們兩個，哪一個答覆老夫的問話，自己商量一下吧。」

容哥兒穴道被點，無力閃避，這一摔，只摔得傷口迸裂，鮮血湧出。

江煙霞目睹容哥兒狼狽之狀，心中大生憐借，冷冷說道：「不要折磨他，他受傷很重。」

張超冷笑一聲，道：「老夫手下的十個高手傷死於此，爲他們報仇，老夫也要你們吃點苦頭。」

容哥兒緊咬牙關，強忍傷痛，一語不發。

但江煙霞卻瞧得出他在極力忍耐著痛苦，當下說道：「折磨一個已經身受重傷之人，那也算不得英雄人物！」

張超哈哈一笑，道：「看來你對他情意甚重。」

伏身拾起江煙霞施用的長劍，右手一抬，在容哥兒右頰之上，劃了一道傷口。

冷冷接道：「這小子生得很俊，老夫在他臉上，留些疤痕，看你是不是還喜歡他。」

容哥兒緊咬著牙著，仍是一語不發。

那劍鋒雖是劃在容哥兒的臉上，卻如劃在江煙霞心上一般，黯然說道：「不要再折磨他。」

張超微微一笑，道：「你想救他，是嗎？」

江煙霞道：「你要問什麼？說吧。」

張超冷笑一聲，道：「姑娘大方。」
語聲微微一頓，接道：「你老實回答老夫問話。」
江煙霞點點頭，道：「好。」
張超回顧了那鐵塔一眼，道：「大王是否躲在鐵塔之中？」
江煙霞沉吟了一陣，道：「我們從實告訴你，你要怎麼對付我們？」
張超道：「你想如何？」
江煙霞道：「一劍殺死我們。」
張超道：「這條件很低。」
江煙霞望了容哥兒一眼，冷然對張超說道：「你答應了？」
張超點頭笑道：「姑娘這條件老夫如不答應，爲人豈不是太苛刻了嗎？」
江煙霞道：「那很好，你先殺死他吧。」
這要求，倒是大出了張超意料之外，怔了一怔，道：「殺死他。」
江煙霞道：「不錯，此時處境，我們已萬無生理，我說了知曉的內情，也是難免一死。」
張超微微一笑，道：「只要你誠心和我們合作，那並非是一定要死。」
江煙霞道：「那是以後的事了，你先殺死他，我才能夠相信。」
張超道：「好吧。」長劍舉起，直向容哥兒劈去。
江煙霞轉過頭去，熱淚奪眶而出。原來，她心中明白，處此險惡之境，已然是萬無生存之望，與其活著受盡折磨，倒不如一死了之。
只聽一聲大喝道：「張兄住手！」

張超劍鋒已然觸及容哥兒的身上，聞言收住長劍。

江煙霞轉目望去，只見那說話之人，正是夏琪。

只聽夏琪接道：「殺死此人，這丫頭心中再無顧慮，那時，她如不肯說出內情，咱們豈不是爲她所騙了？」

張超笑道：「我不信她是鋼筋鐵骨，不畏痛苦。」

夏琪笑道：「也許她早已有備，咱們不能不防。」

張超笑道：「夏兄說得是。」

目光轉到江煙霞身上，道：「姑娘聽到了？」

江煙霞道：「你可是準備變卦？」

張超搖搖頭笑道：「只是把順序顛倒一下，你先答覆了老夫的問話，然後，我再殺他不遲……」

哈哈一笑，接道：「姑娘總不希望自己的丈夫太難看，他還有一半臉兒未遭劃傷，如是姑娘不肯回答在下的問題，在下就劃傷他另一半臉兒。」

江煙霞怔了一怔，道：「你們問吧！我據實回答就是。」一面心中忖思，他們可能問到什麼事，準備回答之話。

張超淡淡一笑，接道：「那很好，希望姑娘心口如一……」

語聲一頓，接道：「那大王躲入那鐵塔之時，告訴你們些什麼？」

江煙霞道：「他說了很多話，但最重要的是，要我們支持五個時辰，他在極短的時間裏，傳授了我們布毒、暗器等手法……」話到此處，突然想到那黃衣老人還傳了劍招，迄未施展。

但聞張超冷冷接道：「說下去啊！」
江煙霞道：「他說，只要我們能夠支持五個時辰，他便有對付你們的法子。」
容哥兒心中暗道：「她把十字去掉了，十五個時辰說成了五個時辰。」
張超愕然說道：「五個時辰，不會錯嗎？」
江煙霞道：「這句話很重要，每個字我都記得很清楚，那自然是不會錯了。」
張超道：「咱們攻入這大殿，共耗去多少時間？」
夏琪道：「連同準備工夫在內，總有四個時辰。」
張超道：「那只餘一個時辰了。」
語聲一頓道：「他要如何對付我們，曾可提過嗎？」
江煙霞沉吟了一聲，道：「這個也沒有正面說過。」
張超道：「沒有正面說過，那是有過暗示給你了。」
江煙霞道：「是否暗示在下就不大清楚了。」
張超道：「你不能了然內情，總該記得他說得什麼了？」
江煙霞道：「這個自然記得。」
張超道：「好！你記著他的話，一字一句背誦一遍。」
容哥兒心中暗道：「不知她如何說這個謊，倒要仔細的聽聽了。」當下強自忍著傷痛，凝神聽去。
江煙霞道：「那黃衣老人在盛怒之下，口中諸多不遜之言，如若我照他原話轉述出來，只怕是太難聽了。」

張超皺皺眉頭，道：「不要緊，難聽就難聽吧。」

江煙霞道：「那黃衣老人說：他對你們四大將軍，個個恩義深厚，信任有加，想不到你們都是毫無心肝的小人……」

張超冷哼一聲，道：「哼！我們總不能陪他在這不見天日的地下石洞中，過一輩子啊？」

夏琪緩緩說道：「張兄，讓她說下去。」

張超霍然驚覺，重重咳了一聲，道：「姑娘繼續說下去吧。」

江煙霞道：「他說傳了你們武功，使你們個個身負絕技，想不到你們背叛於他，當真是天良喪盡，畜生不如……」

張超冷哼一聲，道：「他是這樣說嗎？」

江煙霞道：「不錯，你不讓我減一個字，我自然是不敢減了。」

張超道：「好吧！你再說下去。」

江煙霞道：「他說，你們認爲佈置已很周密，安排了很多心腹死黨在內，萬無一失，但卻太低估了他……」語到此處，突然住口不言。

張超道：「你怎麼不說了。」

江煙霞道：「說完啦。」

張超道：「他只說這幾句話？」

夏琪突然接口說道：「不用問了，再問也問不出所以然了。」

張超道：「對這兩人如何處理呢？」

夏琪道：「一齊殺死，讓他們如了心願。」

張超望望那突立殿中的鐵塔道：「咱們如若能夠早些留心到，這大殿中的機關佈置，今天就容易對付他了。」

夏琪信口說道：「那也許早已洩漏了咱們的隱秘。」

語聲一頓，道：「現在對付他，也不算遲。」

張超道：「夏兄有什麼辦法？」

夏琪說道：「我已把地下石宮中所有的存油收集起來，估計已有三千斤以上，再把宮中所有帛絹、衣物和棉被，集中起來，浸油之後，堆在大殿之中，然後大開殿門，留下十二個高手，照顧火勢，咱們搬出地下石宮……」他話未說完，但卻突然住口不言。

江煙霞心中暗道：「這張超外貌聰明，實則胸無智略，那夏琪才是陰險人物……」

只聽夏琪接道：「估計存油和衣絹之物，大約可燒數日夜，在大火不絕之下，這鐵塔必被燒熔，只要他在塔中，油火侵入，萬無生理。」

張超望向江煙霞和容哥兒，道：「這兩人呢？如何處置。」

夏琪微微一笑，道：「這些年來大王待咱們不錯，總不能讓他一個人寂寞地死去，這一對男女，陪他殉葬，也算咱們對大王略盡一些心意。」

江煙霞暗暗罵道：「這人好生歹毒！」

只見夏琪舉步行到兩人身前，伸手點了容哥兒和江煙霞的穴道，冷冷說道：「把他投近鐵塔。」兩個大漢應聲而出，抱起容哥兒和江煙霞，放在鐵塔旁側。

夏琪回顧了張超一眼，道：「兄弟已經準備妥當，張兄也該去準備一下，咱們半個時辰後動身。」張超點點頭，大步向外行去。

江煙霞暗道：「原來他們兩人間，也是各有心腹，形成勢均力敵的局面。」

張超去後，夏琪突然一揮手，道：「快些動手。」只見人影閃動，十幾個大漢魚貫而入，手中抱著絹帛和鐵桶等。大漢們動作快速，片刻之刻，棉被、絹帛，已然堆滿鐵塔四周。

江煙霞暗中運氣，想設法自解穴道，但對方手法甚重，耗去了一頓飯工夫之久，仍是未能解開。

突然啵啵連聲，容哥兒和江煙霞，都濺了一臉的油汁。

江煙霞暗暗歎息一聲，道：「容郎，生雖未同羅幃，死時卻共一穴……」

容哥兒接道：「唉！你如不是為了我，也許有辦法逃離此地了。」

江煙霞道：「你認為我還有逃離此地的機會？」

容哥兒正待答話，突聞一陣軋軋之聲，那鐵塔突然裂開了一個兩尺高低的門來。一隻大手，從鐵門中伸了出來，抓住了容哥兒，拖入鐵塔之中。江煙霞心中雖然知曉，極力想轉過臉去瞧瞧，但她穴道被點，身不由主，竟然無法轉動。

突然間，火光一閃，這時熊熊大火，燃燒起來。就在那大火燃起的同時，那隻大手又及時伸了出來，把江煙霞拖入鐵塔。洞開的鐵門，極快地關閉了起來。同時一隻手，解開了江煙霞身上的穴道。

江煙霞回目望去，只見那黃衣老人盤膝而坐，滿臉悲忿之色。容哥兒的穴道也已被解開。

江煙霞回顧了一眼，只覺這塔中容身之地，十分狹小，擠了三個人，已有轉身無地之感。

她迅快地扯了一片衣襟道：「容郎，我包起你臉上的傷勢。」

黃衣老人輕輕歎息一聲道：「你們身受的危難、痛苦，我都瞧見了，只是無法幫助你們罷了。」

江煙霞道：「老前輩這存身之地，可有通往外面之路嗎？」口中說話，雙手卻在替容哥兒包紮傷勢。

黃衣老人點點頭道：「有，但咱們要過幾處險地，你們快些運氣調息，待你們體力稍復，咱們就離開此地。」

江煙霞道：「賤妾不要緊，我抱著容郎，咱們立刻動身。」

黃衣老人道：「不要緊，縱有大火，一時間也無法燒熔此塔。」

江煙霞包紮好容哥兒的傷勢，道：「老前輩傷勢如何了？」

黃衣老人道：「大致已好。」

江煙霞奇道：「老前輩不是需十五個時辰才成嗎？」

黃衣老人道：「老夫如不多說幾個時辰，只怕支撐的時間更短，你們一直就默念著十五個時辰，自會用盡智能，拖延時刻。」

江煙霞輕輕歎息一聲，道：「看來，我們還是比你老前輩棋差一著。」

黃衣老人道：「還有一件，那就是老夫未確定你們身分前，不得不施些手段。」

江煙霞道：「原來老前輩是不肯信任我們，才托詞療傷……」

黃衣老人道：「那倒不是，老夫身受毒傷一事，實也是千真萬確，只不過傷勢不重，而且老夫極善用毒，自然有解毒之藥。」

四三　神龍重現

黃衣老人仰起臉輕輕歎息一聲，道：「你們能支持這麼久的時間，很出我的意外，孩子們，你們夠聰明，但也夠運氣。」

容哥兒突然吁一口氣，道：「晚輩經過一陣調息，已經可以行動了。」

黃衣老人站起身子，道：「此刻，我們要爭取時間，很多事，待咱們離開此地之後，再行告訴你們不遲。」

江煙霞輕輕歎息一聲，道：「老前輩這次測驗得太過殘酷，如不是那夏琪想出用火攻熔這鐵塔的辦法，老前輩縱然可以看到我被人殺死，也是不會救援了。」

黃衣老人突然伸手在身後一按，響起一陣輕微軋軋之聲，片刻間，裂現一座兩尺見方的洞口，向下通去。

口中說道：「老夫此刻也無法說出是否會現身去救援你們。」

江煙霞道：「照晚輩推判是絕然不會，你看他臉上被那張超長劍劃破，但卻毫無反應。」

黃衣老人冷肅地說道：「咱們可以動身了。」當先爬入洞中，向前行去。

這石洞好矮，必須要爬行才成。容哥兒居中，江煙霞斷後，蛇行而進。只覺一陣濕霉之氣，撲鼻而來，顯然，這條秘道中已久年無人行走。

爬行約了二十餘丈，石洞漸高，已勉可站起行走，那石洞也由低向高處展延。
江煙霞低聲說道：「老前輩，這石道可是通向一座山峰？」
黃衣老人道：「一座古堡之中。」
江煙霞道：「那古堡可在這主峰北面？」
黃衣老人道：「你很熟悉？」
江煙霞道：「晚輩被強迫做了一天君主，曾在那古堡之中，住過數日之久。」
黃衣老人黯然歎息一聲，道：「老夫對他們恩遇有加，只望他們能代我在江湖之上行道，卻不想他們竟然爲惡武林，唉！想不到老夫一生所爲，回想起來盡是壞事。」
江煙霞心中暗道：「聽他口氣，昔年他在武林之中，定然也是一位大魔頭，爲惡極多，忽然向善，想借人之手，代他行道，以贖前衍，卻不料用人不當，製造了更多的罪惡。」
心中念轉，口中卻說道：「老前輩以前也常在江湖上走動嗎？」
黃衣老人長歎一口氣，道：「不錯……」
回顧容哥兒一眼，接道：「老夫初見他之時，心中大爲擔心，但現在好了。」
饒是江煙霞聰明絕倫，也被這幾句話，說得莫名其妙，皺皺眉頭，道：「老前輩這話是何用意？」
黃衣老人道：「自古以來，紅顏薄命，那是因爲他生得太美了，覬覦之人過多，如是君子人物，求之不得，至多是鬱鬱於心，與人無涉；但如是小人之輩，必將千方百計，不擇手段，設法達到心願，紅顏薄命者，種因於斯。但如是男人生得太美了，也將一樣地惹出麻煩，情海翻波，平常之人，影響不大，是武林高手，造成之害，那就無法算計了……」

長長地歎一口氣，接道：「老夫初見他時，只見他生得過美，雖然生性忠厚，但江湖陷阱太多，也叫他防不勝防，一失足即成恨事，如今他臉上被人割了一劍，破壞了他的美貌，實在是姑娘之福，也是天下之福了。」

江煙霞若有所悟地啊了一聲，忖道：「這話倒是不錯，我配容郎，內心中總有一種不安之感，以他之美，實是深閨少女，夢寐以求的情郎，以我的定力，相處數日，也不禁怦然心動，就算他不惹人，但人就愛他，此後，難免要引起甚多紛爭，此刻，他容貌被破，是我之福，這句話想來是不錯。」

但見那黃衣老人，輕輕一拂容哥兒包在臉上的白紗道：「孩子，希望你不把容貌殘破一事，放在心上，須知咱們男子漢大丈夫，要立千秋大業，博萬世之名，不能計較那容貌的美醜……」

容哥兒道：「這個晚輩知道。」

黃衣老人道：「你明白就好了。」

江煙霞只覺這黃衣老人對待容哥兒有著特別親切之感，心中大是奇怪。

談話之間，行到了一處特別狹窄的地方，那地方狹窄得只可容一個人側身而過。

黃衣老人突然停下腳步，目光投注在江煙霞的身上，道：「孩子，好人可以變壞，壞人是否能夠變好呢？」

江煙霞道：「這個，要看那些人，有沒有自省的時間。」

黃衣老人微微一笑，道：「他們有，而且有很多自省的時間。」

語聲頓了一頓道：「他們如若不是已醒悟昔年之錯，定然是滿懷恨意，對我們而言，都有幫助。」

江煙霞和容哥兒都不知他說話的用意，瞪著眼睛無法接得上口。

只聽黃衣老人自言自語地說道：「放了他們吧！雖然這些人，都是些混世魔頭。」他自言自語，雙手卻在壁間不停地摸索。

江煙霞、容哥兒都不知他要找什麼，但卻未出手阻止。

大約過了有頓飯工夫之久，突然那黃衣老人用力一拉，在壁間拉開一個孔洞，又探手從懷中摸出一把匕首，探入孔洞之中，一陣斬刺。

片刻之後，山壁間，突然響起了隆隆之聲，似乎是很多件物品，從山壁空隙間，跌落了下去。

江煙霞低聲問道：「老前輩破壞了這石府中的機關？」

黃衣老人道：「不錯，你這女娃兒果然聰明……」

語聲頓了一頓，接道：「管制這石府機關的，共有兩處，一處在我住的大殿之中，另一處就在此地。」

江煙霞道：「老前輩把兩處機關，全都破壞了嗎？」

黃衣老人道：「不錯，這兩處機關，破壞之後，關在這地下石宮的魔頭，大都可脫出拘禁。」

江煙霞微微一笑，道：「這些人被囚禁了很多年月，心中滿腹怨恨，見著張超、夏琪之後，勢必要拚個你死我活。」

黃衣老人淡淡一笑，道：「你好像知道很多事。」

江煙霞道：「此中道理，淺顯易見，算不得什麼重大之事。」

黃衣老人不再多言，側身向前行去。容哥兒、江煙霞緊隨身後而行。過了那一段狹窄的地方，形勢又漸開闊。只聽砰然震動之聲，由石壁之上傳了過來。

江煙霞附耳於石壁上聽去，果然聽到一個輕微的聲音，傳入耳際，道：「江兄，先助兄弟解開身上枷鎖如何？」

另一個蒼勁的聲音應道：「我瞧，還是你先幫我解開……」

只見一隻手伸了過來，抓住了江煙霞，道：「咱們得快些走了。」

江煙霞抬頭看去，只見抓住自己右腕的，正是那黃衣老人，只好舉步向前行去。

一面問道：「老前輩，這石壁之內關著人是嗎？」

黃衣老人道：「不錯，你聽到他們談話了？」

江煙霞道：「兩句，堅石隔音，聽得不很清楚。」

黃衣老人道：「咱們必須得快些出去，堵死這座石門。」

江煙霞道：「爲什麼？」

黃衣老人道：「因爲，那些被囚之人，可能跟在咱們身後。」一面答話，一面放步向前行去。

三人又行六、七丈，眼前突然現出僅可容一人行走的石級。

黃衣老人低聲說道：「到了，你們先停在這裏，老夫先開機關。」緩步向上行去。

江煙霞低聲道：「可惜令堂和俞若仙，都陷身在這石府中，咱們卻無能相救。」

容哥兒道：「不論那容夫人是否我親生的母親，但她對我有很深的養育之恩，我不能棄她不顧，你先走吧！我要回頭去找找她。」

江煙霞道：「你傷勢很重，如何能留下。還是先行上去，看看武林形勢，咱們知道了這條密徑，隨時可以重入石府。」

談話之間，瞥見天光透入。

耳際間響起那黃衣老人的聲音，道：「快些上來。」

喝聲中，黃衣老人已然當先躍了出去。

江煙霞一手抓到容哥兒，道：「容郎，天下沒有十全十美的事情，上去吧。」

口中婉轉陳詞，人卻拖著容哥兒，直登石級。

容哥兒的心中暗道：「這話說得不錯，我如留此，只怕也無能救助她們脫險，也只有暫離險地，養好傷勢，再作計較了。」

忖思之間，人已被江煙霞拖出了石洞。

抬頭看陽光普照，正是中午時分。

那黃衣老人長長吁一口氣，道：「老夫已二十年未見陽光了。」

江煙霞目光轉動，只見這出口處，僻在一塊大石之後，下臨懸崖，地域十分隱秘。

只聽那黃衣老人說道：「兩位快些躍上巨石。」

江煙霞道：「容郎，咱們一起上去。」也不等容哥兒答話，挽著容哥兒的手臂，飛躍登上巨石。

兩人剛剛登上巨石，突然發覺著足下巨石不穩，開始劇烈搖動。

江煙霞低聲道：「快走。」右手一伸，摟在容哥兒腰間，並肩而起，飛落到八尺開外。但聞一聲隆隆大震，那巨石突然間倒塌下去。

塵土飛揚中，一條人影，疾飛而起，落在兩人的身前。

容哥兒凝目望去，只見那人正是那黃衣老人。

江煙霞道：「老前輩，你封閉了那座石洞……」

只聽那黃衣老人右手一揮，一股勁風，呼的一聲，捲了過去。

同時，耳際間，響起那黃衣老人的聲音，道：「快伏在地上。」

江煙霞、容哥兒已知他武功高強，實非自己能及，聞聲伏下身子。轉目看出，只見數縷銀線，掠頂而過。敢情，已有人施放暗器，向幾人襲擊。

江煙霞凝目望去，不見有施放暗器之人，心中大感奇怪，低聲說道：「老前輩，這暗器從何處射來？」

黃衣老人道：「那片片突起的石岩之後。」

江煙霞凝目望去，那石岩距自己停身之處，少說也有二丈多遠，想想剛才那掠頂而過的數縷銀線，不禁心頭駭然，當下說道：「老前輩，剛才那暗器是很細的銀針嗎？」

黃衣老人道：「不錯。」

江煙霞道：「那人隱身在石岩之後，能夠憑腕力，把幾枚銀針，打得如此之遠，武功實是驚人了。」

黃衣老人道：「不是用腕力打出暗器。」

江煙霞道：「不是用腕力，那是用機關打出的暗器了？」

黃衣老人道：「不錯，那是一種特殊的機簧裝製的暗器，由老夫設計，一個巧手的銑工，費時三年製成，老夫取名叫做奪魂神筒，每一筒，可藏淬毒鋼針二十四支，因為用強力機簧彈出，可及五丈右右，可一支一支發射，也可以二十四支一起打出……」

江煙霞輕輕歎息一聲，道：「老前輩之意，咱們無法越渡那座石岩後的防守之人？」

黃衣老人沉思了一陣，道：「你們適才瞧出那針由那石岩後哪一個方位打出？」

江煙霞道：「東面岩角之後。」

黃衣老人道：「沒有錯嗎？」

江煙霞道：「不會錯。」

黃衣老人道：「試試咱們的運氣了。」

江煙霞、容哥兒都聽得心中不大明白，暗道：「不知要碰什麼運氣了。」

只見那黃衣老人探手從懷中摸出了四枚蝙蝠鏢，道：「在暗器一道，有一種最高的手法，叫做迴旋手法，昔年老夫對此道研究甚深，也極精純，只是已經近二十年沒有用過了，不知是否還能甩出那股巧力……」

口裏說話，暗中卻提起真氣，一揚手，兩枚蝙蝠鏢破空發出，分由兩個方位，飛向那石岩。容哥兒和江煙霞，都不自覺地抬起頭來，看那兩枚蝙蝠鏢的變化。只見那兩枚飛鏢，飛在岩石上面之後，突然打出兩個旋轉，直向岩石下面飛去。

容哥兒暗暗讚道：「好手法！」

但見黃衣老人左手揚動，又是兩枚蝙蝠鏢脫手飛出。這兩枚蝙蝠鏢出手的勢道，更為奇怪，只見兩枚蝙蝠鏢分由兩個方向，飛到兩丈之外，來個大轉彎，齊齊折向那石岩之後。

江煙霞細看那兩枚蝙蝠鏢的去向，果然都是指向石岩東面一角，心中暗暗驚駭，忖道：「一個人的暗器手法，到此境界，實是不可思議了。」

心中念轉，口中卻說道：「老前輩的暗器手法如此精奇，實是罕聞罕見的事了。」

黃衣老人道：「你們守候此地……」也不待兩人答話，縱身而起，一躍兩丈多遠。他輕功絕佳，兩個飛躍，已到了石岩之上，人未落地，右手劈出一掌。強烈的掌風，帶起了一陣呼嘯之聲。隨著那劈出的掌勢，黃衣老人整個身軀，落於巨岩之後。

江煙霞和容哥兒，雖未涉險，但內心之中的緊張，卻是比自身涉險更厲害。兩個人圓睜著四隻眼睛，望著那石岩出神。

大約過了一刻工夫，只見人影一閃，一個身著黑衣，黑紗包臉的大漢，突然出現在那巨石之上，對著兩人招手，道：「你們兩個快過來。」

容哥兒、江煙霞看那黃衣老人忽然間變成一個黑衣大漢，心中既是驚奇，又是害怕，但聽那人的聲音，十分熟悉，分明是那黃衣老人的口氣，兩人相互望了一眼，齊步向前行去。

兩人行到那石岩前面低聲道：「是老前輩嗎？」

那黑衣人道：「正是老夫，老夫這身黃衣太過刺眼，只好換著一身黑衣了。」

江煙霞道：「何人使用奪魂神筒？」

黑衣人道：「一個年輕人，他不知老夫那蝙蝠鏢內暗藏機關，中毒針而死。」

容哥兒道：「老前輩換上了他的衣服？」

黑衣人道：「不錯，不過，老夫顎下白髯蒼蒼，不得不用黑紗包起了。」

容哥兒道：「老前輩是否已取回了奪魂筒？」

黑衣人道：「取回了。」

容哥兒道：「可否給晚輩們見識見識？」

黑衣人道：「不但讓你見識，還要教你使用，快上來，老夫告訴你施用之法。」

語聲未落，突聞金風破空，數點寒星疾射而來。那黑衣老人袍袖一拂，一股勁風飛起，一擋飛來暗器，牽著容哥兒一隻手，放腿向前疾奔而去。江煙霞急起直追，放步趕去。

兩側的埋伏甚多，暗器紛紛而至。那黑衣人左手牽著容哥兒，右手長劍飛舞，但見白芒閃轉如輪，近身暗器，盡爲擊落。江煙霞雖然也揮舞著長劍，擊打射來暗器，但比起黑衣人，卻不可同日而語。

那紛飛而來的暗器，有如驟雨湧至，而且那暗器又十分博雜，有飛鏢、袖箭、毒針、毒釘、以及力道強大的鐵膽等無所不包。

江煙霞憑一股豪壯之氣，向前奔行了四、五丈，已被那綿連不絕的暗器困住，難再越雷池一步。這時，她心中才明白，自己武功和那黑衣老人之間，有著一段很大的距離。就在江煙霞被暗器所困，寸步難移時，黑衣人卻已帶著容哥兒，衝到古堡門前。

黑衣人右手長劍一揮，劈在那古堡門上。只聽啪啪兩聲，黑衣人手中長劍，一折三截，跌落地上。但那緊閉的鐵門，也同時大開。但見寒光一閃，一柄單刀，迎面劈下。

黑衣人動作快速，右手一揚，掌勢劈出。那劈出單刀，還未近兩人之身，執刀人已經悶哼一聲，跌了下去。原來，被那黑衣人一記劈空掌力，擊中前胸，打得口吐鮮血而亡。

黑衣人放開容哥兒，雙掌連連劈出。掌風過處，屍體紛紛栽倒。容哥兒眼看他每出一掌，就必要傷人，心中大爲驚駭，一個人武功練到這等出神入化之境，實也非易了。

只見那黑衣人，舉步登上古堡頂峰，片刻之後，重又行了下來，說道：「樓上之敵，已全部肅清，你借重這奪魂筒之力，守此古堡，足可應付了。」

容哥兒道：「那位江姑娘，此刻正陷危境，有勞老前輩救她到此。」

黑衣人點點頭，伏身從地上撿起一柄單刀，縱身而出，手中單刀揮舞，開道而行。

江煙霞得那黑衣人開道，威脅大減，緊隨身後，行入古堡。

江煙霞長長吁一口氣，還劍入鞘，道：「老前輩的武功高強，罕聞罕見，必是武林中大有名望的高人，不知可否以真名見告？」

黑衣人道：「這樣吧！你們叫我龍伯伯吧！老夫年過古稀，你們稱叫一聲龍伯伯，那也是應該的事。」

容哥兒道：「龍伯伯，那是你的化名了？」

龍伯伯道：「自然，那不是老夫的名字，但有一天，老夫會告訴你們我的真實姓名。也許，那時你們會鄙視老夫，但此刻老夫不希望你們對老夫心存芥蒂，只好暫用代名了……」

語聲頓了一頓，道：「如是你們覺得委屈，叫我一聲龍老丈也好。」

江煙霞道：「既然如此，我們只有從命了。」

龍老丈道：「此刻，咱們只有盡其在我了，能否挽救這次大劫，那要看天命如何。」

臉色一整，接道：「你們兩個，暫時守住這座古堡，憑仗奪魂神筒的威力，當不致有何困難……」

容哥兒道：「龍伯伯呢？」

龍老丈道：「老夫設法混入敵人之中瞧瞧，選一些可用之材，今夜三更之前，不論情形如何，老夫都將回此古堡，和你們相見。」

容哥兒道：「我等恭候大駕。」

龍老丈道：「孩子們，多多小心，老夫去了。」縱身一躍，人已到四丈開外。

江煙霞望著那老人遠去背影呆呆出神，有如木雕泥塑。

容哥兒輕輕咳了一聲，道：「賢妻在想什麼？」

江煙霞道：「我在想他的身分。」

容哥兒道：「你是說龍老丈？」

江煙霞道：「不錯，聽他口氣，似是改邪歸正之人，以他高強的武功，只有一個人有此能耐，因爲武功到他那種境界，不但是苦練而成，而且必有其他人所難及的天賦。」

容哥兒道：「你在懷疑他是什麼人？」

江煙霞道：「如若要賤妾作一個大膽的假設，那人可能是鄧玉龍。」

容哥兒道：「鄧玉龍？」

江煙霞道：「是的，賤妾有這樣的想法，因爲，除了鄧玉龍之外，賤妾實在想不出，還有什麼人有這等能耐。」

容哥兒道：「鄧玉龍不是已死了嗎？」

江煙霞道：「武林中只聽說他死去，但是，有誰見過他當真的死了呢？」

容哥兒道：「萬上門主俞若仙，不是親眼所見了嗎？」

江煙霞道：「據說她見到鄧玉龍時，鄧玉龍已經氣絕而逝，那又如何能說明他一定是鄧玉龍呢……」

語聲微微一頓，接道：「就算他真是鄧玉龍，他也可裝死欺騙那俞若仙的耳目。」
這當兒忽見人影閃動，四個勁裝大漢直奔過來。
容哥兒道：「咱們的體力未復，不宜和他們動手，試試這奪魂神筒如何？」
江煙霞道：「先了解對方的身分再說。」
就在兩人談話的工夫，四個大漢，已然奔到了堡門前面，距離堡門七尺左右時，停了下來。容哥兒目光到處，不禁駭了一跳，四人之中，赫然有黃十峰在內。
他本要施展那奪魂神筒，但目睹黃十峰時，不得不停下手來，高聲說道：「來的是黃幫主嗎？」
容哥兒和江煙霞都已經隱在古堡門後，黃十峰雖然聞其聲，卻不見其人。
但聞黃十峰應道：「正是黃某，閣下是何許人？」
容哥兒閃身站起，道：「黃兄不認識在下了嗎？」
黃十峰淡淡一笑，道：「容哥兒。」
容哥兒道：「不錯，正是在下。」
黃十峰苦笑一下，道：「容兄弟到此作甚？」
容哥兒道：「這話應該在下問你吧？」
黃十峰回顧了身側三個大漢一眼，高聲道：「容兄弟，只有你一個人嗎？」
容哥兒揚了揚手中的奪魂神筒，道：「黃兄見多識廣，但不知是否認得此物？」
黃十峰望了那奪魂神筒一眼，搖搖頭，道：「不認得。」
容哥兒道：「好！我告訴你，此物名爲奪魂神筒，乃暗器中最爲歹毒之物，閣下如要妄越雷池一步，那就是自尋死路了。」

黃十峰淡淡一笑道：「當真那麼厲害嗎？」

容哥兒道：「在下說得清楚，已算盡了一番相交之情，如是黃兄不信，那就不妨一試。」

黃十峰道：「容兄弟果真是有神鬼莫測之能，竟然輕輕易易地混入此地。」

容哥兒道：「此時此地，咱們時間都很寶貴，寒暄之言，似乎是用不著說了。」

黃十峰道：「不錯，容兄弟想和在下談些什麼？」

容哥兒道：「好！黃兄如此說，在下也不客氣了，黃兄在東、南、西、北哪位將軍手下聽差？」

黃十峰沉吟了一陣，道：「容兄弟似是知曉很多事……」

容哥兒接道：「但在此刻才知曉，黃兄是心甘情願為人爪牙。」

黃十峰冷冷說：「目下武林中各大門派都已屈服，少林寺一門雖然堅持到最後，也要在明天早晨，交出掌門信物綠玉佛杖，你能混到此地，雖足使人驚訝，但這等靠運氣的事，實是不足為憑。」

容哥道：「黃兄之意，想勸我也投在一天君主之下是嗎？」

黃十峰道：「不錯，大勢所趨，你一人怎麼有回天之力？」

容哥兒心中暗道：「如若能夠多從他口中探出一些消息，那是最好不過了。」心中念轉，口中說道：「這個應讓在下考慮一番。」

黃十峰道：「識時務者為俊傑，在下和你容兄弟一見投緣……」

容哥兒接口道：「這個我心中明白，只是在下有幾點思解不通之處，希望能領教一二？」

黃十峰道：「什麼事？」

容哥兒道：「黃兄放著好好丐幫幫主不幹，卻願屈居人下，不知是何用意了？」

黃十峰道：「自是別有原因，咱們以後再談不遲，此刻，在下時間不多。」

容哥兒道：「不行，黃兄如不肯據實見告，叫兄弟很難信任黃兄。」

黃十峰冷冷說道：「容兄弟這等固執，在下有相救之心，卻也無相救之能了。」

容哥兒正待回答，卻聞江煙霞柔柔細音，傳入耳際，道：「容郎，騙他進入堡中，施展你手中的奪魂神筒，出其不意，先取隨行羽黨之命。」

容哥兒聽得一怔，心中暗道：「這法子果然惡毒，無怪那龍老丈不肯把奪魂神筒交她施用了，但此刻形勢不同，實也不能光明正大地對付他們了。」

他在心中把江煙霞的話轉了兩轉，說道：「黃兄，這幾位隨行之人，都是你幫中的高手了？」

黃十峰道：「都是小兄的心腹。」

容哥兒道：「那就請入堡中談談如何？。」

黃十峰道：「好。」舉步直向堡中行來。

容哥兒轉動手中奪魂神筒，銀芒一閃，三個隨同黃十峰而來的大漢，同時慘叫一聲，倒摔在地上，氣絕而逝。

黃十峰呆了一呆，停下腳步，道：「奪魂神筒。」

容哥兒道：「黃兄認識最好，那就不用在下多解說了。」

黃十峰知曉那奪魂神筒的厲害，不敢再向前行進，停下腳步，道：「容兄弟，在下可否進入堡中？」

容哥兒道：「可以，不過，你先把三具屍體收起來。」

黃十峰道：「收向何處？」

容哥兒道：「運入這堡中來吧。」

黃十峰略一沉吟道：「好。」抱起三具屍體，行入古堡。

容哥兒神情肅然地說道：「黃幫主，在下先說明一件事情。」

黃十峰道：「好！我洗耳恭聽。」

容哥兒道：「此刻，咱們是敵對相處，昔年交情，已然不足憑藉，黃幫主如若有所舉動，在下立刻可取你之命。」

黃十峰正待答話，突見人影一閃，一個面帶病容的少女，出現眼前。這現身之人，正是江煙霞。

江煙霞冷笑一聲，道：「黃十峰，還認識我嗎？」

黃十峰打量了江煙霞一陣，道：「江大姑娘？」

江煙霞道：「不錯，江湖上人人都知丐幫代代忠義相傳，是一個極爲武林同道尊仰的幫會，想不到一代丐幫幫主，竟然是一個甘心爲人爪牙，助紂爲虐的人物。」這幾句話，罵得十分惡毒，黃十峰不禁臉上一熱。

江煙霞不待黃十峰開口，接道：「我們的處境很險惡，四周佈滿了你們的人，步步充滿殺機，黃幫主如是不想死，最好能據實回答我們的問話。」

黃十峰道：「如若在下不回答呢？」

江煙霞指指那三具屍體，道：「這三位就是黃幫主的榜樣，殺死黃幫主，和殺死另外三人一樣，不過，我相信黃幫主不會死。」

黃十峰道：「爲什麼？」

江煙霞道：「如若黃幫主當真有視死如歸的豪氣，豈會棄去堂堂的丐幫幫主之位，爲惡江湖，不怕萬人唾罵？」

黃十峰面現慚色，沉吟了一陣，道：「姑娘罵得很刻薄。」

江煙霞道：「看來，你黃幫主還有一點知恥之心……」

接著又道：「不論何等身分，不論是否怕死，但死亡對人都是一樣。」

黃十峰輕輕歎息一聲，道：「兩位縱然殺死在下，但你們也沒有逃走之望。明晨少林派等最後幾個門派，遞上了降書之後，整個武林都將在一天君主的統率之下了。」

容哥兒冷笑一聲，道：「哪裏來的一天君主！那只不過是一個代名詞罷了……」目光一掠江煙霞，接道：「最後一任的一天君主，就是江大姑娘。」

黃十峰歎息一聲，道：「容兄弟，你好像知道很多隱秘？」

容哥兒道：「比起你黃幫主，在下應該知道比你多些。」

語聲一頓，接道：「再告訴你一個使你震驚的消息，你們那幾位妄想統霸天下的主子，內部已經發生大變，今夜三更過後，他們即將失去權位，不但霸統武林的迷夢將醒，而且將性命不保。」

黃十峰呆了一呆，道：「當真嗎？」

容哥兒連經番凶險之後，已學會用詐對策，當下說道：「在下和江大姑娘，爲何能夠到此，而且取得奪魂神筒，守此古堡，難道是全然無因嗎？」
黃十峰望了容哥兒一眼，臉上是一股似信非信的神色。
容哥兒道：「江大姑娘被他們借重，做一天君主化身之一，論身分地位，比起你黃十峰那是高上不知多少倍了，但她能夠懸崖勒馬，不爲惡徒所用……」
黃十峰閉目想了一會兒，道：「我想一個人，總是難免一死，雁過留聲，人死留名，在下極願助兩位一臂之力，但不知能否得兩位信任？」
江煙霞道：「可以，但你必得做一件使我相信的事。」
黃十峰道：「這一地段劃由在下守護，縱然有人到來，亦得聽在下號令，兩位可放心。」
江煙霞道：「怎麼說？」
黃十峰道：「不論兩位要我做什麼，都得先讓我自由行動。」
江煙霞道：「你很狡猾，只要我們讓你離開這裏，逃出那奪魂神筒射程之外，你就可以很安全了。」
黃十峰道：「姑娘對在下如此懷疑，我們就很難再談下去了。」
容哥兒突然接口說道：「黃兄可以走了。」
江煙霞道：「容郎……」
容哥兒接道：「如是龍老丈能力挽狂瀾，多了黃十峰一個敵人，那也不算什麼。如是那龍老丈沒有回天之能，就算他能夠爲我們幫忙，那也有限得很。」
江煙霞點點頭，道：「好，那就讓他去吧。」
黃十峰緩步行到門口，說道：「在下如果能夠說動屬下，便立時和兩位聯絡，如是無法說動他們，在下自會在暗中接應兩位。」言罷，放步而去。
兩人閑坐無事，相對聊天，由江湖大事，談到兒女私情，足足過了兩個時辰，仍然不見有人來攻古堡。
江煙霞探頭望望天色，只見紅日西沉，天色已經快要入夜，當下說道：「看來，那黃十峰已經約束住部眾，不再來攻此堡了。」
容哥兒道：「奇怪的是，此時此情，這地方不該如此寧靜。」
江煙霞道：「聽那龍老丈的口氣，似乎是在那地下石宮之中，囚禁著甚多武林人物，他已打開機關，放出了那些被囚禁的人物，而且又毀去石府，也許四大將軍，已為地下石府的亂局，鬧亂了章法，無暇顧此。」
容哥兒道：「賢妻言之有理。」
江煙霞道：「天色將要入夜，咱們留此不便，不如閉上堡門，守在頂房，居高臨下監視四面。」
容哥兒道：「如是他們由底層攻入，逐級而上，咱們又如何防守得住呢？」
江煙霞道：「不要緊，這底層之門，十分堅牢，縱有攻擊之人，也難破門而入，而且那古堡頂室之上，地方不大，只憑你手中一具奪魂神筒，已然足夠對付強敵攻襲之用了。」
容哥兒道：「賢妻曾居住於此，定然十分曉悉了。」
江煙霞關上了底層大門，道：「咱們上樓去吧。」當先舉步行去。
堡頂之上，是青石砌成的一片光滑石地，上面打掃得十分乾淨。
江煙霞指指東面一個壁角，道：「你守在東南面壁角，我守在西北壁角，監視四面敵人，如有警兆，立時傳音相告。」

容哥兒歎息一聲，道：「此時此情，咱們猶如漂流在大海中的一葉孤舟，希望那龍老丈能夠及時趕回，如是不能依時趕來，對此殘局，真使人不知該如何處理了。」

江煙霞道：「如是那龍老丈不能依約歸來，五更之後，咱們要設法離此。」

容哥兒接道：「龍老丈失敗了，咱們還走得了嗎？」

江煙霞沉吟了一陣，道：「這個賤妾已經布下了一步閑棋，當時並未想到它真有作用，但此刻看來，或許是有些用處了，只要咱們能夠衝過重重攔阻，到達湖邊，那就不難逃離此地了。」

四四　君山之巔

兩個更次，匆匆而過，大出兩人意料之外的是，在這近三個更次之中，竟然無人再來古堡。這時天上集聚了濃密的烏雲，掩去了星月，夜色幽深，伸手不見五指。突然間，一聲輕咳，傳入耳際。

容哥兒手執奪魂神筒，冷冷說：「什麼人？」

但聞一熟悉的聲音應道：「老夫回來了。」隨著那回應，響起了一陣衣袂飄風之聲，一人躍上堡頂。

容哥兒心中暗道：「好高明的輕功。」

口中卻問道：「龍老丈嗎？」

龍老丈道：「正是老夫。囚困於地下石窟的凶煞惡神，已然困住了四大將軍，咱們必須及早發動，而且愈快愈好。」

江煙霞道：「眼下最爲要緊的一件事，就是設法找出那解毒藥物，解除被囚群豪身上之毒，這些人個個心懷憤怒，一旦恢復神智，必將全力報復，四大將軍如何能夠拒擋？如是無能找出解藥，咱們幾個之力，實也難有所作爲。」

龍老丈緩緩說道：「就老夫觀察所得，關鍵似乎不全在四大將軍身上。」

容哥兒道：「什麼？龍老丈之意，可是說那四大將軍之上，還有首腦人物是嗎？」

龍老丈點點頭，道：「我只有這樣懷疑，目下還難肯定。」

容哥兒道：「果真如此，實是不可思議的事了。」

龍老丈突然轉了話題，道：「兩位不用留在這裏了。」

容哥兒道：「到哪裏去？」

龍老丈道：「和老夫一起到那囚禁天下群豪之處瞧瞧。」

容哥兒道：「現在就去嗎？」

龍老丈道：「立時動身……」

語聲微微一頓，接道：「你們從裏面走下，老夫在下面等你們。」

容哥兒略一沉吟，道：「老前輩可是已胸有成竹了。」

龍老丈道：「咱們並不孤單，那囚禁天下群豪之處，還有很多高手，願助咱們一臂之力……」

語音一頓，接道：「事不宜遲，既然有所行動，就要愈快愈好。」言罷，縱身而起，由堡頂直墜而下。

容哥兒和江煙霞都自知無此能耐，不敢冒險，由堡內梯子奔下。

打開堡門，龍老丈已在門外低聲說：「夏琪、張超，大約此刻，仍困在地下石府之中，使他們嚴密的部署，全盤散亂，此刻的情況對咱們大爲有利，老夫歸來時，沿途一直未遇有人施襲。」

容哥兒道：「那就有勞老前輩帶路了。」龍老丈不再多言，轉身向前行去，容哥兒、江煙霞緊隨龍老丈身後而行。

那龍老丈似是極爲熟悉，帶兩人行過一條狹谷，登上一座高峰。這座山峰乃君山最高之處，只見峰頂之上，高排著幾盞紅燈，四周都是竹柵圍了起來。容哥兒凝目望去，只見竹柵內，用茅草搭著一條長長的草棚，草棚中坐滿了人。

江煙霞道：「這就是囚禁群豪之處？」

龍老丈道：「不錯，你可是覺得很奇怪，他們爲何不肯跑，是嗎？」

江煙霞道：「是啊。」

龍老丈道：「他們之間，有一條連鎖的繩子所困，使他們無法單獨的行動。」

容哥兒目光流轉，四顧了一眼，道：「奇怪啊！爲什麼連一個守衛之人都不見。」

龍老丈道：「有，都被老夫殺了。」龍老丈一提氣，縱身越過竹柵。容哥兒、江煙霞緊隨縱身而過。

龍老丈緩緩說道：「瞧到那長棚盡處的茅舍了嗎？」

容哥兒道：「瞧到了。」

龍老丈：「武功高強，或是身分尊貴之人，都在那茅舍之中，咱們先到那茅舍中去。」

容哥兒望著那連排而坐的人，說道：「咱們何不先放了這些人。」凝目望去，只見那連排而坐的人，個個圓睜著雙目望著幾人，但卻無一人開口說話。

容哥兒心中大奇道：「這些人爲什麼不說話呢。」

龍老丈道：「這些人都已經爲一種藥物所制，神智茫然。」

容哥兒搖搖頭道：「當真是千古未有的浩劫。」
龍老丈道：「咱們先到那茅舍中去，會會幾位武林中難得一見的高人。」舉步上前行去。
容哥兒緊隨在龍老丈身後，低聲問道：「何方高人。」
龍老丈道：「丐幫中的長老，少林寺中高僧，武當名宿，崑崙奇士。」
容哥兒道：「各大門派中高人都有？」
龍老丈笑道：「除了少林派中兩位高僧之外，丐幫、崑崙、武當各有一位。」
容哥兒道：「一共五個人。」
龍老丈道：「不錯，雖只五個人，但他們卻是各門派最傑出的高手，也是武林中的精英。」伸手推開大門，道：「在下又來驚擾五位了。」
只聽低沉的聲音，由屋角處暗影中傳了過來，道：「是龍兄嗎？」
龍老丈道：「正是在下。」
但見火光一閃，茅舍中亮起了一盞油燈。室中景物，突然間清晰可見。容哥兒目光轉動，只見五個衣著襤褸的老人，盤膝分坐在茅舍。這些人，似乎在這茅舍中坐了很多年代，每個人頭上、面頰，都是蓬髮、亂髯。
那龍老丈雖然已事先說明了這室中坐的什麼人物，有僧，有道，有俗人，但容哥兒卻是無法分辨。原來，室中五人，都長滿了髮髯，和那破舊到無法分辨的衣服，哪是道士，哪是僧人，誰也無法瞧得出來了。
只聽左面一位亂髮人，低聲道：「龍兄，這兩位就是你說的後起之秀嗎？」
龍老丈道：「不錯，天下武林高手，盡入彀中，只有他們能夠和這股邪惡的逆流抗拒，而他們又只有那樣小的年紀，男不過二十多些，女的還不到雙十年華，難道還當不得後起之秀嗎？」

五個髮鬚蓬亂的老人齊齊點頭，道：「龍兄說得是。」

龍老丈輕輕咳了一聲，道：「五位商量好了沒有？」

那右首一人反問道：「此刻，外面的局勢如何？」

龍老丈道：「老夫殺了此地守衛，迄今未見反應，五位還不肯相信嗎？」

只聽最左一人答非所問地說道：「龍兄，先替我們引見這兩位後起之秀如何？」

龍老丈道：「此刻寸陰如金，五位不怕耽誤時間嗎？」

左首第二個老人道：「我等不願再有一步失錯，必先了解他們的來歷、家世。」

龍老丈伸手指著容哥兒道：「這位是開封府閃電劍容俊之子，容小方。」

容哥兒聽得一怔，暗道：「他怎知曉我的名字呢？而且也知曉我的家世。」

龍老丈不容他多問，目光轉到江煙霞的臉上，道：「這位是金鳳門江伯常的女公子，江煙霞江大小姐。」

江煙霞也是聽得一怔，暗道：「他好像很清楚我們的家世。」

但聞龍老丈輕輕咳了一聲，道：「至於五位嗎？你們自己報名吧。」

最左一個老人，輕輕咳了一聲道：「老衲少林寺一瓢。」

此情此景之下，容哥兒無暇多問龍老丈，只好一抱拳，道：「見過大師。」

只聽左首第二人道：「老衲一明。」

容哥兒道：「兩位高僧，在下今日能夠拜見，至感榮幸。」

但聞正中一人說：「在下岳剛。」

容哥兒呆了一呆，暗道：「那岳剛怎的也在此地？」

心中念轉，口中卻說：「久仰老前輩的大名。」

岳剛微微一笑，道：「不敢當。」

只聽第四個說：「貧道崑崙赤松子。」

容哥兒對江湖中事，知曉不多，並沒聽過赤松子的名頭，但也只好一抱拳，道：「見過道長。」

但聞第五個老人說：「貧道武當上清。」

容哥兒道：「原來是上清仙長，在下這廂有禮了。」言罷，深深一揖。

上清道長笑道：「貧道還禮。」盤坐著右掌當胸。

容哥兒心中暗道：「他們都髮鬚虯結，實叫人無法辨認，只要他們移一個位置，我非得記錯人不可。」

龍老丈重重咳了一聲，道：「五位已知他們來歷了，咱們談的事情如何。」

但聞一瓢大師說道：「適才我們只說考慮龍兄的做法，並非是應了龍兄。」

龍老丈冷冷說道：「你們五人，全力逼毒，雖然保下性命，但已無和人動手之能了，除非你們不顧到自己的死亡。」

一明大師道：「剛才，我等已和龍兄談得很清楚，我們每人都還有能發出一掌，或是兩招，我不信天下有人能夠當得我們雷霆萬鈞一擊。」

龍老丈道：「諸位發出一擊之後……」

無影神丐岳剛道：「一擊之下，毒發而已，所以，我們很珍惜自己的一擊，這一擊必要誅去元凶首惡。」

龍老丈道：「如是那來的人，並非元凶惡首，但卻引誘了你們發掌，諸位縱算擊斃了來敵，但你們也將毒發而亡，豈不是太不划算的事嗎？」

赤松子淡淡一笑，道：「除了我們五人之外，知曉我們還有發掌能力之人，只有你龍老丈閣下一人。」

上清道長歎息一聲，接道：「我們不該把此等機密大事，告訴一個陌生人。」

龍老丈緩緩說道：「原來，諸位還是不肯信任在下。」

一瓢大師道：「龍兄去後，我等仔細研究，覺得龍兄的身分，實是可疑得很。」

龍老丈道：「爲什麼？」

一明大師道：「因爲，龍兄表露的武功，卻已到驚世駭俗之境，但我等思索甚久，卻想不出武林中有龍兄這麼一位人物。」

無影神丐岳剛接道：「看閣下的年齡，該是和我們相差不遠，那是說咱們同時出沒江湖上，無論如何，在下等也該知曉閣下的大名，但我們卻從未聽過龍大海這個人。」

容哥兒心中暗道：「原來這龍老丈，名叫龍大海。」

只聽龍老丈道：「此情此時，你們沒有很多時間，如是再不信任老夫，只怕造成大劫，那時，諸位後悔就遲了……」

赤松子冷笑一聲，道：「又有誰能確知你龍大海不是爲害江湖的元凶首腦呢？」

上清道長道：「我們研商之後，覺出你這龍大海定然是一個假名，我們幾乎爲花言巧語欺騙，幸而覺悟尚早，未鑄大錯。」

龍老丈肅然道：「此時最爲重要的事，是阻攔大劫，使他們功敗垂成，一定要問明我的身分，豈不是多此一舉嗎？」

一瓢大師道：「我等不知你的身分，豈能和你妄談合作？」

一明大師：「閣下說出真正姓名身分，有何不可？不過是開口之勞罷了。」

無影神丐岳剛冷冷說道：「龍兄連真實姓名都不肯見告，如若硬要叫我等相信你的爲人，實是強人所難了。」

龍老丈道：「好吧！老夫告訴你，不過，當老夫說出姓名之後，希望你們保持暫時的平靜，容老夫仔細地解說明白。」

一明大師道：「我等洗耳恭聽。」

龍老丈道：「鄧玉龍，諸位大概都聽說過吧？」

他雖然已事先說明了，要幾人保持鎮靜，但當幾人聽得鄧玉龍三個字後，仍然爲之震動。五個人十道目光，一直投注在龍老丈的臉上，呆呆出神。

半晌之後，赤松子才緩緩說道：「那鄧玉龍不是已經死了很久嗎？」

鄧玉龍長長歎息一聲，道：「世人都這麼想，但在下只是逃避塵世，躲了起來，而且，我一逃世，立誓不再出現塵世，想不到，世情變化，竟然又把我逼了出來。」

江煙霞道：「你真是鄧玉龍？」

鄧玉龍道：「不錯，姑娘可是有些不肯相信嗎？」

江煙霞道：「家父可是死在你的手中嗎？」

鄧玉龍道：「沒有，幾個時辰之前，他還好好的活著，不過，此時如何，老夫就不知道了。」
容哥兒道：「晚輩有幾件不解之事，不知可否問問？」
鄧玉龍道：「此時此刻，寸陰如金，實不宜多談往事，你一定要問，那就問得越簡單越好。」
容哥兒道：「晚輩是否叫容小方？」
鄧玉龍道：「你如是容俊的兒子，那就叫容小方了。」
容哥兒道：「姑不論我是否容小方，但那閃電劍容俊現在何處？」
鄧玉龍道：「閃電劍容俊，就是四大將軍之一。」
容哥兒怔了一怔，道：「那是說，他是咱們的敵人嗎？」
鄧玉龍道：「不錯。」
輕輕歎息一聲，道：「孩子，稍微忍耐幾日，過幾天，老夫有很多事，都要說給你聽。」
語聲一頓，目光掃掠過一瓢大師等五人，緩緩說道：「在下已經說出真實姓名，諸位意下如何？」
一瓢大師輕輕歎息一聲，道：「那鄧玉龍被譽爲一代美男子，但閣下這個樣子，實叫在下等看不出來。」
鄧玉龍道：「歲月不饒人，大師昔年也曾做過小沙彌吧！但此刻，你卻是少林寺中武功最高的長老之一！」
一明大師道：「你如真是鄧玉龍，該知那鄧玉龍在江湖的聲譽如何？」

鄧玉龍道：「在下自然如道，那鄧玉龍做了千千萬萬件的好事，也無法使他聲名清白。」
岳剛道：「爲什麼？」
鄧玉龍道：「因爲，他犯了武林中最大的忌諱：色戒。」
岳剛道：「你很明白，但在下不知你爲何不肯改過？」
鄧玉龍哈哈一笑，道：「老夫現在改過了，但我造成了更大的錯誤。」
赤松子接道：「這話怎麼說？」
鄧玉龍道：「因爲老夫自知作孽太多，不會見諒於天下武林同道，因此，就裝死逃世，避入人跡罕至的地下石府之中。」
江煙霞道：「老前輩沒有把這件事，告訴他們嗎？」
鄧玉龍道：「沒有，但現在，老夫要說個清楚。」
一瓢大師接道：「我們被囚於此，也聽說一些內情，而且也目睹過幾位主持這陰謀的首腦，鄧大俠如確然有心救世，說得又和我等所見吻合，在下等自然會和閣下配合了。」
鄧玉龍道：「在下進入地下石府之後，想到以往的惡跡，心中極是不安，決心爲武林中做一件人心大快的事……」
語聲微微一頓，歎道：「我想，那些爲非作歹的魑魅魍魎，都應該跟隨我鄧某人歸隱，消失於江湖之中，因此，決心找幾個助手，傳以在下的武功，要他們代我行道，把那些積惡如山的綠林巨寇，全部擒入地下石府中囚禁起來，使武林出現一片清白，使我武林同道過幾年清平無事的日子。」
一明大師接道：「因爲你用人不當，所以，原想爲武林同道做一好事，卻反而造成了大害。」

鄧玉龍道：「也許鄧某人作孽大多，上天不能見容，必要使我留下萬世罵名……」

長長歎一口氣，接道：「但我鄧某人裝死隱身，並未為自己謀名啊。」

無影神丐岳剛道：「鄧兄的過去，我等先不去談它，目下重要的事，是鄧兄要先說出這次造成江湖大劫的重要首腦，就我等所聞，作一對照，看看是否相同。」

鄧玉龍道：「老夫動隱居懲凶之心，就召了四位助手，聚居石室，同時，把一部分凶惡之徒，也帶入地下石府之中，老夫本想把他們一一處死，但又覺得這法子太過殘忍，臨時改變了主意，把他們安置在地下石府之中，但卻在他們身上加了很多禁制，使他們永遠無法離開地下石府，讓他們自生自滅。」

赤松子接道：「可是這些禁制不靈，使你帶入石府的巨惡元凶，逃了出來。」

鄧玉龍道：「如是老夫早有防備，豈能讓他們漏網，毛病出在老夫所用的那四個人的手上。」

上清道長道：「可是那四個人背叛了你？」

鄧玉龍道：「起初之時，他們還可安份守已，聽從老夫之命，也確為老夫擒回不少壞人，囚入地下石府之中。老夫為了他們職責清明，因此，為他們劃分四個區域，分作東、南、西、北四大將軍……」

長長歎一口氣，接道：「前幾年，老夫注意著他們的舉動，後來，見他們個個都能夠盡忠職守，老夫就放縱了他們，想不到這四人武功日強之後，竟然有謀霸江湖之心……」

一瓢大師接道：「鄧大俠可是說造成目下大劫的人，是你手下四大將軍。」

鄧玉龍道：「正是如此。」

一瓢大師搖搖頭，道：「這就不對了。」

鄧玉龍奇道：「哪裏不對了？」

一明大師道：「據我所知，那真正的首腦，是一個女人。」

鄧玉龍駭然道：「女的？」

岳剛道：「不錯，你那四大將軍中，可有女子？」

鄧玉龍道：「沒有，全都是男子。」

赤松子道：「這就是了，所以，我們懷疑閣下所見所知未必正確。」

上清道長道：「如非鄧大俠故弄玄虛，那就是你不知內情了。」

鄧玉龍道：「是女人？」

一明大師道：「不錯，除了老衲之外，在場之人，全都是耳聞目睹，難道老衲還故作謊言不成。」

鄧玉龍道：「什麼樣的女人？」

岳剛接道：「身著粉紅衣裙，面帶黑紗，我等從透出黑紗的眼神中，可以瞧出她內功十分精深。」

一瓢大師道：「你那四大將軍中，可有一個叫夏琪的嗎？」

鄧玉龍道：「不錯。」

一瓢大師：「那就不會錯了，老衲親耳聽她呼叫夏琪之名，夏琪對她更是恭敬。」

鄧玉龍道：「那夏琪的樣子，諸位還能夠記得嗎？」

一瓢大師道：「因爲老衲聽到那人呼叫夏琪之名，所以，老衲就特別留心瞧了一眼，如今尚有記憶。」

鄧玉龍道：「好！你說給我聽，越是仔細越好，最好能說出他的特徵。」

一瓢大師道：「中等身材，年齡約在四十以上。」

鄧玉龍道：「太籠統了。」

一明大師道：「在他左頰之上，似是有條很細的疤痕。」

鄧玉龍沉吟了一陣，道：「不錯，那夏琪左頰下確有一條很小的疤痕，不留心，很難看得出來。」

一明大師道：「但老衲看得出來，此刻，閣下可以相信了？」

鄧玉龍道：「老夫心中原有一個不解之結，聽得諸位之言後，老夫恍然大悟。」

赤松子道：「咱們洗耳恭聽。」

鄧玉龍道：「老夫決心隱入石府之時，就選擇四個代我行動之人，每個人，都是經過老夫千挑萬選，細心考察之後，找出的助手，他們竟然背我作惡，爲害江湖，實叫人想不出原因何在……」

上清道長道：「現在呢？」

鄧玉龍道：「現在，老夫明白了，原來他們爲女色所誘，背叛了老夫。」

仰起臉來，長長吁一口氣，道：「老夫早應想到的，四大將軍對功名利祿，看得十分輕淡，唯一能夠使他們背叛於我的，只有女色，但老夫竟然未能想到。」

岳剛冷冷說道：「近朱者赤，近墨者黑，鄧大俠一生喜愛女色，所以，你的屬下，也栽在了女人的手中。」
鄧玉龍道：「此時此刻，諸位似不應和老夫算那些陳年老帳。」
語聲一頓，接道：「能誘使四大將軍跌入脂粉陷阱，爲她出力賣命，那女子應該非尋常人物。」
上清道長道：「近百年來武林中巾幗女傑，大概是誰也沒有鄧玉龍明白了，你要想不出來，別人更是無從想起了……」
鄧玉龍道：「能否挽救武林中這次大劫，全在咱們幾位身上，老夫希望諸位能和我以誠相見，共謀強敵。」
一瓢大師道：「你說完拒敵之策，如若能使我等相信，老衲等自是遵照行事，如是無法說服我等，咱們就分頭行事，老衲還是按照我們早定的主意，守株待兔……」
一明大師接道：「目下要緊的是，鄧大俠先要設法找出主腦的女人是誰。」
岳剛道：「鄧大俠如若誠心去找，絕不難找出，岳某推想，那女子絕非初出茅廬的人物，五十年來，武林才女，大都和鄧大俠有過交往。」
鄧玉龍道：「此人實在難想得很。」
赤松子道：「貧道可提供鄧大俠一點線索，就是女人聲音脆嫩，似是年紀不大。」
鄧玉龍沉吟了一陣，道：「如是出道不久的晚輩，老夫留居地下石府已久，更是無法想出她是何人了。」
語聲一頓，接道：「不過，老夫救世之心，天日可鑒，諸位如是不信任老夫，那也是沒有法子的事，目下時機迫促，諸位定要獨行其是，老夫也不勉強了。」

一瓢大師低聲對一明大師道：「看來，他是真的不知道了。」

一明大師道：「他是否真是鄧玉龍，咱們還無法確定，如若他真是鄧玉龍，咱們自然可以信任他。」

鄧玉龍道：「諸位如何才肯信任老夫是鄧玉龍？」

岳剛道：「鄧玉龍劍術、掌法，馳譽江湖，閣下如真是鄧玉龍，那就露出兩手，給在下等見識一下。」

鄧玉龍苦笑一下，道：「好像那救助武林同道的大事，變成了我鄧玉龍私人的事情了！」

赤松子道：「你若是鄧玉龍，露兩手給我瞧瞧，不過是舉手之勞，為何不可？」

鄧玉龍道：「老夫一生中從未受過人這等要脅。」

上清道長道：「此時此刻，鄧大俠似是也不用為面子多慮了。」

鄧玉龍回顧了容哥兒一眼，道：「孩子，你出去找一塊石頭來。」

容哥兒道：「什麼樣子的石頭。」

鄧玉龍道：「不論什麼形狀，愈堅硬的愈好。」容哥兒應了一聲，轉身而去。

片刻之後，容哥兒從室外行了回來，手中拿著一塊鵝卵石。

鄧玉龍緩緩取過鵝卵石，道：「鄧玉龍最為擅長的武功之一是五行掌，想來諸位都早已知曉了。」

容哥兒雙目圓睜，望著鄧玉龍，心中暗道：「不知何謂五行掌。」

只見鄧玉龍右手握著那鵝卵石，閉目運氣。片刻之後，鄧玉龍突然睜開雙目，緩緩伸開右手。

功。」

容哥兒凝目望去，只見他手握著一塊鵝卵石，仍然是完好如初，心中暗道：「這算什麼武功。」

心念未息，突見鄧玉龍右手一抖，一塊完整的鵝卵石，突然間，盡化灰塵，漫天飛揚，灑落一地。

一瓢大師道：「看來，閣下果然是鄧玉龍了！」

鄧玉龍長長吁了一口氣，道：「老夫已然盡我所能證明身分，諸位再不肯相信，那也是沒有法子的事了……」

回顧了容哥兒和江煙霞一眼，道：「你們暫時留在這裏，老夫要出去查看一下，情勢有何變化。」

容哥兒急道：「老前輩止步！」

鄧玉龍回過身來道：「什麼事？」

容哥兒道：「老前輩放出石府中拘禁的凶煞惡神，使他們自亂章法，但對大局恐無補益，咱們如不能趁此時刻，取得解藥，只怕難再有此機會了。」

鄧玉龍歎息一聲，道：「孩子，他們雖不相信老夫，但老夫對他們卻是信任異常，如果在四大將軍之上，確有一個女人主持其事，整個局勢，就非老夫所能掌握了。」

語聲一頓，接道：「此時此刻，正在緊要關頭，老夫料想那主持妖女，必在此地。」

江煙霞接道：「你要找她？」

鄧玉龍道：「此時此情，咱們只有一策，釜底抽薪，制服那真正首腦，逼她交出解藥。」

江煙霞道：「鄧大俠一定能夠成功嗎？」

鄧玉龍道：「老夫盡力而爲……」

目光一掠一瓢大師，接道：「這幾人都是武林中頂尖高人，只要能先解去他們之毒，咱們立刻之間實力大增。」縱身一躍，出了茅舍，消失不見。

一明大師目光轉到容哥兒，道：「閣下很少在江湖之上行走，是嗎？」

容哥兒道：「在下初入江湖不久。」

岳剛緩緩說道：「你們如何識那鄧玉龍，可否述說一遍？」容哥兒正待答話，突見一陣強烈的燈光，射入室中。

赤松子道：「兩位小心，最好能躲入我等身後。」容哥兒、江煙霞略一猶豫，齊齊退到五人身後。

上清道長道：「兩位最好能藏在我等背後，使他們無法找著最好。」

江煙霞一指一瓢大師，低聲對容哥兒道：「容郎，你藏在那位大師身後。」容哥兒知她智謀高過自己甚多，即刻依言而行，藏在了一瓢大師身後。江煙霞一閃身，藏在岳剛身後。

只見那射入室中的燈光，愈來愈強，那一支火燭的火焰，盡爲壓制下去。突然間，響起了一步履之聲，那射入茅舍的燈光，卻突然消失。代之而來的，是兩盞垂蘇宮燈。容哥兒眨動了一下眼睛，側目望去，只見兩個身著勁衣的少女，背插長劍，手挑宮燈，緩緩行了進來。那女婢長得甚美，只是一臉冷若冰霜的神色。二女行到門外，高舉宮燈，瞧了五人一眼，緩步行了進來。緊跟著四個女婢，護擁著一個身著黃裙的女子，行入茅舍。

容哥兒心中暗道：「這五人說得不錯，這大概就是他們的首腦人物了。」

那黃衣女子臉上蒙著一方黃絹，只露出了兩隻圓大的眼睛，神光炯炯。

只見她轉動了一下眼睛，冷冷說道：「五位想好了嗎？」
一飄大師緩緩說道：「老衲等想好了。」
黃衣女子冷笑一聲，道：「答不答應？」
一瓢大師搖頭說道：「不答應。」
黃衣女子道：「我已經忍耐到最後一刻時光，你們決定選擇死亡之途，那也是沒有法子的事了。」
一明大師冷笑一聲，道：「女施主是否相信老衲會束手就戮？」
黃衣女子兩道目光投注在一明大師的臉上，道：「也許你們不會。」
岳剛接道：「不錯，我等都不會束手就戮，但也難逃出死亡之危，不過……」
黃衣女子道：「不過什麼？」
岳剛道：「在我等死去之前，希望能見見姑娘的廬山真面。」
黃衣女子道：「那很容易，只要我取下面罩，你們都可以瞧到，不過，我也要把話先說明白。」
岳剛道：「什麼事？」
黃衣女子道：「如若你們不看廬山真面目，也許可以多活些時候，如是看過了，那就非死不可。」
岳剛冷冷應道：「在我們死亡之前，姑娘定會先我們而死。」
黃衣女子冷笑一聲，道：「我不信你們還有殺我的能耐。」緩緩取下面罩。
凝神望去，只見一個容色絕世的美女，赫然是水盈盈。

一瓢大師、岳剛、赤松子等五人，都未見過水盈盈，對她的底細，全然不知，見此女美得出奇，美得豔光照人，不可觸接。

但躲在一瓢大師身後的容哥兒，卻是大爲震驚，忍不住大步而出，道：「原來是你！」

水盈盈似是未料到容哥兒會突然在此出現，不禁微微一怔。

但她一怔之後，立刻恢復了鎮靜，淡淡一笑，道：「久違了，容兄！」

容哥兒冷笑一聲，道：「好啊！興風作浪，鬧得江湖上滿天風雨的人，竟然是你，想不到啊，想不到！」

水盈盈柔媚一笑，道：「小妹也想不到，容兄會到此地。」

語聲一頓，接道：「容兄受了傷嗎？」

容哥兒冷冷說道：「不勞姑娘關心。」

回目一望一瓢大師，接道：「這位姑娘，武功有限得很，不勞諸位費神，在下一人，就足以對付她了。」

水盈盈搖搖頭道：「容兄稍安勿躁，因爲一個人只能死一次，死後不能復生，此刻，我殺你很容易，只不過舉手之勞，但我不想殺你。」

容哥兒道：「姑娘的武功，在下已經領教過了，要說姑娘能殺死在下，在下倒還有些不信。」

水盈盈道：「嗯！此一時也，彼一時也，現在我和過去，已然大不相同了。」

容哥兒道：「就算姑娘才藝縱橫，相隔時間有限，我不信你能有多大長進。」

水盈盈淡淡一笑，道：「你不能冒險……」

語聲一頓，接道：「好像還有一個人，和你同來，是嗎？」
容哥兒道：「不錯，但那人身分，也將大出姑娘意料之外。」
水盈盈道：「什麼人？」
容哥兒道：「令姊，江煙霞大姑娘。」
水盈盈眨動了下眼睛，道：「姊姊既然來了，何不請出一見？」
茅屋中的變化，大出了一瓢大師等幾人意料之外，幾個見多識廣的武林名宿，都看得呆在當地，半晌說不出話來。
一瓢大師沉聲說道：「容施主認識這位姑娘嗎？」
容哥兒道：「不錯，不久之前吧，在下在長安還和這個姑娘比試過劍法。」
一瓢大師回顧了上清道長一眼，道：「道長，你看這位姑娘幾歲了？」

四五　峰迴路轉

上清道長打量水盈盈一陣，道：「多則十八，少則十六，大師問此何意？」
一瓢大師道：「咱們留於此幾年了？」
上清道長道：「總有五年了吧？」
一瓢大師道：「是啊！那時這位姑娘只不過十一、二歲，老僧不信，她在十一、二歲時，已身爲綠林匪首。」
岳剛道：「這個麼？老叫化也不相信。」
水盈盈冷笑一聲道：「信不信是你們的事了，與我何干……」
目光轉到容哥兒臉上，道：「我姊姊在哪裏？」
容哥兒道：「就在茅舍之中。」
心中卻是大感奇怪，暗道：「江煙霞見到日夜想念的妹妹，何以竟不肯現出身來。」
但聞赤松子道：「是了，那真正的首腦，希望用這位小姑娘，做他替死之鬼。」
水盈盈怒道：「牛鼻子老道，你胡說八道些什麼。」
一明大師道：「老衲等說的是句句實言，姑娘這點年紀，絕非真正匪首，又何苦替人代死呢！」

上清道長道：「貧道實不願傷害姑娘，去要那真正的首腦人物來吧！」
水盈盈道：「我不曉得你們說的是什麼？」
一瓢大師道：「我等雖然囚禁於此甚久，但功力並未失去。」
水盈盈道：「你們中了毒了……」
一瓢大師道：「不錯，我們中了毒，但我已運用內力把劇毒逼聚一處，我們五人相互扶助，已經成功。」
水盈盈道：「毒未離骨，你們無能和人動手。」
一瓢大師道：「我等如若不畏死亡，拚讓奇毒散佈，發出一掌，並非難事。」
語聲一頓道：「老衲相信，我們五人合手一擊，就算世間第一高手，也無法承受，必然要被我們擊斃掌下。」
岳剛道：「因爲我們要用畢生功力，聯手發出一掌，所以，很珍惜這一擊，我們已決定對付首腦人物。」
赤松子道：「你小小年紀，受人利用，豈能瞞得過我等之目。」
水盈盈道：「如若你們不是嚇唬我，必定還有一原因未說出口。」
上清道長道：「什麼原因？」
水盈盈道：「因爲你們發出一掌之後，也要毒發而死，所以，不敢輕發。」
一瓢大師道：「姑娘也不值我們聯手一掌。」
容哥兒道：「不用五位出手，在下一人足可以對付她了。」
水盈盈道：「好！待我見上姊姊一面，總要讓你稱心如願。」

容哥兒回頭望去，果然那江煙霞還未出來，不禁大奇，厲聲喝道：「賢妻常常思念令妹，此刻她在眼前，爲什麼不肯現身相見？」

水盈盈奇道：「誰是你的妻子？」

容哥兒正待答話，突聞江煙霞的聲音接道：「他說得不錯，姊姊已和他有了婚約。」隨著語聲，江煙霞緩步走了出來。

水盈盈兩道勾人魂魄的秋波，盯注在江煙霞臉上瞧著，良久之後，才緩緩說道：「你當真要嫁給他？」

江煙霞道：「是的，我們幾經患難，生死與共，如若不是他和我在一起，也許我早已死去多時了。」

水盈盈道：「只爲了這些嗎？」

江煙霞道：「還有一個原因。」

水盈盈道：「什麼原因？」

江煙霞道：「我們兩情相投。」

水盈盈輕輕歎息一聲，道：「姊姊，你知道這個後果嗎？」

江煙霞道：「知道，不過……」

水盈盈臉色一整，道：「不過什麼？」

江煙霞道：「不過，我希望妹妹能念咱們一母同胞之情，替姊姊留一步餘地。」

水盈盈道，「你要說服他嗎？」

江煙霞道：「姊姊只請求一個時辰，這一個時辰的差別，總不致壞了大事吧？」

水盈盈沉吟了良久，道：「好！我答應你，不過……」
江煙霞道：「不過什麼？」
水盈盈道：「一個時辰之後，你不許再攔阻我，那時，咱們姊妹情意已盡，小妹不再接受你任何請托了。」
江煙霞長長吁一口氣，道：「就依妹妹之言。」
水盈盈目光轉注到容哥兒臉上，道：「希望我姊姊能說服你。」轉身緩步而去，隨她同來的女婢，齊齊隨在身後，行出了茅舍。
容哥兒目注那水盈盈背影遠去，才回頭望著江煙霞道：「究竟是怎麼回事啊？」
江煙霞道，「唉！一言難盡。」
容哥兒道：「令妹當真是主持首腦人物？」
江煙霞道：「只能算其中之一。」
容哥兒道：「除她之外，還有別人？」
江煙霞道：「不錯。」
容哥兒道：「誰？」
江煙霞突然放低聲音，接道：「還有一個年輕英俊的少年。」
容哥兒道：「什麼人？」
江煙霞道：「真正的一天君主。」
岳剛道：「一個年輕人？」
江煙霞道：「不錯，也許他經過了易容，但外面看上去很年輕，很英俊，他很和氣，談起話來，斯斯文文，但舍妹對他卻很恭順，還帶著幾分畏懼……」

容哥兒道：「你知道的就是這些嗎？」

江煙霞道：「我參與的時間太短促，那時，我又是內無心腹，外無援手，我一個人，又怎能應付得了呢？」

語聲微微一頓，接道：「我本想和萬上門，以及令堂聯合一氣，共謀挽救這次武林大劫，但亦因時間太過短促，使我無法和她們說明。」

容哥兒道：「令妹呢？」

江煙霞道：「自然她比我多知曉一些內情，但她也無法了解全部。」

一瓢大師道：「至低限度，咱們知曉了那真正的首腦，是一個年輕人。」

容哥兒接道：「就咱們此刻處境而論，賢妻有何高見？」

江煙霞道：「我準備先行生擒舍妹，逼問一些內情，再作道理。」

容哥兒道：「好！但不知要如何擒她？」

江煙霞低聲說：「片刻之後，我想她定會來此，容郎守在門口，阻她退路，我出其不意點她穴道，如是不能得手，咱們再合力擒她。」

容哥兒不再多言，依壁而立，運氣調息。茅舍中突然靜下來，聽不到一點聲息。容哥兒閉上雙目，似是在暗中調息。其實，他心中如風車一般，運轉不停，並回想江煙霞的每一句話。因為此時此刻，實不能再錯一次。

大約過一頓飯工夫左右，突聞步履聲傳來。容哥兒暗暗吸一口氣，凝神戒備。

只聽那水盈盈的聲音，傳了進來，道：「姊姊，你們談好了嗎？」

江煙霞道：「談好了。」

兩個懷抱長劍的女婢，當先而入，水盈盈緊隨在兩個女婢之後。在水盈盈的身後，又跟著兩個懷中抱劍的女婢。果然，這一次來，水盈盈也有充分的準備，似是已想到難免一場凶險之鬥。四個抱劍女婢進入茅舍之後立即散開，兩個對著容哥兒，兩個對著江煙霞。

但聞水盈盈嬌聲說道：「姊姊，我知道你絕不甘心束手就縛，是嗎？」

江煙霞道：「所以，你要動強。不過，你要先想想，咱們究竟是親姊妹啊……」語聲微微一頓，道：「還有，你這兩個婢女是我的敵手嗎？」

水盈盈緩緩說道：「姊姊，如若定要動手，小妹自然無法再顧及姊妹情意了。」

江煙霞道：「好吧。」突然間，雙手齊出，分向兩個女婢抓去。

容哥兒早已留心查看，發現了這些女婢，並非過去追隨她的女子。那兩個女婢，眼看江煙霞揮手攻出，立時縱身向後退避三尺，平手前胸，卻不出手施襲。

但聞水盈盈緩緩說道：「姊姊，一個人只能死一次，而且死後，就難再復生，姊姊如若覺得還該活下去，那就請三思小妹之言。」

江煙霞緩緩從身上抽出長劍，道：「謝謝妹妹好意，但我也奉勸妹妹幾句話。」

水盈盈道：「好吧！你請說。」

江煙霞道：「你們謀霸江湖的心願，已然是功敗垂成……」

水盈盈奇道：「爲什麼？」

江煙霞道：「因爲謠傳死去，實是歸隱的一代劍王鄧玉龍，已然重出江湖，而且正全力阻止這一場大劫，也許他此刻已經得手。」

水盈盈臉色忽然一變，道：「當真嗎？」

江煙霞道：「此時何時，我爲什麼還騙你？」

水盈盈突然一展雙眉，緩緩說道：「就算你說的真話，那鄧玉龍重出江湖，但他出道太晚了，大勢已成，他縱有回天手段，也是無能爲力。」

江煙霞目光轉動，望了兩個女婢一眼，心中暗道：「此番動手，必得要在十幾招內，勝得二婢才成，最好能在一出手間，先傷她們中一個。」

但聞水盈盈厲聲喝道：「姊姊不肯聽我之言，不要怪小妹無情了！」

江煙霞突然躍身而起，撲向正東方位的執劍女婢。那女婢武功不弱，長劍疾閃，劃出一片劍芒，護住身子。卻聽西邊一個女婢啊喲一聲！倒了下去。原來，江煙霞在躍飛出手的同時，打出兩枚玉指環，借躍出之勢，全力擊向西面女婢雙膝要穴。

江煙霞聞得啊喲之聲，已知得手，右手一翻，長劍出鞘，寒芒連閃，攻向正東女婢。

撲擊敵人，施放暗器，拔劍出手，一氣呵成，行動快速絕倫。

容哥兒目睹江煙霞出手的同時，也隨著揮劍擊出。剎那間，茅舍中劍光閃閃，展開了一場決鬥。江煙霞心知妹妹武功，和自己相差甚遠，只要能擊敗四婢，不難生擒於她，是以出手的劍招，毒辣無比，招招指向那女婢致命所在。

容哥兒力鬥兩個女婢，只覺二婢，劍招純熟，一時求勝不易，心中暗道：「此時不宜和她們纏鬥下去，這兩個丫頭，既然隨水盈盈，想也不是什麼好人，殺之無愧於心。」

正待施下毒手，突聞一聲慘叫傳入耳際。轉目看去，只見和江煙霞動手的女婢，已被傷於劍下，江煙霞回身攔住水盈盈的去路。容哥兒突然大喝一聲，劍法連變，絕招突出，兩個女婢，全都傷在容哥兒劍下。

水盈盈目睹隨來的四個女婢，片刻間全都傷在容哥兒和江煙霞的劍下，不禁爲之一呆。

江煙霞目光轉動，回顧了兩個傷在容哥兒劍下的女婢，一傷右臂一傷左肩，而且傷得十分嚴重，果然，已無再戰之能。

當下冷笑一聲，道：「妹妹，你這隨行的四個女婢，已然全部傷亡，而且都已無再戰之能，難道你還逼我出手不成？」

水盈盈目光流轉，掃掠了四個受傷的女婢一眼，冷笑一聲道：「想不到，她們這麼無能。」

目光轉注到江煙霞的臉上，接道：「姊姊心中很明白，你的生死，完全控制在我手中。」

江煙霞道：「你在我身上下了毒。」

水盈盈道：「而且那毒發，由我控制，我可以讓它立時發作。」

江煙霞淡淡一笑：「可是，那位容相公沒有，此刻，他的劍法，強過我甚多，你也許真能使我毒發，但那只不過增多你的危險而已，你傷害了我，他亦將毫無顧忌地施下毒手……」

語聲一頓，道：「姊姊說的都是實話，信不信在你了！」

容哥兒接道：「姑娘心身受創，才走極端，但冤有頭，債有主，姑娘可移恨天下武林，爲什麼不肯報仇雪恨，對付那傷害你的人呢？」

水盈盈抬起頭來，望了容哥兒一眼，道：「我還能見容於人嗎？」

容哥兒道：「懸崖勒馬，回頭是岸，如是姑娘能夠解天下英雄的大厄，不但見容於人，而且，天下武林同道，提起姑娘，都將備生敬仰。」

水盈盈道：「這話當真嗎？」
容哥兒道：「在下之言，字字真實。」
水盈盈道：「如是他們不能容我呢？」
容哥兒道：「容某人一力擔保，如武林中不能見容姑娘，在下願為姑娘擔待。」
一瓢大師接道：「老衲保證我少林一派，絕無對姑娘半分輕視之感。」
岳剛道：「姑娘如肯懸崖勒馬，挽救武林大劫，天下英雄，人人對你感激，哪裏還會對姑娘有所責難？」
赤松子、上清道長，齊齊接道：「我等一力擔保，姑娘但請放心。」
水盈盈目光轉注到江煙霞的臉上，欲言又止。
江煙霞歎息一聲，道：「妹妹，我知道你的心意，我這做姊姊的豈能不顧到你。」
水盈盈臉上泛現出淡淡的紅暈，長長歎一口氣，道：「就目下的處境而言，你們應該是毫無勝算。」
江煙霞道：「那倒未必，只是妹妹只知不能，不知武林中還有別的高人。」
容哥兒心中暗作盤算道：「如若能夠先療治好一瓢大師等身上毒傷，我們的實力，立刻間要增強很多，目下之情，只有設法先造成於我有利的情勢，再作計議。」
心中念轉，口中卻說：「姑娘既是首腦人物之一，想必知曉解毒之法，若姑娘能解去這五位前輩高人身上之毒，咱們就增強不少實力。」
水盈盈點點頭，道：「他們服用的什麼毒藥？」
容哥兒怔了一怔，暗道：「我如知曉他們服用的什麼毒藥，那也不用問你了。」

水盈盈突然接道：「容哥兒，你仔細瞧瞧我。」這句話突如其來，在場之人，都不知她的用意何在。

容哥兒怔了一怔，雙目盯注在水盈盈臉上瞧了一陣，道：「在下瞧不出什麼。」

水盈盈道：「我是不是長得很美？」

容哥兒道：「很美，但那只是單以姑娘容色而論……」

神色突轉嚴肅，緩緩說道：「但姑娘如只有這一個美麗的軀體，卻包藏著一顆蛇蠍般的惡毒心腸，比起面貌醜些的人尤爲不如了。」

水盈盈突然伸手，道：「把寶劍給我。」

容哥兒微微一怔，緩緩把寶劍遞了過去。

水盈盈接過寶劍，玉手連揮，四個被容哥兒和江煙霞點傷的女婢，盡都死在了水盈盈的劍下。

容哥兒看她連殺四婢的手段，心中暗道：「這個丫頭果然惡毒得很，卻又生長這樣一副美麗動人的外貌。」

但見水盈盈緩緩把手中寶劍，放在案上，冷冷地說：「容哥兒、姊姊，你們見過最醜的女人嗎？」

江煙霞道：「姊姊走火入魔，終年帶著病容，應算得是醜女之一了。」

水盈盈苦笑一下，道：「我呢？」

江煙霞道：「妹妹天生麗質，雖西子還魂、昭君重生，也難及得妹妹。」

水盈盈搖搖頭，道：「那不是我，只不過是一張人皮面具和易容藥物，塑造出我昔年的容貌……」

容哥兒怔了一怔，道：「二姑娘此言何意？」

水盈盈道：「我要你們見識一下此刻我的真面目。」

江煙霞道：「怎麼回事？」

水盈盈伸出一雙玉手，纖纖十指，從臉上揭下了一張人皮面具。燈火下只是一張醜怪無比的臉龐，出現在幾人眼前。

容哥兒、江煙霞，都不禁為之臉色一變，連那岳剛和赤松子，也瞧得為之一呆。那張臉，似是經過毒蛇和飛禽啃啄過一般，一個個紅色的深洞，滿布雙頰。

只聽水盈盈發出哭一般的幾聲尖笑，道：「你們害怕了，是嗎？」

容哥兒望著那張怪臉，心中實是有些害怕，但他心知此刻，如若是稍露畏怯之態，對她必有莫大的刺激。

當下淡淡一笑，道：「姑娘被毀去容貌，但卻無人能毀去一個人的心。」

水盈盈說道：「你不怕我？」

容哥兒道：「我為什麼要怕你？」

水盈盈長長歎息一聲，道：「這就是我為什麼為他們所用了。」緩緩戴上了人皮面具。

江煙霞接道：「他們毀了你的容貌，難道你一點也不恨他們，還要為他們所用？」

水盈盈道：「他們能使我保持原來的美麗，不使奇醜之貌，現露於世人之前。」

岳剛突然接道：「他們是誰？」

水盈盈道：「我不知他們的姓名，他們一個個裝扮得英俊風流，但我知道那不是他們的真正面目。」

語聲微微一頓，道：「他們專門尋找美貌絕倫的女子，毀去她的容貌，再用藥物塑造原來的美麗，使她們不敢拒絕，為他們所用，用美色誘惑武林高手，暗中下毒，予以控制，再用那些被毒物控制的高人，為他們效命。」

岳剛道：「這方法果然是惡毒得很。」

水盈盈目光一掠一瓢大師、岳剛、赤松子、上清道長等四人，說道：「四位都是身負絕技之士，那人縱有奇毒，只怕也無法接近你們，施展手腳。」

岳剛突然垂下頭去，一明大師、赤松子、上清道長，齊齊長歎一聲，默然不語。顯然，這三人中毒的經過，都已被水盈盈猜中。

只聽一瓢大師輕咳一聲，道：「阿彌陀佛，老衲為了一時仁慈，身中暗算。」

水盈盈道：「不錯，他們對武林中武功奇高之人的下毒手法，不是施用美色，就是利用那人的仁慈、憐憫之心，使他疏於防備。」

容哥兒歎息一聲，道：「那些人一直隱於幕後，憑仗一些施用毒物的手段，奴役了無數武林高手，為他們賣命，自己卻始終不肯出面，顯然是他們武功造詣不高。」

水盈盈道：「雖然說不上身負絕技，他們的武功，卻也不差……」

語聲一頓，接道：「不論武功多高強的人物，也無法造成今日江湖上的險惡形勢，他們征服許多武林高手，不是為其所用，就是被他們毒死，賤妾被他們視作心腹，知曉了很多事情。」

容哥兒接道：「二姑娘可否把內情告訴我等？」

水盈盈道：「自然會告訴你們，那人使用毒藥外，而且還抓住人性的缺點。」
容哥兒道：「什麼缺點？」
水盈盈道：「抓住人性的自私、貪生、權勢的欲望，先使他中了毒，然後，再賄以重位，使他用盡了殘餘的智慧，等他毒發而死，再行換一個人，他們算計著江湖情勢的變化，需要什麼樣的人才，就是那一個人出任一天君主，這就是那一天君主不停變更的原因了。」
岳剛道：「好厲害的手段。」
容哥兒道：「令姊就是在這情勢之下，被選做了一天君主？」
水盈盈道：「不錯，家姊被選做最後一任的一天君主，要她用自己聰明才慧，應付大局。」
江煙霞道：「如是此事過後，姊姊也要被害了。」
水盈盈道：「大概是吧，不過，我將盡力營救。」
容哥兒道：「你如何救她？」
水盈盈道：「我準備偷出解藥，先解了她身上之毒，然後，由我替她而死。」
江煙霞苦笑一聲，道：「你又有什麼辦法救我？」
水盈盈道：「解了你身上之毒，然後由我改裝和你一樣，替你而死。」
容哥兒道：「二姑娘，他們千算萬算，卻少算了一件事情。」
水盈盈道：「什麼事？」
容哥兒道：「鄧玉龍老前輩離開了地下石府，而令姊也倒戈相向，不論有何周秘的計畫，這兩次大變，定然使他們有些措手不及，章法自亂，我們只要攔阻明日少林派再訂城下之盟，大局還有可爲。」

江煙霞接道：「妹妹的際遇、痛苦，我們已然了然，一個人，尤其一個天生麗質的女人，再遭遇到這等悲慘的痛苦之後，自難免神智失常。現在，是妹妹爲天下武林立功折罪的時機了。」

水盈盈道：「要我立什麼功？」

江煙霞道：「設法取到替這五位老前輩解除奇毒的解藥……」

容哥兒接道：「他們五人，都是各大門派中德高望重的長老，只要他們出面一呼，各大門派中，都可改變心意。」

江煙霞道：「他們武功未廢，只要解除劇毒，咱們的實力，將大爲增強。」

水盈盈沉吟了一陣，道：「我一個人去嗎？」

容哥兒道：「在下奉陪姑娘。」

水盈盈歎息一聲，道：「你已見我真正面目，怎肯和一個醜如羅刹鬼怪之人，同處一起呢？」

容哥兒微笑道：「一個人重要的是仁慈德性，面貌的醜美，又算得了什麼？」

水盈盈長長吁一口氣，道：「你這話可是出自肺腑嗎？」

容哥兒道：「字字真實。」

江煙霞接道：「妹妹，如是咱們能力挽狂瀾，待江湖大事安定之後，咱們三人就生活在一起。」

水盈盈眨一下明亮的眼睛，現出一抹亢奮光輝，但那光輝卻一閃而逝。

容哥兒行到水盈盈的身前，低聲說：「只要姑娘不棄在下……」
水盈盈情緒激動地說道：「你要怎麼樣？」
容哥兒道：「在下願和姑娘常相廝守。」
水盈盈淡淡一笑，道：「不要說笑了。你想到我那一副尊容，不嚇死，也要氣死了。」
容哥兒搖搖頭道：「在下希望姑娘能夠信我之言。」
水盈盈道：「唉！不管我是否相信你們的話，我心已經有了決定。」
容哥兒道：「決定什麼？」
水盈盈道：「決定助你們一臂之力……」
容哥兒喜道：「好，很好。」
語聲一頓，道：「我知道姑娘心中有很多話，是嗎？」
水盈盈道：「不錯。」
容哥兒道：「不過，咱們此刻沒有很多時間，希望姑娘能答允，先和在下同去尋找解藥。」
水盈盈回目望著江煙霞道：「姊姊，答應他嗎？」
江煙霞道：「你要答應，天下英雄都會對你感激莫名。」
水盈盈道：「好吧，咱們走。」轉身向前行去。
容哥兒低聲對江煙霞道：「江姑娘，好好照顧幾位老前輩。」
江煙霞伸出手去握住容哥兒的右手，道：「容郎，答應我一件事。」
容哥兒道：「什麼事？」

江煙霞道：「答應她任何要求，好好的安慰她，一個美麗絕倫的女孩子，被人毀去了容貌，內心中的痛苦，實是你們男人無法想到的。」

容哥兒點點頭，道：「我知道，我會盡我之能安慰她。」大步追了出去。

只見水盈盈站在兩丈之外，背負雙手而立。

容哥兒追了上去，道：「姑娘，咱們到哪裏去？」

水盈盈抬頭望望天色，道：「現在還有一段時間，希望咱們能趕得上。」語聲微微一頓，道：「你不能跟我同去……」

容哥兒道：「姑娘一個人去，不是太過危險嗎？爲何不帶在下去，萬一有了事故，在下也可助姑娘一臂之力。」

水盈盈輕輕歎息一聲，道：「那裏的防守很嚴，你只有一個辦法，才可以和我同入內室。」

容哥兒道：「什麼辦法？」

水盈盈道：「改扮成跟隨於我的女婢身分……」

容哥兒道：「這個……這個……」

水盈盈：「我知道，你乃堂堂男子漢，要你扮成女兒身，自然是行不通了。」

容哥兒道：「除此之外，不知是否還有其他辦法，在下萬死不辭。」

水盈盈沉吟一陣，點點頭道：「有，不過你要一切聽我吩咐，不得稍有違拗。」

容哥兒道：「好！在下一切都聽憑吩咐就是。」

水盈盈道：「咱們走吧。」舉步向前行去。

容哥兒心中暗道：「我們談了半天，還未談個明白出來。」還想再問，那水盈盈已掉頭不顧而去，容哥兒只好隨在她身後追行。

水盈盈地勢甚熟，轉了幾個彎子，到了湖邊。

水盈盈舉手放入口中，吹了一聲口哨。

只見水波蕩漾，一艘小舟由湖水暗處划了出來。水盈盈縱身一躍，登上小舟。容哥兒不聞水盈盈招呼自己，也只好一躍登上小舟，凝目望去，只見那划船人，是一位三十左右的中年婦人，穿著一身黑衣，坐在舟中，很難瞧得清楚。

那婦人抬起頭來，瞧了容哥兒一眼，道：「這人是誰？」

水盈盈道：「你走近去仔細地瞧瞧。」

那婦人道：「難道是四公子改了容貌……」直對容哥兒行了過去。

水盈盈右手迅快揚起，砰的一聲，擊在黑衣婦人的背心之上。這一擊勢道奇重，只打得那黑衣婦人一張口噴出鮮血。水盈盈似是早知那黑衣婦人的武功，右手一掌劈出之後，左手緊隨著一掌擊出。

那黑衣婦人，果然是頑強無比，雖被一掌打得口吐鮮血，但右手一舉，疾向容哥兒抓了過去。水盈盈左掌及時而到，砰的一聲，正擊在那黑衣婦人的後胯之上。容哥兒也同時閃身避開，附加一掌，擊中那婦人右肩。

那黑衣婦人雖然頑強，但連受水盈盈的重擊，再加上容哥兒的一掌，哪裏還有抗拒之能，卜的一聲，栽倒地上，氣絕而逝。

水盈盈望了那黑衣婦人一眼，低聲說：「脫下她身上外衣。」
容哥兒道：「脫她衣服？」
水盈盈道：「不錯，此刻時間不多，我無暇給你解釋。」
容哥兒暗想：「能否力挽狂瀾，在此一舉。」心中不再顧及，伸手脫下那黑衣婦人的外衣。
水盈盈低聲說道：「你穿上她的衣服，同時，取下她包頭的黑紗戴在頭上。」
容哥兒心中暗道：「我堂堂男子漢大丈夫，怎能穿上婦人衣著？」
但聞那水盈盈低聲說道：「通權達變，此時此刻，你還猶豫什麼？」
容哥兒無可奈何，只好依照水盈盈的吩咐，包上黑紗，換上那黑衣婦人衣服。
水盈盈接道：「你會搖櫓嗎？」
容哥兒道：「勉可應付。」
水盈盈抬頭看看天色，道：「如是運氣，咱們還來得及，快些開船吧。」
容哥兒應了一聲，雙手搖櫓，小舟向前行去。
水盈盈道：「不管路上遇上了什麼事情，你都不要出聲，一切由我應付。」
容哥兒道：「在下一切聽從吩咐就是。」
初時搖櫓，容哥兒還不太熟悉，片刻之後，速度漸快。水盈盈坐在船頭，低聲指揮。
小舟不住地轉彎前進，大約一頓飯工夫左右，突聞水盈盈低聲說道：「慢下來，到了。」
容哥兒應了一聲，放慢了小舟。抬頭看去，只見一艘雙巨帆，靜靜地停在水面上。艙中不見燈火，寂然無聲。

容哥兒心中暗道：「原來他們住在一艘船上，隨時流動，自然是無法找到他們的住處了。」

只見水盈盈舉起雙手，互擊兩掌。兩聲輕響過後，那大船艙中，突然亮起一道火光，但那火光只不過一閃而熄。

緊接著，船頭上傳過來一個輕微的聲音，道：「什麼人？」

水盈盈道：「我，四夫人。」

容哥兒心中暗道：「她幾時嫁人了，怎麼自稱夫人起來？」

一道強烈的燈光，突然由大船亮起，直向兩人所乘的小舟照射過來。燈光在水盈盈臉上停了一陣，又向容哥兒照了過去。水盈盈已經有備，站立的方位，正好遮住了容哥的面孔。

只聽大船頭上人聲接道：「四夫人帶的女婢呢？」

水盈盈道：「死了。」

大船上又傳過那輕微的聲音道：「怎麼死的？」

水盈盈道：「被人打死了。」

大船上聲音突然一大，道：「什麼人打死了四夫人的女婢？」

水盈盈道：「你要問到幾時才完？」

船上人應道：「這是必經手續，四夫人自然可以原諒了。」

水盈盈道：「我受了很重的內傷，必要早些登舟治療。」

船上並不立時作答，良久之後，才緩緩應道：「好！四夫人上船來吧。」

水盈盈舉手一揮，低聲道：「緩緩靠近大船。」

容哥兒心中大感奇怪，忖道：「靠近大船，又不是什麼大事，怎的如此小心？」心中念轉，但卻仍然遵照著水盈盈的吩咐，緩緩把小舟向大船之上靠去。

小舟距船還有五尺距離時，水盈盈突然急急地揮壓右手。

容哥兒停下小舟，心情也頓時緊張起來，暗道：「難道這大船之上，有什麼機關不成？」急急運氣戒備。

只聽大船上人聲說道：「四夫人一個人上船嗎？」

水盈盈道：「這位隨行搖舟的女奴也要上去。」

船上人應道：「爲什麼？」

水盈盈道：「我四個女婢都被殺死，只有這一個女奴了，我不願她再死去，所以，我要她隨我登舟，便於施救，因爲，她也受了重傷。」

容哥兒一直在用心傾聽那大船頭上的人聲，只覺那聲音傳來的方位，雖然相距不遠，但卻是兩個方位，而且音質亦不相同，顯然那大船頭上，至少有兩人以上。奇怪的是，容哥兒用盡了目力，向船上望去，竟然是瞧不出那艙上人影。這情景十分反常，不論天色如何的黑暗，容哥兒也明白，在這等距離之內，自己能夠很清楚地瞧到那船頭上的情景人物。但凝目望去，只見船頭上一片黑暗，似乎是有一層濃密的網，掩去了船頭上所有的景物，使得人無法瞧到那船上情態。

突然間，白光一閃，由那大船之上，放下一道白色的梯子，直達水盈盈乘坐的小舟之上。

水盈盈暗用傳音之術，說道：「容兒，沉著些，仔細地瞧著我的舉動，跟著我，不可輕率。」口中雖在和容哥兒說話，人卻未回頭望過容哥兒一眼。

容哥兒看那水盈盈神情如此慎重，亦暗暗提高了警覺之心。緊隨在水盈盈身後，順著那梯子向上行去。水盈盈走得很慢，一步一步向上行走。這時容哥兒一直緊隨於水盈盈的身後，避開船頭上人的目光。

逐漸登上船頭，容哥兒留心查看，才瞧出那船頭之上，蒙著一層黑色濃密的網，白梯從一個洞開的大口伸了出來。

四道神光炯炯的眼神，盯注在兩人身上。那眼神似是想瞧出水盈盈身後的容哥兒，但水盈盈身軀一直在微微地搖動著，擋住了兩人的視線。

突然，水盈盈縱身而起，躍登於船頭上。

容哥兒緊隨在水盈盈身後，躍上船頭。

轉眼看去，只見兩個身著黑衣的中年大漢，身佩長劍，分站在白梯兩側。容哥兒雙腳落著船頭，對方似是已然瞧出有異，突然伸手向容哥兒抓去。容哥兒也不知這兩人是何身分，不知該如何對付，閃身而退。

水盈盈右手一抬，寒芒突然一閃，疾向一個黑衣人刺了過去。容哥兒眼看水盈盈亮出了兵刃動手，立時右手一探，亮出長劍，直刺過去。兩個黑衣人想從身上拔出兵刃抗拒時，已自無及，只好赤手空拳地和容哥兒及水盈盈展開惡鬥。容哥兒、水盈盈，攻勢猛惡異常，劍劍都攻向兩人致命所在。

容哥兒生恐兩人叫喊，驚動艙中之人，希望能早點殺死兩人滅口，哪知兩人竟是一味地苦打硬拚，竟不呼叫，這使容哥兒心中大感奇怪，暗道：「難道這船艙之中，再無敵人嗎？」

突然間，聽得一聲悶哼，一個黑衣大漢被水盈盈手中短劍，刺入心臟要害，氣絕而逝。容哥兒眼看水盈盈已然殺死強敵，心中大是焦急，手中劍勢一緊，連攻三劍，斬下那大漢一條手臂。那中劍人冷哼一聲，疾向旁側閃去。

卻不料水盈盈早已在旁側等候，短劍一揮，刺入大漢玄機要穴。那大漢身子一搖，伏身栽倒。水盈盈一腳踢開那大漢屍體，行近船沿，舉手一拉，那空出的一個大洞，立時被一片黑網補上。

直到此刻，容哥兒才有時間仔細地打量船上形勢。只見整個的船面，都被一層很厚的黑網掩去，心中恍然大悟，暗道：「原來這船上有此一層黑網，所以行近大船，仍是無法看到船上景物。」

但聞水盈盈低聲說道：「容兄，你可對這舟上的黑網，覺得有些奇怪嗎？」

容哥兒道：「不錯！我覺得有些奇怪。」

望了船艙一眼，道：「艙中有人嗎？」

水盈盈道：「咱們運氣好，時值他外出。」

容哥兒道：「姑娘說得什麼人？」

水盈盈道：「四公子。」

長吁一口氣，道：「你剛才聽他們叫我四夫人了？」

容哥兒點點頭，道：「聽到了。」

水盈盈道：「這艘船，就是四公子的座舟，我是……」

容哥兒急急接道：「咱們此刻準備如何？」

水盈盈道：「爲什麼不讓我說下去，你可是很怕聽，是嗎？」

容哥兒接口道：「在下知曉了也就是啦，那也用不著說得淋漓盡致……」

語聲微微一頓，接道：「此刻，咱們正處險地，強敵可能隨時歸來，咱們還要找那解毒之藥，何況，這舟上很多事物，在下都不了解，處處都得請教姑娘。」

水盈盈道：「早晚我都要說給你聽，也許現在的時機不對。」

長長吁一口氣，道：「現在，我到船中瞧瞧，你就在這甲板上等候，好嗎？」

容哥兒道：「好，如果有何警兆，你就手擊艙門。」

水盈盈道：「先勞駕等候片刻，如是要請你進艙，我自會和你招呼。」

轉身向前行了兩步，突然又回過身子，接道：「記著不要手觸到那掩舟黑網。」

容哥兒道：「網上有毒是嗎？」

水盈盈道：「除了巨毒之外，那網上還有一種尖刺的小芒，細微得肉眼幾乎無法看見，只要你不輕意的觸及黑網，那細微的小芒，就會刺入肌肉之中，而且當時只輕微的疼一下，很容易叫人忽略。」

容哥兒道：「那小芒之上，也經劇毒淬過？」

水盈盈道：「是的，而且那毒性奇烈，只要被毒芒刺傷，一盞熱茶工夫之內，毒性就要發作，那時賤妾也無能爲力了。」

語聲一頓，接道：「這舟上的黑網，十分奇怪，如是你稍微凝目察看，即可看到外面的景物，但外面卻無法瞧入網內情形。」

容哥兒點點頭，道：「原來如此。」

水盈盈緩步行入艙中，回手掩上艙門。

容哥兒靜下來，仔細地打量了船上形勢。只見那船頭之上，一片空曠，除了兩具屍體之外，還有三個很高的木架。那木架都用黑布掩起，不知是何物品。

容哥兒暗道：「這其中之一，大概是孔明燈了，另外兩架，不知是何機關。」

回頭向艙中望去，只見艙門緊閉，似是連那窗上的帷子，都拉了起來，不見一點燈光透出。傾耳聽去，船艙中傳出了低微的聲息，似乎是那水盈盈正在船艙中找尋什麼。

突然間，一陣木櫓划水之聲，傳入耳際。緊接著響起了兩聲手掌相觸的聲音。

容哥兒心中一震，暗道：「這掌聲顯然是一種聯絡的暗號了，不知如何才能和他們呼應。」

忖思之間，突聞一陣輕微的沙沙之聲，似是艙中的水盈盈，拉開了門窗上的帷子。

突然間，火光一閃，由艙中透了出去。

容哥兒心中一動，暗道：「適才我同水盈盈到此之時，也曾見到這艙上閃起了火光，想來，這火光是他們一種聯絡的記號了。」那火光一閃而逝，艙門卻悄然而開。

水盈盈急步而出，低聲對容哥兒道：「我放下軟梯，接來人上艙，你藏我身後，借夜色掩護，出其不意，點了他的穴道。」

容哥兒道：「現在我還不知道……」容哥兒本想問她是否已經取得了解毒之藥，但見水盈盈急急行近一個木架旁邊，伸手拉開木架上的黑布。

容哥兒心中暗道：「看來這三個黑布掩遮的木架之上，都是大有作用之物。」

水盈盈低聲說道：「把兩具屍體移開。」容哥兒依言移開屍體。

待他搬動過兩具屍體回來，那船上密掩的黑網，已然裂開了一個大口。一道強烈的燈光，由那架上一盞孔明燈射了出來，從裂開的網口中，照射在湖面上。

湖面上泛著一葉小舟，舟上站著一個身著黑色長衫的少年。

容哥兒右手疾快而出，點向那黑衣人的穴道。哪知那黑衣少年早已有備，右手突然一回，向容哥兒右手上抓去。容哥兒心知此刻，如不行險求勝，和他動上手，只怕要有一段很長時間的搏鬥。心中念轉，右手微微一偏，避開脈穴，故意讓他抓住手腕。左手卻迅快絕倫地遞了出去。

那黑衣人一把就扣住那容哥兒的右腕，登時冷笑一聲，道：「原來是……」

話未說完，悶哼一聲，疾退兩步。

原來，容哥兒左手握著的一把匕首，疾快推出，刺入了那黑衣少年的小腹之中。

水盈盈疾上一步，點了那黑衣人的啞穴，低聲說道：「快把他搬入艙中。」

容哥兒應了一聲，抱起那黑衣人大步行去。

水盈盈高聲說道：「四公子要早些休息，你們也去休息吧！」

回手關上了毒網，大步行入艙中拉上帷幕，晃燃火摺子，點起了燈火。

容哥兒目光轉動，只見艙中佈置得極是豪華。四面白綾掩壁，門簾窗簾，卻是很厚的黑絨，想是怕燈火透出窗外之故。

容哥兒緩緩放下那黑衣少年，問道：「姑娘，此刻應該如何？」

水盈盈望了黑衣少年一眼，道：「先拔下他身上的匕首，不能讓他失血過多而死。」

容哥兒應了一聲，拔下那黑衣少年小腹中的匕首。

水盈盈彎下身，替那黑衣少年敷上藥物，包好傷勢，點了他兩臂穴道，卻拍活了他的啞穴。
笑道：「四郎，你如呼叫一聲，我就先割了你的舌頭，然後，再慢慢地殺你。」
那黑衣少年果然未出聲呼叫，冷冷地望了容哥一眼道：「這人是誰？」
水盈盈道：「我的朋友、情夫，隨便怎麼想都好……」
黑衣少年接道：「他如知曉你戴的面具，真面目奇醜無比，絕不會喜歡你。」
水盈盈冷冷說道：「他已經知曉了。」
黑衣少年道：「你取下她臉上的面具，瞧瞧廬山真面目。」
容哥兒搖搖頭，道：「不用瞧了。」
黑衣少年突然大笑起來。容哥兒右手一揮，點了他的啞穴，大笑之聲也頓然而住。
水盈盈輕揮匕首，由黑衣少年臉上劃過，冷冷說道：「你如不想身受零剮碎割之苦，那就學聽話一些。」
容哥兒一把拍活那黑衣少年啞穴道：「如果你能和我們合作，也許還有生路。」
那黑衣少年心還不死，望著容哥兒道：「這位姑娘那張臉很難看，是嗎？」
容哥兒道：「但她能懸崖勒馬，一樣受到武林同道的尊重。」
黑衣少年似是已黔驢技窮，望了水盈盈一眼，道：「這人是誰？」
水盈盈答非所問地道：「解藥放在何處？」
黑衣少年眨動了一下眼睛，道：「什麼解藥？」
水盈盈道：「我心中充滿怨毒，最好不要激怒我！」
黑衣少年道：「咱們是夫妻啊！」

水盈盈道：「世間最醜、最難看的一對夫妻！」
黑衣少年道：「至少表面上，咱們是一對璧人。」
水盈盈將匕首一揮，劃破了黑衣人前胸的衣衫，冷冷說道：「我要挖出你的心臟瞧瞧，爲什麼那樣惡毒？」
容哥兒看那水盈盈的臉上，泛現著仇恨之光，心中暗道：「也許這人，就是害她的元凶，一個絕世無倫的美麗少女，毀去了嬌美的容貌，心中這份怨毒，自然是深刻無比了，但此刻旨在逼取解藥，如是她一時激忿，殺死此人，那就大爲麻煩了。」
心中念轉，口中說道：「二姑娘……」
水盈盈匕首連揮，在那黑衣人前胸之上，劃了兩道血口，接道：「你如能說出那解藥放在何處，可以饒你不死。」
黑衣少年道：「你要救什麼人？」
水盈盈道：「那山頂之上，茅舍之中，囚居著幾位高人……」
黑衣少年接道：「兩個和尙，兩個道士，一個老叫化子，對嗎？」
容哥兒道：「救那幾人的解藥，放在何處？」
黑衣少年冷笑道：「他們服用奇毒已久，即使找到解藥，也無法救他們了！」
容哥兒道：「這個倒不勞閣下費心，只要你能夠拿出解藥，那就成了。」
黑衣少年冷冷說道：「在下答應了，你們兩人如何對待在下！」
水盈盈冷笑一聲，道：「你要提條件嗎？」
黑衣少年道：「不錯，這是在下唯一死裏逃生的機會，在下豈肯輕輕放過。」

水盈盈揮了揮手中的匕首，道：「我知道你的五官之中，一對眼很靈活，也很完整，我先刺它兩刀，咱們再談。」匕首一探，直向那黑衣少年的左眼上，扎了下去。

那黑衣少年吃了一驚，急急說道：「住手。」

水盈盈手中匕首鋒芒，已然觸及那黑衣少年的眉睫，毫釐之差，及時而住。

黑衣少年長長吁一口氣，目注水盈盈道：「你心中很恨我，是嗎？」

水盈盈道：「不錯，恨不得把你亂刃分屍。」

黑衣少年道：「唉！其實，你又何必恨我呢？咱們是同病相憐，都是被害人。」

水盈盈道：「咱們不相同，你是心甘情願，我才是被迫聽命。」

黑衣少年搖搖頭，道：「表面上看起來，在下似是元凶人物，其實呢，在下和姑娘一般，姑娘身受之苦，在下都已經受過，不過，我比你更早一些而已……」

長長吐一口氣，接道：「不止在下，就是我那三個兄長，也是一般，我們和姑娘不同的一點是，我等是男人，被他收服的時間較久，享有較多的自由……」

水盈盈冷冷接道：「你們四位公子，四個色中餓鬼，當今之世，不知有多少美貌少女，壞在你們手中了……」

黑衣少年接道：「不錯，我承認，我們四個人，都是滿身罪惡、孽債，但那並非我們自願……」

水盈盈接道：「你很會狡辯，別人未和你們相處過，自是不知，但我卻很明白，在我們相處時日中，從沒有看到什麼人控制你們！」

黑衣少年歎息道：「你自然看不到，你看到的只是我們罪惡歡樂的一面，卻不知我們不得不如此狂歡度日……」

容哥兒道：「爲什麼？」

黑衣少年道：「我們爲一種癲狂的藥物控制著，不能自禁……」

容哥兒心中暗道：「目下最重要的事，是設法找到解藥和真正的主謀這次大劫的首腦人物。」心念一轉，急急接道：「那是說，在你們之上還有主腦了……」

黑衣少年道：「不錯。」

容哥兒怕他話再扯離要題，急急接道：「那人是誰？」

黑衣少年道：「我們都叫他父皇。」

容哥兒道：「他姓什麼？叫什麼名字？」

黑衣少年搖搖頭道：「不知道。」

水盈盈冷冷說道：「你們也不知道，那就奇怪了。」

黑衣少年長歎一聲道：「我知道姑娘不相信，但在下說的是千真萬確的實言。」

水盈盈道：「你如何見到他呢？」

黑衣少年道：「在下說出來，恐怕兩位仍是不肯相信，不過，那可以立刻求證。」

容哥兒暗道：「古往今來，武林之中，只怕也極少發生如此錯綜複雜的組織，重重複複，叫人眼花撩亂，那真正的主持人，不知是何許人物，其組織的嚴密，發展的奇幻，實叫人難以相信。」

心中念轉，口中接道：「閣下如真能證明你所說之言，咱們很可能化敵爲友。」

黑衣少年瞪了水盈盈一眼，道：「有一件事，只怕諸位更難相信。」

容哥兒道：「近月來在下日日驚變，見到的奇幻之事，實在是太多了，每一樁事情的變化，似是都大出人意料之外，見多也就不覺其怪，閣下只管說吧。」

黑衣少年道：「表面上看，我們是奢華生活，為所欲為，其實，我們是情非得已，我們被一種神奇藥物控制著，欲罷不能，有一天，我們會耗盡潛能而死，而且，那日子很快就到。」

容哥兒道：「既是如此，你們為何不起而反抗呢？」

黑衣少年慘然一笑，道：「反抗？難呢！我們四個人，就是他罪惡的化身，一個自號父皇的人。但他卻如見首不見尾的神龍，我們只能在控制下為他效命，才盡力竭而死。暫求瓦全，難為玉碎。」

容哥兒心中暗道：「太玄奇了。」

水盈盈道：「此時此刻，我們希望聽到那具體的內情。」

黑衣少年接道：「好！我先告訴你們見他的方法。」

容哥兒道：「在下等洗耳恭聽。」

黑衣少年道：「除非他有事召見我等之外，我們只有一個辦法見他，那就是燃起一種信香，這信香能冒起一種紅色煙氣，而且可燃燒八個時辰之久，信香燃起之後，就盤坐在信香之下等候，自會有人和你聯絡……」

容哥兒接道：「有這等事，你試驗過沒有。」

黑衣少年道：「試過一次，很靈驗，在下燃起信香不過兩個時辰，就有人找上在下，先用暗語聯絡，然後聽那指令，在指定時間地點等候，屆時，自有人來接迎。」

容哥兒道：「那是說，諸位的行動，隨時都有人暗中監視？」

黑衣少年道：「也許如此。」
容哥兒道：「那信香何在？」
黑衣少年道：「在下隨身攜帶。」
容哥兒道：「可否給我等瞧瞧，以開眼界？」
黑衣少年道：「在我衣袋之中，諸位自己取吧。」
水盈盈探手在那黑衣人袋中，摸出一個黃布包，解開黃布，問道：「可是此物嗎？」
黑衣人點點頭，道：「不錯。」
容哥兒凝目望去，只見那信香色呈紫紅，十分堅硬，不知是何物做成。
當下問道：「不論在何時何地，都可以燃起來嗎？」
黑衣少年搖搖頭，道：「要在空曠的地方，視界遼闊之區，這紅煙才能升高。」
語聲一頓，接道：「不過這信香冒出的紅煙有毒……」
容哥兒道：「那要人坐在信香之下不是要中毒嗎？」
黑衣少年道：「不錯，就是要人中毒。」
水盈盈道：「是否有解毒的藥物？」
黑衣少年道：「沒有。」
水盈盈道：「我不信，如是這香有毒，你曾燃燒過一次，豈不是早已中毒了嗎？如何還能活到現在？」
黑衣少年道：「這就是他的陰狠之處了，這信香縱然被人偷去，或我等洩露了秘秘，失去武功得到信香之人，也無法使用……」

容哥兒接道：「這毒性很強烈嗎？」

黑衣少年道：「藥毒很厲害，好在發作很緩慢，中毒之後，只感到一些輕微的頭暈，別無不適之感，但你的武功，卻是全部失去，無能和人動手了……」

容哥兒吃了一驚，道：「失去全部武功？」

黑衣少年點點頭，道：「是的，不過，那只是暫時的現象……」

容哥兒道：「那是說，是過了一段時間之後，武功即會自動復元。」

黑衣少年搖搖頭，道：「不是自動復元，而是，那瞧到信香的人，帶有一種解藥，服下他隨身帶的解藥之後，才會逐漸地復元。」

水盈盈道：「如是那人瞧不到這信香，燃香之人豈不中毒而死。」

黑衣少年道：「中毒後是否會死，在下不太了解，但絕不是在一、兩日內死亡。」

容哥兒長長吁一口氣，道：「閣下洩露了個中機密，想來是有心救世了？」

黑衣少年歎息一聲，道：「這些日子來，在下一直是生活在死亡和狂歡的邊緣，不是和人鬥智，就是縱情聲色，壞事做得太多了，心神已然變得麻痺，不知何謂是非，何謂善惡，今晚被閣下刺這一劍，刺得我神智忽然清醒了過來。」

容哥兒歎息道：「唉！閣下縱然有心向善，只怕時間也來不及了。」

黑衣少年淡淡一笑，接道：「我知道，似我這般作惡的人，若還能夠活得下去，那天道將潰，閣下可以放心，我此刻已然想開生死的事，絕不會為自己求命。」

容哥兒道：「閣下誤會了，在下並非指兄台而言。」

黑衣少年道：「什麼事呢？」

容哥兒道：「閣下肯說出這信香之密，縱然有毒，但卻是找尋那真正首腦的方法之一，不過，這需要一段很長的時間，但明日午時之前，少林派等最後整個武林，就要入他掌握之中，豈不是來不及了嗎？」

水盈盈接道：「你們那位父皇，一直未和武林同道動手是嗎？」

黑衣少年點點頭，道：「不錯。」

水盈盈道：「他的一切計畫策略，全由你們執行了。」

黑衣少年道：「這話只怕猜對了一半。」

水盈盈道：「爲什麼？」

黑衣少年道：「因爲，除了我等之外，還有直接受命於他的人。」

水盈盈道：「什麼人？」

黑衣少年道：「什麼人，在下就不知道了，但在下知道，那些人是接替我的行刑手。」

水盈盈道：「他們三人也知道？」

黑衣少年道：「他們長於我，自然比我更明白了，只不過無法逃避罷了……」

容哥兒緩緩說道：「若我等設法說服或是制服他們，是否能夠阻止這次大劫。」

黑衣少年道：「如若你們能夠全部制服三人，那就算阻止這次大劫。」

容哥兒緩緩說道：「苦海無邊，回頭是岸，放下屠刀，立地成佛，兄台既已有向善之心，還望能夠盡力挽阻這次大劫，指導我等進行之法。」

黑衣少年沉吟了一陣，道：「不知他們此刻，是否已經回船？」

容哥兒道：「他們也住在船上嗎？」

黑衣少年道：「是的，迄今爲止，整個武林之中，知曉此事的人，還是不多，我們爲了隱秘行蹤，一直住在船上，白日之時，隱於魚舟群中，晚上才出來活動。」

語聲微微一頓，接道：「在下可以告訴你們登船的暗號。」

水盈盈道：「他們三人都住在同一條船上？」

黑衣少年搖搖頭，道：「難就難在那些人分住在三艘船上，你們要半宵之間，連破三艘木船，只怕不是容易的事。」

容哥兒道：「聽兄台口氣，還有良策了？」

黑衣少年道：「此刻什麼時間了？」

容哥兒道：「大約四更左右。」

黑衣少年道：「那還來得及。」

容哥兒、水盈盈，四目投在那黑衣少年的臉上，等他再說下去。

黑衣少年目光轉動，望了兩人一眼道：「你們取下我的人皮面具，穿上我的衣服，五更時分，可和他們相會。」

容哥兒道：「你們已經有約了？」

黑衣少年道：「不錯。」

容哥兒道：「約在何處？」

黑衣少年道：「一座漁家茅舍，五更時分，門外高挑紅燈，你們登岸就可以瞧到了。」

容哥兒道：「可有聯絡暗記？」

黑衣少年道：「有，你如有耐心，也夠沉著，可以聽到很多隱秘計畫。」

容哥兒道：「好！在下此去，不計成敗，盡我全力就是。」
黑衣少年歎息一聲，道：「記著，他們三人都很毒辣，你必須要慎重對付，快些易容改裝，我再告訴你聯絡的暗記。」
容哥兒應了一聲，脫下那黑衣少年的衣服，又取下他臉上的人皮面具。
凝目望去，不禁一呆。原來，那黑衣少年和水盈盈一般，臉上有著片片血洞，心中暗暗一歎。
但容哥兒怕傷他之心，裝作未曾看到。
那黑衣少年長歎一聲，道：「很難看，是嗎？」
容哥兒道：「大丈夫只要心地光明，胸懷磊落，容貌醜俊，算得什麼。」
黑衣少年道：「解開我穴道，我去招呼那兩個隨行之人登舟，你們出其不意點了他們的穴道，時間不多了。」
容哥兒、水盈盈在那黑衣少年安排之下，點了那黑衣少年隨行之人的穴道。
黑衣少年道：「容兄快些去吧！記住進門的暗語是，天外一雁來。」
他詳細說明那茅舍所在之地，以及那木舟行馳的水道之後，又道：「我如若還能支持，自會和水姑娘去接應你。」
容哥兒道：「多承指教……」
站起身子，行了兩步，重又回過頭來，接道：「兄台高姓啊？」
那少年歎息道：「家父在武林中頗有聲譽，不肖子落成這等模樣，不提姓名也罷，容兄以後叫我張四就是。」

容哥兒道：「好！在下恭敬不如從命了，如若有幸，能夠攔阻此劫，咱們再仔細地談吧。」

張四道：「記著，我們各有職司，主持這次求命大會的是大郎、三郎。」

容哥兒道：「二郎主持什麼？」

張四道：「他掌握著地下石府四大將軍，也就是被我們用以行惡的主力。」

容哥兒心中一動，道：「如是逼迫二郎交出對付地下石府四大將軍的辦法，是否可以迫使四大將軍就範？」

張四道：「應該是，是否真行，在下也不清楚。」

容哥兒道：「張兄主持什麼？」

張四道：「時間不早了，快些去吧！如若我們還能活著，以後再談不遲。」

容哥兒道：「張兄說得是。」縱身跳上小舟，搖櫓而去，依著那張四所示，小船直向湖畔划去。

四六　鬩牆之爭

容哥兒一面搖舟而行，一面暗暗祈禱道：「但願皇天見憐，使我能順利找到他們集會之地。」行不多久，小舟靠岸。目光轉動，黑暗中，果見不遠處挑著一盞紅燈。

這時容哥兒的胸中，充滿著一股悲天憫人的豪壯之氣，縱然是刀山油鍋，也有著從容赴難的感覺。略一回顧四圓形勢，大步向那紅燈高挑的所在行去。

行得切近，抬頭看去，只見那紅燈高挑在一座茅名之外。

茅舍大門緊閉，不見有人守防。

容哥兒目光轉動，發覺這是一座孤立的茅舍，四下不見人蹤。

當下大步而上，輕輕叩動木門。但聞門聲呀然而開，兩個黑衣大漢，當門而立。

容哥兒不待兩人相問，低聲說道：「天外一雁來。」

兩個大漢一閃身讓開去路。

容哥兒挺胸昂首而入。凝目望去，廳門處，一線燈光透出。

原來，那木門、窗上都掛滿厚黑窗簾，掩遮住燈火，不使外露。

院子甚大，屋下站著四個大漢，但卻似未曾見到容哥兒一般，也無人攔阻相問。

容哥兒大步行到廳門口處，舉手一推，木門應手而開，敢情那木門是虛掩的。

大廳中燭火高燒，一張方桌上，已然坐著兩個面目英俊的黑衣人。

容哥兒不知這兩人，是老大、老二或是老三，但他卻知曉自己是裝扮的四公子的身分，當下選最末的一個位置，坐了下去。

只聽上首那黑衣人冷冷說道：「怎的老三還不來呢？」

只聽右首那黑衣人應道：「是啊！這幾天，小弟看那老三，有些魂不守舍，不知是何原因？大哥應該留心一些才是。」

那坐在上首的老大冷冷說道：「老三自負才氣，哪裏把我這個大哥看在眼中，日後總有他的苦頭好吃。」

容哥兒心中暗道：「好啊！原來他們之間，也有恩怨。」

心念轉動之間，廳外已響起了步履之聲。

緊接著廳門被人推開，一個佩劍的黑衣少年走了進來。

話聲方落，這黑衣佩劍少年已進入廳門，並自行就座於空位之上。

容哥兒目光轉動，扭掠了三人一眼，只見三人之貌，都極英俊，只是臉上看不到一點表情，除了一對眼睛，可以轉動之外，全部面孔，再無表情。

只聽那高居首位的老大，冷笑一聲，道：「老三，咱們已經恭候許久了。」

那佩劍黑衣少年淡淡一笑，道：「兄弟來的並不太遲。」

坐右首的老二接道：「時間不早了，咱們不能再拖延時間，先談正經事情要緊。」

目光轉到那老大的臉上，接道：「咱們兄弟之間，什麼事都好解決，過了今日再說如何？」

容哥兒心中暗道：「我一人要對付他們三個，實也無法用君子手段，只有暗算一途，出奇不意，先點了兩人的穴道，然後，再行設法對付一人……」

但見那最後行入室內的黑衣少年對自己點點頭緩緩坐了下去。

顯然，這四人之中老大、老二，似是比較接近，老三老四，似是較爲接近一些。

容哥兒暗中分析了場中形勢，又在思索著出手的方法。

只聽老大說道：「我已和少林、武當兩派的掌門人談過，明日帶他們行過生死橋，讓他們見識下那些被咱們囚起的武林高手的生活，然後，他們就正式歸附，父皇霸統武林的心願，也就可以得償了……」

語聲一頓，目光轉到右首黑衣人的臉上，道：「老二你的事情如何了？」

右首黑衣人道：「幸未辱命，地下石府四大將軍，都已率領高手，會集於君山之中待命。」

高居上位的老大，目光又轉到老三身上，道：「三弟的工作進行如何了？」

佩劍黑衣人道：「小弟率人兩度和萬上門交手，互有傷亡。」

那高居上位黑衣人冷笑一聲，接道：「那是說，你還未能制服萬上門了？」

佩劍黑衣人道：「萬上門人手雖然不多，使他們個個武功高強，那位金道長更是詭計多端，且四燕八公各有絕技，咱們的人雖然眾多，但因受制於藥物，十成武功，只能用出七成……」

首位黑衣人怒聲接道：「七大劍主、三百精銳，盡都爲你調遣指揮，你卻連一個萬上門也無法對付。」

佩劍黑衣人道：「天下各大門派中，大都爲我藥毒所困，縱有未爲藥毒所傷的人，也因師友牽扯，先喪鬥志，萬上門則不然，全門中，並無一人爲藥毒所困。」

首位黑衣人道：「所以，才遣派七大劍手，數百劍士助你，敵人雖強，但他們人數有限，我方人多勢從又不畏傷亡，三弟不能一舉殲滅萬上門，足見是調派不當，父皇一向寵你，說你才氣縱橫，但在小兄看來，卻是平庸得很。」

那佩劍黑衣少年冷笑一聲，也不答話。

容哥兒心中暗作盤算道：「我如能設法挑起他們窩裏反，自相殘殺，那就不難坐收漁人之利了。」心中念轉，暗中揣措那張四的聲音，希望一開口，不致露出破綻。

便聞那黑衣人冷笑一聲，道：「三弟，可是不服爲兄的指責嗎？」

那佩劍黑衣人緩緩說道：「大哥如若覺出小弟有錯，不妨稟告父皇處理，咱們兄弟話不投機，不用多談了。」

首位黑衣人道：「三弟可是用父皇來壓爲兄嗎？」

佩劍黑衣人道：「那倒不是……」

首位黑衣人突然一掌擊在木桌之上，道：「你雖得父皇寵愛，也不能目無兄長，還不解下佩劍？」

那佩劍黑衣人雙目中神光閃動，環顧了小室一周，似想反抗，但卻又不敢，緩緩伸手解下佩劍。

原來，那坐在右側的黑衣人，也圓睜著一雙眼睛，盯注在佩劍黑衣人的身上。

容哥兒心中暗道：「此刻，我如還不出聲，只怕要失去挑撥他們互鬥機會了。」

當下起身說道：「三哥，不能解劍。」

那佩劍黑衣人已然解下佩劍，準備放於木桌之上；聞言又突然收回長劍回頭望著容哥兒。

那自稱老大、老二兩個黑衣人，眼看容哥兒突然接口，幫助那佩劍黑衣人，不禁為之一怔。

首位黑衣人厲聲喝道：「四弟此言用心何在？」

容哥兒道：「大哥逼三哥解下佩劍，那是想取他之命了？」

首位黑衣人道：「胡說！」

容哥兒道：「既無取他性命之心，為何迫他解劍？」

語聲一頓，接道：「大哥雖然為我們四人之首，但咱們權位、身分相若，縱有爭執，也要由父皇裁決，大哥的手法，分明是想藉此機會排除異已了。」

佩劍黑衣少年突然縱聲大笑，道：「不錯，殺我之後，就該輪到四弟你了。」

嗆的一聲，抽出長劍，道：「咱們現在是二對二的局面，大哥如無兄弟之義，在下也不用顧到相處之情了。」

那端坐在上位的黑衣人，似是對那佩劍黑衣人的舉動，絲毫不覺意外，淡淡一笑，道：「楊三，你準備和我動手？」

容哥兒心中一動，暗道：「是了，他們為了稱呼方便把原有的名字減去，在姓氏之下，加上排行，這法子確是方便得很。」

但聞那執劍黑衣人冷冷說道：「趙大哥如是逼得我無路可走，在下只有放手一拚之途了。」

容哥兒暗記於心中，那上位的老大姓趙，執劍人叫楊三，只有右首坐的老二，姓氏還不知曉。

但聞趙大哈哈一笑，道：「好啊！三弟連我的姓名也直呼出來了。」

楊三道：「你可以直呼弟的姓名，兄弟又爲何不能叫你？」

趙大道：「叫得好！」目光轉到容哥兒的臉上，厲聲喝道：「張四弟，你當真要幫老三和我爲敵嗎？」

容哥兒心中暗道：「就目前情勢而言，這趙大似是已早有所準備，楊二人單勢孤，如若我不助他，他絕無反抗的勇氣。」

轉目望去，只見楊三的目光，也迎向自己望來，顯然是有著乞求自己相助之意。

突然間，一個新的念頭，閃過腦際，忖道：「我如答允幫助楊三，雙方形成了二對二的局面，也許那趙大有所忌，不敢再殺楊三了。」

但聞趙大厲聲喝道：「張四弟心意，怎的不說呢？」

楊三緩緩說道：「四弟，如是三哥今日被他們殺死，下一個就輪到你了，你就是不幫我的忙。也該爲自己想想，如果咱們今日聯手，勢均力敵，此後都可以自保。」

容哥兒心中生恐他們這一場自相殘殺落空，一時間不知該如何決定，抬頭望望趙大，又轉臉瞧瞧楊三。

但聞楊三大聲喝道：「趙大早思染指四弟夫人，曾就商小兄，找個罪名，呈報父皇，把你殺死，但爲小兄所拒，你今不助我，我如死於日昇前，你也過不了午時。」

趙大冷冷說道：「四弟不要聽他挑撥，要想謀佔你那夫人的，不是爲兄，而是你那三哥。」

容哥兒心中暗道：「難道水盈盈早已施展手段，在他們四人之間，搬弄是非，造成誤會？」心中念轉，口中卻緩緩說道：「兩位兄長這般鋒芒相對，小弟只好置身事外了。」說完話，全神貫注場中事情發展。

原來，他不知這等置身事外的舉動，是否能激動那趙大的殺機。

楊三對容哥兒臨事抽腿一事，似是大爲不滿，冷笑一聲，說道：「四弟不信小兄之言，立時將悔之不及……」

容哥兒心中暗道：「應在他們未死之前，設法從他們口中探聽出一些隱秘。」當下說道：「爲什麼？」

楊三道：「明日少林、武當最後降服之後，整個武林，就算歸服一統，趙大、鄧二排除異己，定要明日午時之前，設法殺死咱們倆，見著父皇之後，功爲兩人所有，過倭咱們兩人，那時，咱們已經死去，沒有對證，任憑他們怎麼說了。」

容哥兒緩緩說道：「這話當真嗎？」

楊三怒道：「趙大覬覦四弟夫人，已非一日，小兄已然明有警告，想不到你竟是執迷不悟。」

趙大突然舉手互擊兩掌，四個執刀的大漢，奔入廳中。

楊三一吸氣，陡然退到屋角之處，長劍護胸，說道：「趙大早已設下埋伏，難道四弟還瞧不出來嗎？」

容哥兒望了四個大漢一眼，忖道：「趙大如若真是早存殺害揚三之心，設伏於此室之中，這些人必將是個個武功高強，那就大為麻煩……」

楊三連番求助之後，看容哥兒仍然無動於衷，只好不再多言，暗中提氣戒備。

趙大哈哈一笑，道：「四弟何許人物，豈會為你謊言所動……」臉色一腕，望著四個大漢說道：「拿下三公子，如他出手抗拒，那就搏殺勿論。」

四個執刀大漢應了一聲，大步向楊三行過去。

楊三厲聲喝道：「站住！」四個大漢微微一怔，果然停下腳步。趙大回顧了那手下一眼，道：「事已至此，咱們難再猶豫，只有速作了斷。」

鄧二道：「大哥說的不錯。」霍然站起身子，直向楊三行去。

容哥兒心中暗道：「楊三猜的不錯，趙大、鄧二果然早已有殺他之心。」

這時，趙大也站起身子，大步向楊三行去，同時，右手探入懷中，摸出了兩把不及一尺的鋒銳匕首，冷冷說道：「動手。」

四個大漢同時側身而進，四把單刀分向楊三劈去。楊三長劍橫掃，閃電擊出，人卻橫向左側避開兩步。

但聞一陣金鐵交鳴之聲，攻向楊三左首的兩柄單刀，為楊三長劍震開。右邊攻來二柄單刀，也被楊三閃避開去。

但見趙大雙手一揚，兩把匕首一齊飛去，楊三腳步未停，兩柄匕首已然電射而至，一取咽喉，一攻小腹。楊三長劍回掃，當的一支匕首，擋住了一支匕首，另一支匕首卻掠身而過，劃破了楊三身上的黑衣。

只見趙大雙腕一挫，那疾奔射向楊三的匕首，突然又收回來。容哥兒心中一動，暗道：

「好啊！原來，這匕首就是兵刃，並非作暗器之用。」凝目望去，只見趙大那匕首之後隱隱有一條相接白線。

這時，鄧二也亮出了兵刃，竟是一條其形如蛇的軟鞭。

只見他右腕一展，蛇頭軟鞭，挾帶著一陣嗚嗚之聲，直向楊三點出。

容哥兒心中忖道：「趙大的匕首遠攻，鄧二的蛇鞭近取，再加上那幾個黑衣人的單刀攻勢，就算楊三武功高強也難是幾人合手之敵，如若等楊三傷亡在幾人手中，我一人要對付這多人，絕非他們敵手，還不借此機會出手，更待何時。」

念轉意決，拔出長劍，側身而上，口中說道：「小弟久慕三哥劍法，今日很想見識。」長劍一探，刺向楊三。

趙大收回匕首正待發出，看容哥兒突然拔劍相助攻向楊三，當下哈哈一笑，道：「識時務者爲俊傑，看來四弟果然是聰明人。」

楊三眼看張四竟然也幫助趙大出手，心中又驚又怒，暗道：「趙大一人，已夠我應付了，如再加上鄧二、張四和這些埋伏之人，今日之局，實無生望了。」

念轉一分，擋開了鄧二蛇頭軟鞭，卻爲左面刺來一刀，劃破了左胯。衣褲破裂，皮開肉綻，鮮肉淋漓而下。

楊三長劍一回，返手刺出。這一劍變化詭奇，大出人意料之外，只聽得一聲慘叫，一個黑衣大漢，吃楊三一劍穿胸，立時氣絕而死。

這當兒，鄧二手中的蛇頭軟鞭，和容哥兒手中長劍，一齊攻到。

楊三長劍一時間無法收回，眼看兩般兵刃一齊攻到，心中暗道一聲完了，疾向右側閃去，但他仍然無法避開軟鞭和長劍的籠罩。

忽然間容哥兒長劍一偏，斜裏斬去。

但聞鄧二慘叫一聲，一條右臂連同手中的軟鞭齊時而落。

楊三目睹場中情勢激變，張四反手相助，不禁精神大振，道：「四弟果然聰明。」長劍連發三招，逼開了三位執刀黑衣人。

容哥兒一劍得手，突疾進兩步，刺向另一個黑衣人。那人被楊三劍勢迫得連連後退，手忙腳亂，不料容哥兒一劍刺來，待他警覺到欲待讓避之時，已自無及。

寒芒閃過了，響起了一聲慘叫。容哥兒的長劍閃過，洞穿了那黑衣人的前胸。

趙大料不到容哥兒會突然中途變卦，一劍刺向鄧二，而且劍勢奇快，削斷了鄧二的右臂，不禁微微一呆。

容哥兒和楊三雙劍連變，快速擊出，但聞慘叫連聲，另外兩個大漢也傷在劍下。

待趙大清醒，手中匕首飛出，一取楊三小腹，一取容哥兒的前胸。

容哥兒早已思索好了對付趙大的匕首之法，長劍一繞，使那匕首後的軟索，纏繞在長劍之上。楊三長劍推出，噹的一聲架開了趙大匕首。

容哥兒卻疾踏一步，長劍一推，疾向趙大前胸刺去。

趙大雙腕一挫，左手的匕首收了回來，右手匕首卻爲容哥兒的長劍繞住，無法收回。但容哥兒的長劍，卻已刺向趙大前胸。

趙大疾退三步，躲開劍勢，左手一揮噹的一聲，架開了容哥兒的劍勢。

原來，趙大左手收回匕首，已握在手中，當作兵刃使用，架開容哥兒的長劍。

這時楊三已飛身而起，連人帶劍，直向趙大撲去。

趙大匕首連揮，灑出點點寒芒，封住了楊三劍勢。

只聽一陣金鐵交鳴聲中，楊三和容哥兒長劍相觸。

楊三腳落實地，由右側攻上，口中說道：「老四，咱們左右夾擊。」

容哥兒長劍奇招連出，著著逼進，迫得趙大連連後退。

趙大右手匕首上的索繩，仍爲容哥兒劍勢繞著，只有左手匕首，拒擋兩人，被迫得有招架不住之勢。容哥兒劍勢一振，擺脫索繩劍勢加緊攻勢，銳猛無比。趙大右手匕首，左揮右擋，全力招架，又勉強支持數招：一個失神，被容哥兒一劍刺中了右臂。

趙大悶哼一聲，右手匕首，掉落於地。

容哥兒欺身而進，直踏中宮而入，左手一指點中了他的左肋。

楊三微微一笑道：「多謝四弟相助。」

容哥兒轉目望去，鄧二早已走得蹤影全無，不禁一皺眉頭，暗道：「鄧二已逃離此地，此刻，只有先行出其不意，收拾了楊三，再設法去找鄧二。」

心中念轉，口中說道：「楊兄，你身上傷勢不輕，小弟替你包紮一下。」

楊三道：「不敢當。小兄自己來。」突然後退幾步，冷冷道：「你不是張四。」

容哥兒剛想出手，聞言不由一怔，暗道：「這些人都戴著人皮面具，不知何處露出了破綻？」

但聞楊三緩緩接道：「你究竟是何許人物？」

容哥兒道：「你這話是何用意？」

楊三沉聲說道：「在未和他們動手之前，在下已經瞧出了你不是張四。」
容哥兒冷笑一聲，道：「閣下既然是早瞧出來，爲什麼不肯當面揭發？」
楊三目光一掠，接道：「因爲他們殺我之心甚切，在下不得不暫時和你聯手。」
容哥兒目光轉動不見有人進來，冷笑一聲，道：「原來閣下是利用我了？」
楊三道：「彼此，彼此。」
容哥兒突然欺上一步，冷冷說道：「此刻，只有咱們兩人了。」
楊三道：「閣下冒張四之名到此，必有作用，除了動手外，難道不可以好好的談談嗎？」
容哥兒道：「可以，不過在下先要制服閣下，然後再說。」突然欺身而上，一劍刺出。
楊三長劍一揮，擋開容哥兒的劍勢，退了兩步，道：「閣下很急躁……」
語聲一頓，接道：「咱們先談談如何？如是談不攏，再動手不遲。」
容哥兒心中甚感奇怪，暗道：看來趙大似是在這茅舍中布上了很多埋伏，不知何以不見發動……」心中念轉，口中應道：「好吧！咱們談談，不過……」
楊三道：「不過什麼？」
容哥兒道：「鄧二負傷而退，可能會招來援手，咱們要談，也不宜在這裏談。」
楊三搖搖頭，道：「這個閣下可以放心，鄧二縱然招人來此。咱們有趙大爲質，量他也不敢輕舉妄動。」
容哥兒道：「你們兄弟之間，似乎各懷鬼胎，彼此之間，全無情意。」
容哥兒還劍入鞘，緩步向楊三行了過去。楊三疾退兩步，退避木桌一側，緩緩說道：「咱們未談出結果之前，希望彼此都保持君子風度，不能暗中施算。」

容哥兒左手一伸抓住趙大，道：「楊兄可是想知曉在下的身分，是嗎？」

楊三道：「不錯。」

容哥兒道：「咱們是無暇多談，在下只奉告楊兄一句話，我要全力阻擋明日少林、武當歸附你們之事……」

語聲停了一停，接道：「自然，除了在下之外，還有很多人參與其事……」

楊三道：「但他們都無能阻止此事，閣下卻獨建奇功。」

容哥兒緩緩說道：「現在還很難說……」聲色突轉嚴厲，接道：「如是楊兄肯和在下合作，共同阻攔這次武林大劫，在下是歡迎異常，如是楊兄不肯，咱們只好拚個生死出來了。」

突然，伸手揭開了趙大腦上的人皮面具。

容哥兒想像之中，這趙大也和張四一般，臉上奇醜無比，哪知事情竟是大出了容哥兒意料之外，趙大不但臉上毫無破損，完好如初，而且竟然是和自己相識之人！

一時間，容哥兒如受到雷擊，望著趙大呆呆出神，半天講不出一句話來。

原來，這趙大竟然是領袖西北武林道上的英雄，趙家堡堡主趙天霄。

良久之後，容哥兒才長長吁一口氣，道：「原來是你趙堡主。」

趙天霄自被容哥兒點中穴道，始終未發一言，此時卻忍不住說道：「閣下是誰？」

容哥兒只覺腦際中靈光連閃，答非所問地道：「趙堡主那一把好鬍子，也是假的了，唉！如非在下親目所睹，做夢也想不到是你呢！」

目光轉動楊三臉上，冷冷地道：「閣下也不用再裝了，不如取下面具……」

楊三怔了一怔，道：「你知道我是誰？」

容哥兒道：「田文秀。」

楊三哈哈一笑，卻反口問道：「閣下何許人？」

容哥兒道：「區區容哥兒。」

趙天霄道：「你還沒有死嗎……」

容哥兒冷冷說道：「托天之福，區區還活在世上……」

語聲微微一頓，接道：「在下做夢也想不到，竟然是你們幾人在搗鬼。」

突然拔出長劍，在趙天霄臉上一晃，道：「究竟是怎麼回事，快說！」

趙天霄歎息一聲，閉上雙目。

容哥兒道：「閣下可是認爲我不敢取你之命，不會施下毒手嗎？」

趙天霄仍然閉目不答。

容哥兒冷笑兩聲，道：「看來，在下只好施展些手段，給你瞧瞧了。」

正待伸手去點趙天霄的穴道，忽然寒光一閃，迎面刺來，容哥兒來不及揮劍撥打，只好閃身向後退避兩尺。一把柳葉飛刀，掠著面前掃過。

就在容哥兒分神一顧那飛刀之時，突然一聲悶哼，趙天霄仰面倒下。

容哥兒凝目望去，只見趙天霄前胸洞穿，那是一定不能活了。

轉臉看去，只見楊三站在方桌對面，劍尖上血跡殷然。

容哥兒冷笑一聲，道：「我應該防到你這一手才是。」

楊三淡淡一笑，道：「此刻，你作何打算？」

容哥兒道：「殺人償命，你殺了趙天霄，我再殺你。」

突然縱身飛躍而起，越過桌面，長劍連綿出手，一口氣攻出四招。

這四招劍法，直把個楊三迫得連連向後退了五步。楊三一面揮劍接架，一面說道：「你冒充張四而來，自然是張四已死，縱然不死，也受了重傷，如今趙大也已死去，鄧二帶傷而逃，只有我楊三，知曉全盤內情，你如不幸把我殺死，再無人告訴你箇中的情形了，你也永遠無法解救那些被劇毒所傷之人。」

容哥兒只覺他言之有理，不禁手中劍勢一緩，道：「你準備放下屠刀？」

楊三架開容哥兒劍勢，道：「在下能否改過向善，那看閣下能否說服我了。」

容哥兒冷笑一聲，道：「大是大非，一目瞭然，在下並無說服之能。」

楊三緩緩坐下，道：「咱們坐下慢慢的談吧。」

容哥兒道：「時間已經不多，在下希望閣下不是故意拖延時間。」

楊三道：「這個閣下放心，這地方並非是由我楊三布成。」

容哥兒道：「閣下殺死了趙大，可是想使午時前那少林、武當降服之會，易期舉行嗎？」

楊三搖頭笑道：「剛好相反，在下殺死趙天霄，才能使今午之會，如期舉行。」

容哥兒道：「為什麼？」

楊三道：「閣下的武功，在我們四公子中，也許當得高手二字，但如真和當今武林中高手相搏，只怕仍非其敵。」

容哥兒道：「那要看什麼樣的高手？」

楊三道：「像少林長老、護法主持之類的人物如何？」

容哥兒沉吟了一陣，道：「此刻，在下並未和他們動手。」

楊三淡淡一笑，接道：「此刻此情，不知閣下作何打算？」

容哥兒緩緩說道：「楊兄如若有意合作，在下自然借重，如是想藉機拖延時間，耍什麼花招，那就不要怪在下劍下無情了。」

楊三搖搖頭道：「別說閣下未必真能取得在下之命，就算你能殺了我，也無法對付那將來臨的大變……該知我等每一個步驟，都經過嚴密的計劃，閣下如是不解內情，妄圖依一己之才，非把事情弄砸不可。」

容哥兒心中一動，暗道：「這話是大有道理，不能掉以輕心。」

心中念轉，口中說道：「閣下知曉那步驟計劃了？」

楊三道：「趙大原想把我遣走，使我遠離此地，不知他們計劃之密，可惜的是他們白費了一番心血，在下寧敗在萬上門的手中，也一直不離此地……」

容哥兒道：「他和鄧二秘密磋商，你又如何知曉？」

楊三道：「在下易容扮作趙大近身的侍衛之一，經常探得機密。」

容哥兒道：「趙天霄的近身侍衛，都是他心腹之人，爲何別人能夠假扮？」

楊三道：「這就是藥物之害，他們那位父皇，想借藥毒之力，統治武林，已見其害，一個人被深入體內的藥毒控制，體能、才能都逐漸消滅、退化……」

容哥兒道：「閣下呢？」

楊三長歎一聲，道：「在下麼？也已覺出其害了。」

容哥兒冷笑一聲道：「希望閣下的智力沒有退化……」

楊三道：「此話用意何在？」

容哥兒道：「有一件事，閣下估計錯了。」

楊三道：「什麼事？」

容哥兒道：「就是那張四還活在世上，閣下如若覺得你死了之後，世間無人再知你們的隱秘，那是大錯特錯的事了。」

楊三搖搖頭道：「就算那張四還活在世上，他也所知有限。」

容哥兒道：「你們四公子身分平等，閣下知曉的事，他也應該知道才是。」

楊三道：「話雖不錯，但我們四人之間，才慧用心，卻是大不相同。」

容哥兒道：「有何不同之處？」

楊三道：「第一件使閣下驚奇的是，在我們四人之中，只有趙大和在下逃過了毀容一關，這自然不是容易的事了……」

容哥兒接道：「閣下可否把面具脫下，讓在下見識見識閣下的真面目。」

楊三搖手道：「不用急，如若咱們能夠談成，在下自然以真面目相見。」

容哥兒道：「我知道你是田文秀，是不是？」

楊三哈哈一笑，道：「我未脫下面具之前，閣下就一直無法肯定我的身分……」語聲一頓，接道：「此時此刻，咱們似是不必爲此辯論，我先說明，在我們四人之中，鄧二、張四，都是碌碌之輩，困於藥物，借其面容，沉緬於酒色之中，只有在下和趙大互用心機，有所圖謀，所以，他想除我。」

容哥兒道：「閣下一樣也想除他？」

楊三道：「不錯。」

容哥兒道：「如若在下料斷的不錯，閣下一樣想除去你們那位父皇。」

楊雲沉吟了一陣，道：「那是自保，一旦我們替他完成統霸江湖之後，我們即將毒發而死。」

容哥兒道：「好啦！大局已明，閣下可以說出你的條件和用心了。」

楊三道：「在下想先聽聽閣下的意思。」

容哥兒道：「你要聽什麼？」

楊三道：「在下想知曉閣下的用心何在？」

容哥兒道：「閣下之意是……」

楊三哈哈一笑，道：「咱們真人面前不說假話，閣下的真正用心何在，希望能夠坦然說出。」

容哥兒道：「楊兄之意，是誤認在下也有所圖了？」

楊三道：「閣下出生入死，難道當真毫無作用嗎？」

容哥兒道：「楊兄誤會了，在下只是覺得很多武林同道，無緣無故地捲入了這場殺劫之中，太過殘忍，因此，在下只是想救那些無辜之人。」

楊三沉吟良久，默不作聲。

容哥兒冷笑一聲，道：「怎麼樣？閣下還是不相信嗎？」

楊三道：「唉！我很奇怪。」

容哥兒道：「奇怪什麼？」

楊三道：「我只是想到閣下這胸襟太過博大，如若不是僞裝，實是則人難信。」

容哥兒道：「閣下如何才能相信呢？」
楊三道：「無法證明。」
容哥兒道：「在下倒有一個可以證明的方法，但不知楊兄是否願意？」
楊三道：「你說吧。」
容哥兒道：「我知道楊兄想以重位相許，使在下助楊兄完成統治江湖的心願。」
楊三道：「不錯，如是閣下願意答允，在下願和閣下共主大局。」
容哥兒道：「但楊兄看錯了。」語聲一頓，接道：「楊兄如若肯以解毒藥物相贈，挽救了這次武林大劫，區區願以解救天下大危的大功，奉贈楊兄。」
楊三雙目眨動了一陣，道：「這話當真嗎？」
容哥兒道：「如若在下說的有一句謊言，天誅地滅。」
楊三道：「唉！這麼說來，閣下果是救世之心了。」
容哥兒道：「不錯，苦海無邊回頭是岸，趁大劫未成，閣下還可以將功贖罪。」
楊三輕輕歎息一聲，道：「解毒之藥，在下倒有……」
容哥兒道：「那好極了。」
楊三道：「不過，那些解藥，都是飲鴆止渴的藥物，雖可解一時之危，但是身中之毒，卻是愈來愈深。」
容哥兒道：「難道沒有真正的解毒之藥嗎？」
楊三道：「也許有，但在下卻不知何處能夠取得。」
容哥兒道：「你們那一位父皇呢？」

楊三哈哈一笑，道：「也許在他那裏。」

容哥兒望見東方已泛起魚肚白色，心中暗道：「如今雖然找到了啓開江湖大劫之鑰，但時間太過迫促了，不知道是否能夠趕上？」心中念轉，突然一揚手中長劍，道：「楊兄，你們和少林、武當掌門人的約會是什麼時間？」

楊三道：「中午之時。」

容哥兒道：「好！咱們還有足夠的時間分出生死。」

楊三一怔，道：「又要動手？」

容哥兒道：「除非楊兄能夠放下屠刀，和在下同心合力攔阻即將造成的大劫。」

楊三道：「聽來，閣下是個可以信賴的人。」

容哥兒突然取下臉上的人皮面具，道：「如若楊兄真有合作的誠意，咱們就應該共以真正的面目相見。」

楊三目光轉動，打量了容哥兒兩眼。

容哥兒道：「如果楊兄沒有合作的誠意，在下只有先殺楊兄，以除大患。」

楊三道：「容兄似是很有把握，能夠殺了在下，是嗎？」

容哥兒道：「就適才楊兄動手的情形而論，在下自信劍上造詣，要超過楊兄。」

楊三道：「你又怎知我後無援手？」

容哥兒道：「如果在下死在楊兄的手中，那也只怪天意如此，這場武林大劫，無法逃避……」

楊三突然歎息一聲道：「我們用盡了心機，費時數年，借重了無數武林高人的才慧，竟然在心願將要實現之時，卻爲容兄破壞。」
容哥兒道：「你們這等手法，不但是一網打盡了當代武林精英，而且藥毒所及，使武學就此衰弱，這是何等重大之事。大是大非之間，希望楊兄能夠有所抉擇。」
楊三道：「但不知咱們兩人之力，能否一舉扭轉乾坤？」
容哥兒道：「咱們盡其全力就是，是成是敗，那也不用顧及了。」
楊三緩緩取下人皮面具，道：「容兄猜得不錯，區區正是田文秀。」
容哥兒長長吁一口氣，道：「那位鄧二呢？可是趙天霄的結義兄弟，章寶元？」
田文秀搖搖頭，道：「不是，章寶元和石一山，都不知此事。」
容哥兒輕輕歎息一聲，道：「田兄和在下初會之時，已經身爲四公子之一了？」
田文秀緩緩說道：「不錯，那時，兄弟已經爲父皇效命三年之久。」
語音一頓，接通：「不瞞容兄，兄弟只怕難以再活過三日。」
容哥兒奇道：「爲什麼？」
田文秀道：「因爲我背叛了父皇。」
容哥兒奇道：「你們是他最親近之人，難道還會在你們身上，暗下奇毒不成？」
田文秀道：「他不但在我們身上下毒，而且是最爲凶殘之毒，毒性一旦發作，立刻死亡。」
容哥兒道：「這些事，你們都已經知曉了嗎？」
田文秀道：「在下早已知曉，趙大恐怕也已心中明白，鄧二、張四，是否心中明白，在下就不知道了。」

容哥兒道：「田兄之毒，何時發作？」

田文秀略一沉吟，道：「大概在明日之後，我們就可能完成他霸統江湖的心願。」

容哥兒輕輕咳了一聲，道：「田兄既知本身中毒，不知何以還要替他效命呢？」

田文秀苦笑一下，道：「如若我能夠早知其事，自然不會再爲他效命；如是他待我情意真實，容兄也無法輕易地說服我了。」語聲一頓，道：「這些事，咱們留待日後再說如何？容兄有何善策，可以早些說出了。」

容哥兒搖搖頭，道：「不瞞田兄說，兄弟實無良策。」

田文秀點點頭，道：「這個，兄弟早已想到了。」

容哥兒輕輕歎息一聲，道：「田兄可有什麼高見嗎？」

田文秀道：「如是容兄胸無良策，那只好聽兄弟的意見了！」

容哥兒道：「田兄有什麼高見？」

田文秀望了趙大一眼，道：「如若咱們再有一個人，能夠假扮成趙大，那就好些了……」語聲微微一頓，接道：「如是萬一無人，那就請容兄扮成趙大。」

容哥兒道：「他們四公子，咱們只有兩個人，如何能應付呢？」

田文秀道：「如若咱們只有兩個人，容兄就要扮作趙大，在我們四人之中，雖是各有專司，但趙大和兄弟管事較多，在眾多屬下之前，也較有聲望。」

容哥兒道：「在下明白了，不過鄧二逃離此地，傳出消息，只怕要影響大局。」

田文秀道：「他逃不了，這茅舍十丈之外，我已埋伏下了人手，就算不能生擒於他，亦可置他死地。」隨手又戴上了面具。

容哥兒換過了趙大面具，道：「看來，田兄似是已經早有準備了？」

田文秀道：「不錯，在下準備在這次會商後，離開此地時，招呼埋伏，一舉生擒制服趙大、鄧二，卻不料那趙天霄棋高一著，竟然想把我搏殺於茅舍之中。唉！這一著在下倒未想到，如非容兄假扮張四而來，只怕兄弟早已經傷在趙天霄的手中了！」

容哥兒道：「你們兄弟之間，彼此猜忌用詐之外，還要施毒控制，全無情義可言。」

田文秀苦笑一笑，接道：「箇中詳情奇幻詭異，一言難盡，待過了這一段危險時刻，兄弟再詳細地說給你聽，此刻，咱們已然面臨最後的一戰，不但關係著武林大局，而且也是我父皇子弟之間，各逞心機的決鬥……」

望了趙天霄一眼，接道：「早些在下爲容兄說動，那就不該很快殺他了。」

田文秀一面說話，一面舉步向室外行去。容哥兒緊隨他身旁，道：「爲什麼？」

田文秀道：「咱們要問他的計劃，然後再殺他不遲。」

容哥兒心中感慨萬千，暗道：「他們兩家，本是世交，但權欲所在，使得彼此間不擇手段暗鬥。」心中念轉，口中說道：「有一件事，在下想不明白。」

田文秀道：「什麼事？」

容哥兒道：「你們那位父皇，究竟是何許人物？」田文秀沉吟不語。

容哥兒不聞田文秀答話，當下接道：「田兄既有棄暗投明之心，阻攔住這一次江湖之劫，應該不再顧忌說明他的身分了。」

田文秀道：「他很神秘，對自己保護得更無微不至，也不肯信任何一個人，我們每次和他相見時，都暫時失去武功，任他宰割，無能反抗，不過……」

容哥兒道：「不過什麼？」

田文秀道：「百密總是難免一疏，在兄弟小心觀察之下，發覺了那自稱父皇之人，似是一個女人。」

容哥兒吃了一驚，道：「既是女人，又怎能自稱父皇呢？」

田文秀緩緩說道：「這就是叫人難測高深之處了，當下武林之中，誰也想不到他是女人，對嗎？」談話之間，已到了湖畔。

這時，東方已白，晨霧籠罩著浩瀚的煙波。田文秀停下腳步，仰臉一聲長嘯。

嘯聲未落，暗影中，突然有數條人影，疾如流星一般，奔了過來。

容哥兒已戴上趙大的面具，緊傍田文秀身側而立。

原來，他心中對那田文秀仍然有著懷疑，暗作準備，如是田文秀招來屬下之後，突然變臉，自己也好出手對付他，擒賊擒王，一舉制服田文秀。

晨霧中，幾條人影，奔到了兩人的身前。

容哥兒轉眼看去，只見八個黑衣大漢，分由不同的方位行近。

距兩人還有五尺左右時，八個大漢一齊停了下來，欠身對兩人一禮。

田文秀低聲說道：「二公子呢？」

正北一個大漢望了容哥兒一眼，道：「二公子不肯束手就縛，已死於亂刀之下。」

田文秀點點頭，道：「好，你們撤回舟上候命。」八個大漢齊齊應聲退回。

容哥兒望著八人遠去的背影，道：「這些人都是田兄的心腹嗎？」

田文秀搖搖頭道：「談不上，只不過，我控制著他們的生死，他們在聽命和死亡之中，選擇了一種。」

容哥兒道：「選擇了聽你之命？」

田文秀舉手連擊三掌，道：「如是容兄有此遭遇，不知要作何選擇。」

容哥兒道：「這個麼……」

田文秀哈哈一笑，接道：「很難說，是嗎？」

容哥兒正待答話，突聞木櫓破水之聲，一艘快舟馳近湖畔。

田文秀道：「咱們船上談吧。」

容哥兒道：「田兄意欲何往？」

田文秀道：「我已答應助你消弭這次江湖大劫，首要之務，是攔阻少林、武當兩派掌門人，不要他們降服。」談話間，人已跳上快舟，容哥兒緊隨田文秀飛登快舟。

這快舟並不很大，但卻構造得十分別緻，整個快舟，除了後梢一處搖櫓的地位，全爲船艙所佔。田文秀推開艙門行入艙中揮手道：「開船。」然後對容哥兒招招手，道：「請入艙中坐吧。」

容哥兒緊隨田文秀行入艙中，由田文秀回首掩上艙門。

快舟陡然起行，隱聞破浪之聲。艙中一片黑暗，黑得伸手不見五指。

容哥兒暗中提氣戒備，手握劍把，生恐那田文秀暗施算計。

但聞田文秀低聲說道：「容兄，請見識見識兄弟這豪華生活。」

話聲中晃燃了一隻火折子，燃起了四支白紗作罩的紅燭，艙中登時一片通明。

輝煌的燭光下，呈現了一幅活色生香的奇景。原來，這船艙中，鋪著厚厚的白毯，八個半裸玉體的少女，分臥艙中。

容哥兒歎息一聲，道：「藥毒、女色，使英雄壯志消沉。」

田文秀微微一笑，道：「英雄難過美人關，我們利用各種形勢、景物，造成那些武林高手的奇遇，他們自覺艷福不淺，其實，卻是大禍臨頭，在一宵風流中，已然被下了奇毒，那些人既吝惜盛名得來不易，又貪戀那美色之可愛，愈陷愈深，只有聽命我們一途了。」

容哥兒道：「武林中不乏才慧絕世的高人，難道也無法逃過你們的美人關嗎？」

田文秀道：「自然是有，但他們卻難防自己人的暗算，假如說徒弟暗算師父，大約是很難防備吧。」

容哥兒似是突然發覺了一件奇事，道：「這些半裸美女，是死的還是活的？」

田文秀微微一笑，道：「容兄摸摸看吧。」

容哥兒搖搖頭，道：「不用了，就兄弟察看而言，她們都是活的。」

田文秀道：「不錯，一個也未死。」

容哥兒道：「爲什麼她們一個個靜臥不動，有如死去一般。」

田文秀道：「因爲我點了她們的穴道。」身子移動，右手連揮，連續拍出八掌。

八個半裸美女，突然站起身子。

只見八人緩緩站起身子之後，望了容哥兒和田文秀一眼，立時分別行動。

兩個半裸美女，先搬來兩張木椅，給兩人坐下，緊接著有兩人捧著美酒而至。

田文秀取過酒杯，道：「容兄，乾一杯如何？」

容哥兒生恐酒中有毒，不敢飲用，搖搖頭，道：「此時此情，兄弟哪裏還有飲酒之心。」

田文秀也不勉強，自行一飲而盡，笑道：「兄弟這生活如何？」

容哥兒道：「窮極酒色之樂，消盡英雄壯志。」搖搖頭，歎一口氣。

田文秀神色肅然他說道：「容兄，小弟有一事相求，希望容兄能夠答允。」

容哥兒道：「田兄但請吩咐，小弟無不依從。」

田文秀道：「小弟陷身此中，家父並不知情，唯一知曉之人，就是那趙天霄了，如今趙天霄已經死去……」

容哥兒道：「在下知道了，田兄之意，是不讓兄弟說出此訊。」

田文秀道：「是的，如是兄弟不幸戰死，還望容兄能替兄弟遮掩。」

容哥兒道：「遮掩什麼？」

田文秀道：「不要讓他們取下我的面罩……」

容哥兒道：「好！如是我死在你後，一定照辦。」

田文秀道：「早些收起我的屍體，最好能把我斬得面目全非，使人無法辨認。」

容哥兒道：「我會掩埋起田兄屍體……」

田文秀哈哈一笑，道：「不論容兄如何處理兄弟的屍體都好，兄弟只求不要別人認出就成。」

容哥兒道：「看樣子，田兄已準備以身相殉了。」

田文秀道：「兄弟是死定了，縱然不戰死，也將毒發而亡。」

談話之間，快舟突然停了下來。

田文秀霍然站起身子，互擊了兩掌，道：「你們都過來。」

八個半裸美女，聞聲而來，圍集於田文秀的身側。

田文秀神色嚴肅，道：「我這次下船，就不再來了。」

八個美女怔了怔，道：「公子有什麼吩咐？」

田文秀道：「我想你們也該死了。」

容哥兒奇道：「你要殺死她們？」

田文秀點點頭，道：「是的，留著她們，兄弟這身分之密恐怕保不住了。」

突然舉手揮出，一個半裸美女應聲倒下。

容哥兒看他一掌擊中那半裸美女的死穴，哼也未哼一聲，就倒在地上，心中大是不忍，蹲下身去，手一探那女子鼻息，早已氣絕而逝。

就這一瞬工夫，那田文秀已然連斃六人，奇怪的是，那些半裸美女，對死並不畏懼，瞪著一對大眼睛望著田文秀，卻是不肯逃避。

容哥兒沉聲說道：「田兄，夠了，留下兩條命吧。」

但田文秀雙掌齊出，餘下的兩個半裸美女，也應手而倒。

容哥兒搖搖頭，道：「田兄，你不覺太過殘忍嗎？」

田文秀道：「在容兄眼中，自然有些殘忍了，不過……」

容哥兒冷笑一聲，道：「不過，在你田兄中，這卻算不得一回事，是嗎？」

田文秀道：「這些人，都已經服過一種藥物，放她們離開，她們也無法活過七日，那時她們無藥服用，內腑毒發，所受的痛苦，就非人能忍了。」

容哥兒道：「你沒有解毒藥物嗎？」

田文秀道：「根除她們身受毒的藥物，除我們父皇之外，天下恐再無第二人知了。」語聲頓乍一頓，道：「連我們四個人，都一般地受奇毒所困，何況他人？」

容哥兒略一沉吟，道：「那是說，你們四公子，也隨時可能毒發而死？」

田文秀道：「如若我推想不錯，武林大局統一之後，那父皇要選一批新人、爲他效勞，我們四公子，以及那些爲他效命之人，都將毒發而死。」

容哥兒吃了一驚，道：「那豈不要死上千名以上之人了？」

田文秀道：「不錯啊！」

容哥兒搖搖頭，道：「唉！果然是千古以來，武林中從未有過的大劫，一舉間，使天下武林同道，死亡逾半。」

田文秀長吁一口氣，道：「你算的太少了，各大門派中身受毒傷的人，再加上我們四公子手下統率的武林人物，如是一齊死去，天下的武林同道，能夠餘下三成，已算不錯了。」

容哥兒道：「在下想不通，他一舉殺死這麼多武林人物，就算登上了武林盟主之位，那還有何味道？」

田文秀道：「兄弟也覺得奇怪……」語聲一頓，道：「根本的解決之法，是逼出我們那位父皇，迫他交出解藥，再不濟，也要把他殺死或生擒，以除禍根……」

請續看《雙鳳旗》之四

臥龍生武俠經典珍藏版 35

雙鳳旗（三）

作者：臥龍生
發行人：陳曉林
出版所：風雲時代出版股份有限公司
地址：10576台北市民生東路五段178號7樓之3
電話：(02) 2756-0949
傳真：(02) 2765-3799
執行主編：劉宇青
美術設計：許惠芳
業務總監：張瑋鳳
出版日期：臥龍生60週年珍藏版 2023年4月
ISBN ：978-986-5589-76-9
風雲書網：http://www.eastbooks.com.tw
官方部落格：http://eastbooks.pixnet.net/blog
Facebook：http://www.facebook.com/h7560949
E-mail：h7560949@ms15.hinet.net
劃撥帳號：12043291
戶名：風雲時代出版股份有限公司

風雲發行所：33373桃園市龜山區公西村2鄰復興街304巷96號
電話：(03) 318-1378　　傳真：(03) 318-1378
法律顧問：永然法律事務所 李永然律師
　　　　　北辰著作權事務所 蕭雄淋律師

行政院新聞局局版台業字第3595號 營利事業統一編號22759935

定價：320元　

國家圖書館出版品預行編目資料

雙鳳旗／臥龍生 著. -- 臺北市：風雲時代出版股份有限公司，2021.06- 冊；公分（臥龍生武俠經典珍藏版）

ISBN：978-986-5589-74-5（第1冊：平裝）
ISBN：978-986-5589-75-2（第2冊：平裝）
ISBN：978-986-5589-76-9（第3冊：平裝）
ISBN：978-986-5589-77-6（第4冊：平裝）

863.57　　110007331